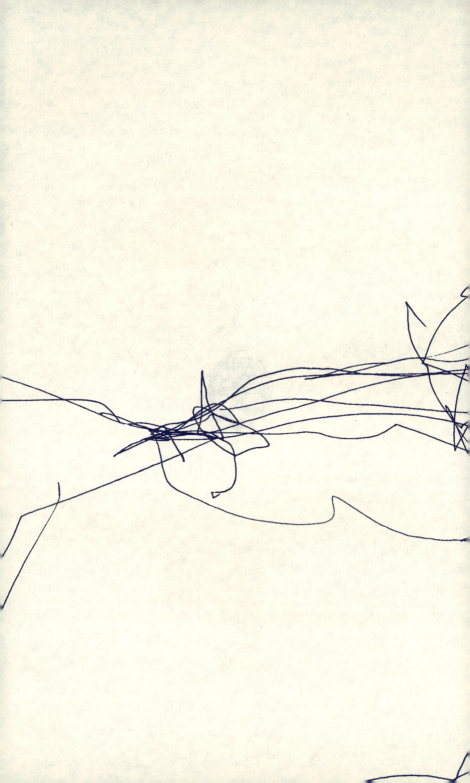

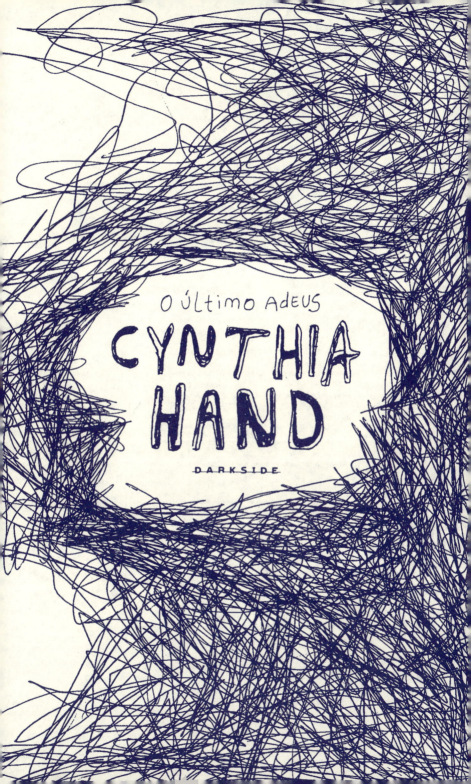

THE LAST TIME WE SAY GOODBYE
Copyright © 2015 by Cynthia Hand
Todos os direitos reservados.

Publicado mediante acordo com a HarperCollins Children's Books, uma divisão da HarperCollins Publishers

Tradução para a língua portuguesa
© Carolina Coelho, 2016

Diretor Editorial
Christiano Menezes

Diretor Comercial
Chico de Assis

Diretor de MKT e Operações
Mike Ribera

Diretora de Estratégia Editorial
Raquel Moritz

Gerente Comercial
Fernando Madeira

Gerente de Marca
Arthur Moraes

Gerente Editorial
Bruno Dorigatti

Capa e Proj. Gráfico
Retina 78

Coordenador de Arte
Eldon Oliveira

Coordenador de Diagramação
Sergio Chaves

Revisão
Ana Kronemberger
Ulisses Teixeira

Finalização
Roberto Geronimo
Sandro Tagliamento

Impressão e Acabamento
Gráfica Santa Marta

DADOS INTERNACIONAIS DE CATALOGAÇÃO NA PUBLICAÇÃO (CIP)
Angélica Ilacqua CRB-8/7057

Hand, Cynthia
  O último adeus / Cynthia Hand ; tradução de Carolina Coelho. — Rio de Janeiro : DarkSide Books, 2016.
  352 p. : il.

  ISBN: 978-85-9454-002-7
  Título original: *The Last Time We Say Goodbye*

  1. Literatura norte-americana 2. Ficção
  I. Título II. Coelho, Carolina

16-0399   CDD 813

Índice para catálogo sistemático:
1. Literatura norte-americana

[2016, 2024]
Todos os direitos desta edição reservados à
DarkSide® Entretenimento LTDA.
Rua General Roca, 935/504 – Tijuca
20521-071 – Rio de Janeiro – RJ – Brasil
www.darksidebooks.com

O ÚLTIMO ADEUS

CYNTHIA HAND

Traduzido por
Carolina Coelho

DARKSIDE

Para Jeff.
Porque esta é
a única maneira
com a qual sei
alcançar você.

Ajude o barco de seu irmão
a atravessar, e você chegará à margem.
Provérbio Hindu

5 DE FEVEREIRO

Primeiro, gostaria de deixar registrado que a ideia toda de escrever isto não foi minha. Foi de Dave. Meu terapeuta. Ele acha que estou tendo dificuldades para expressar meus sentimentos, e por isso sugeriu que eu escrevesse um diário: para colocar tudo para fora, como antigamente, quando os médicos sangravam seus pacientes para drenar os venenos misteriosos. O que quase sempre acabava matando-os, apesar das boas intenções dos médicos, devo dizer.

Nossa conversa foi mais ou menos assim:

Ele queria que eu começasse a tomar antidepressivos.

Eu disse a ele para enfiá-los onde o sol não bate.

Então, ficamos numa espécie de impasse.

"Vamos tentar uma nova abordagem", disse ele por fim, então virou-se e pegou um caderninho preto. Entregou-o a mim, eu peguei, abri, e olhei para ele, confusa.

O caderno estava em branco.

"Pensei que talvez você pudesse tentar escrever, como alternativa", disse ele. "Isto é um caderno Moleskine", continuou ao ver que só fiquei olhando para ele. "Hemingway costumava escrever em cadernos assim."

"Uma alternativa a quê?", perguntei. "Ao Xanax?"

"Quero que você o use por uma semana", disse ele. "Que escreva, quero dizer."

Tentei devolver o diário a ele. "Não sou escritora."

"Já vi que, quando quer, você consegue ser bem eloquente, Alexis."

"Por quê? Para que isso?"

"Você precisa de uma válvula de escape", disse ele. "Está guardando tudo, e isso não é bom."

Legal, pensei. Em seguida, ele me mandaria comer legumes e tomar vitaminas e cuidar para dormir 8 horas sem interrupções todas as noites.

"Sei. E você vai ler?", perguntei, porque não existe a menor possibilidade de eu fazer isso. Falar sobre minha vida inesperadamente trágica uma hora por semana já é bem ruim. Não vou despejar o que penso em um caderno para que ele possa levá-lo para casa e analisar minha gramática, de jeito nenhum.

"Não", respondeu Dave. "Mas espero que um dia você se sinta à vontade o bastante para falar comigo sobre o que escreveu."

Acho difícil, pensei, mas disse: "Certo, mas não espere um Hemingway".

Não sei por que concordei com isso. Acho que foi porque tento ser uma boa paciente.

Dave parecia muito satisfeito consigo mesmo. "Não quero que você seja um Hemingway. Hemingway era um idiota. Quero que escreva o que mexe com você. Sua rotina. Seus pensamentos. Seus sentimentos."

Não tenho sentimentos, foi o que quis dizer a ele, mas só concordei afirmando com a cabeça, porque ele parecia ansioso, como se a minha saúde mental dependesse totalmente da minha cooperação em escrever no diário idiota.

Mas então, ele disse: "E eu acho que para isso funcionar de verdade, você também deveria escrever sobre Tyler".

E isso fez os músculos da minha mandíbula ficarem tensos involuntariamente.

"Não posso", consegui dizer baixinho.

"Não escreva sobre o fim", disse Dave. "Tente escrever sobre uma época em que ele era feliz. Quando vocês dois eram felizes juntos."

Balancei a cabeça, negando.

"Não consigo me lembrar." E é verdade. Mesmo depois de quase 7 semanas, só 47 dias sem interagir com meu irmão, sem jogar ervilhas nele na mesa da cozinha, sem vê-lo nos corredores da escola e agindo, como qualquer irmã mais velha responsável faria, para manter as aparências, como ele dizia só para me perturbar, a imagem de Ty se tornou embaçada em minha mente. Não consigo visualizar o Ty que não está morto. Meu cérebro gravita em direção ao fim. Ao corpo. Ao caixão. À cova. Não consigo nem começar a ficar feliz.

"Concentre-se nas primeiras e nas últimas vezes", disse Dave. "Isso vai ajudar você a se lembrar. Deixe-me dar um exemplo: há uns vinte anos, eu tinha um Mustang 83. Eu cuidava muito daquele carro, e o amava mais do que poderia admitir, mas agora, todos esses anos depois, não consigo me lembrar exatamente como ele era. Mas, se eu pensar nas primeiras e nas últimas vezes com o Mustang, posso contar sobre a primeira vez em que o dirigi, ou a última vez em que fiz uma viagem longa com ele, ou a primeira vez em que passei uma hora no banco de trás com a mulher que se tornaria minha esposa, e então, consigo vê-lo com clareza." Ele pigarreou. "São esses momentos-chave que se destacam em nossa mente."

Não estamos falando de um carro, pensei. Estamos falando do meu irmão.

Além disso, acho que Dave tinha acabado de me contar sobre fazer sexo com a esposa. Era a última coisa que eu queria imaginar.

"Então, essa é sua tarefa oficial", disse ele, recostando-se como se a conversa estivesse encerrada. "Escreva sobre a última vez em que se lembra de ter visto Tyler feliz."

E isso me trouxe para cá agora.

Escrever em um diário sobre não querer escrever em um diário. Percebo a ironia.

Mas, sério, não sou escritora. Consegui 720 pontos na redação do vestibular, o que é bom, mas ninguém nunca presta atenção a essa pontuação, só aos meus perfeitos 800 em matemática. Nunca escrevi em diário. Meu pai me deu um quando eu fiz 13 anos, era rosa e tinha um cavalo na capa. Acabou no fundo da minha estante com um exemplar da Bíblia de Estudo para Jovens e o Guia de Beleza da Seventeen, *e todas as outras coisas que deveriam me preparar para a vida dos 13 aos 19 — como se me preparar para isso fosse possível. E ainda está lá, 5 anos depois, acumulando pó.*

Nada a ver comigo. Nasci com números no cérebro. Penso em equações. O que eu faria, se conseguisse escrever e produzir algo útil, seria pegar minhas lembranças, esses momentos efêmeros e dolorosos da minha vida, e encontrar uma maneira de somá-los, subtraí-los e dividi-los, inserir variáveis e movê-los, tentar isolá-los, descobrir seus sentidos ilusórios, traduzi-los de possibilidades a certezas.

Eu tentaria me resolver. Descobrir onde tudo deu errado. Como cheguei aqui, de A a B, sendo o A a Alexis Riggs tão segura de si, esperta, firme e que ria muito e chorava às vezes e não fracassava nas coisas mais importantes da vida.

A isto.

Mas a página em branco boceja para mim. A caneta não parece natural na minha mão. É muito mais pesada do que o lápis. Permanente. Não existem borrachas na vida.

Eu riscaria tudo e começaria de novo.

CAPÍTULO 1

Mamãe está chorando de novo. É como se uma torneira fosse aberta dentro dela em momentos aleatórios. Podemos estar fazendo compras, dirigindo ou assistindo à TV, e quando olho para ela, minha mãe está chorando, como se nem percebesse o que está fazendo — não soluça, não grita, não funga, só as lágrimas descendo pelo rosto dela sem parar.

E então. Hoje cedo. Minha mãe prepara o café da manhã, como ela tem feito quase todos os dias de minha vida. Raspa os ovos mexidos e os despeja em meu prato, passa a manteiga na torrada, serve um copo de suco de laranja e coloca tudo em cima da mesa da cozinha.

Chorando o tempo inteiro.

Quando ela começa a chorar, eu tento agir como se nada estivesse diferente, como se fosse totalmente normal que uma mãe chore em cima do café da manhã de um filho. Como se não me atingisse. Então, digo algo animado, como "Está parecendo muito bom, mãe. Estou morrendo de fome", e começo a espalhar a comida queimada por meu prato de um modo que, espero, a convença de que estou comendo.

Se isso fosse antes, se Ty estivesse aqui, ele faria com que ela risse. Sopraria bolhas no leite com chocolate. Faria uma careta de bacon e ovos, e fingiria estar conversando com essa careta, e gritaria como se estivesse no meio de um filme de terror enquanto comesse um dos olhos, lentamente.

Ty sabia consertar as coisas. Eu não sei.

Minha mãe se senta à minha frente, lágrimas escorrendo de seu queixo, e pousa as mãos no colo. Paro de fingir que estou comendo e abaixo a cabeça, porque, apesar de ter parado de acreditar em Deus há um tempo, não quero complicar as coisas confessando meu ateísmo em desenvolvimento para minha mãe. Não agora. Ela já tem coisas demais com que lidar.

No entanto, em vez de rezar, ela seca o rosto molhado com um guardanapo e olha para mim com os olhos brilhantes, com os cílios unidos por estarem molhados. Ela respira fundo, o tipo de respiração de quem está prestes a dizer algo importante. E sorri.

Não consigo me lembrar da última vez em que a vi sorrir.

"Mãe? Você está bem?"

E é quando ela diz. A coisa maluca. A coisa com a qual não sei lidar.

Ela diz: "Acho que seu irmão ainda está em casa".

Minha mãe continua e explica que acordou à noite, de um sono profundo, sem motivo. Levantou-se para pegar uma taça de vinho e um Valium. Para ajudá-la a voltar a dormir, segundo ela. Ela estava de pé à pia da cozinha quando, do nada, sentiu o cheiro da colônia que meu irmão usava. Ao redor dela, ela diz.

Como se ele estivesse ao seu lado, ela diz.

É forte, aquela colônia. Ty a comprou no Natal, dois anos atrás, num frasco enorme no Walmart, uma colônia chamada Brut numa embalagem verde-radioativa, "a essência do homem" era a frase da caixa. Sempre que meu irmão passava aquilo, o que acontecia com muita frequência, o cheiro tomava o ambiente. Era como uma nuvem flutuando dois metros à frente dele quando ele atravessava o corredor na escola. E não era um cheiro ruim, exatamente, mas a pessoa que o sentia era dominada por ele. *SINTA ESSE CHEIRO*, era como se mandasse. *Estou com cheiro de homem? ESTOU CHEGANDO.*

Engulo um pouco do ovo mexido e tento pensar em algo útil a dizer.

"Tenho certeza de que aquele frasco faz emissões espontâneas", digo, por fim. "E a casa é arejada, leva o cheiro."

Pronto, mãe. Uma explicação perfeitamente lógica.

"Não, Lexie", diz ela, balançando a cabeça, o restante do sorriso esquisito ainda preso nos cantos dos lábios. "Ele está aqui, consigo sentir."

A questão é que ela não parece maluca. Parece esperançosa, como se as últimas sete semanas tivessem sido apenas um pesadelo. Como se ela não o tivesse perdido. Como se ele não estivesse morto.

Acho que isso será um problema.

CAPÍTULO 2

Vou para a escola de ônibus. Sei que é uma declaração corajosa para uma aluna do último ano fazer, principalmente uma que tem carro, mas no paradoxo de escolher entre tempo e dinheiro, escolho dinheiro todas as vezes. Moro na pequena cidade de Raymond, Nebraska (população de 179), mas frequento a escola na metrópole de Lincoln (258.379 habitantes). A distância entre a minha casa e a escola é de 21 quilômetros. Ou seja, 42 quilômetros, ida e volta. Meu velho Kia Rio (a quem me refiro, não muito carinhosamente, como "O Limão") faz, aproximadamente, 11 quilômetros por litro, e a gasolina nesse canto de Nebraska custa cerca de 80 centavos o litro. Então, ir para a escola de carro me custaria 3,07 dólares por dia. Há 179 dias letivos este ano, o que dá nada menos que 549,53 dólares, tudo isso para que eu tenha 58 minutos a mais no meu dia.

Não é uma decisão difícil. Tenho que pagar a faculdade ano que vem. Tenho economias, um plano. Parte desse plano envolve usar o ônibus para ir à escola.

Eu gostava do ônibus. Antes, quero dizer. Quando eu podia colocar meus fones de ouvido e escutar Bach no último volume e ver o sol subir acima dos campos vazios e alvos de milho e das casas tomadas pelo sol afastadas da estrada. Os moinhos de vento girando. Vacas encolhidas, agrupadas, para se aquecerem. Aves — verdilhões com penas cinza, chapins e os cardeais que às vezes aparecem — cortando o céu do inverno. Estava tranquilo, confortável e gostoso.

Porém, desde que Ty morreu, sinto que todo mundo no ônibus me observa, algumas pessoas por simpatia, claro, prontas para entregar um lenço a qualquer momento, mas outras como se eu tivesse me tornado perigosa. Como se eu tivesse o gene ruim no sangue, como se minha vida triste fosse algo que pudesse ser transmitido por contato casual. Como uma doença.

É, que se danem.

Claro, não faz sentido ficar brava. É improdutivo. Eles ainda não entendem. Que estão esperando por aquele telefonema que mudará tudo. Que cada um vai acabar se sentindo como eu. Porque alguém que eles amam vai morrer. É uma das certezas mais cruéis da vida.

Então, com isso em mente, tento ignorá-los, ligo a música e leio. E não olho para a frente até chegarmos na escola, 21 quilômetros depois.

Esta semana, estou relendo *Uma Mente Brilhante*, a biografia do matemático John Nash. Foi feito um filme, que tinha pouca matemática, na minha opinião, mas que, tirando isso, foi bom. O livro é ótimo. Gosto de pensar que Nash viu nosso comportamento como matemático. Era sua genialidade, ainda que o homem tenha enlouquecido e começado a ver pessoas imaginárias; ele compreendia as conexões entre os números e o mundo físico, entre nossas atitudes e as equações invisíveis que as controlam.

Veja minha mãe, por exemplo, e a afirmação dela de que meu irmão ainda está conosco. Ela está tentando reestruturar nosso universo de modo que Ty não desapareça. Como um peixe se debate na areia quando está na praia, uma reação involuntária, um mecanismo de sobrevivência, na esperança de conseguir voltar para a água.

Minha mãe está tentando encontrar o caminho de volta para a água. Faz sentido, se eu analisar por esse ângulo.

Não que seja saudável. Não que eu saiba o que fazer em relação a isso.

Nem por um segundo, acredito que Ty ainda esteja em nossa casa. Ele se foi. Assim que a vida abandonou seu corpo, assim que os neurônios de seu cérebro pararam de funcionar, ele deixou de ser meu irmão. Ele se tornou um punhado de células mortas. E está, graças aos milagres do processo do embalsamamento moderno, a caminho de se tornar um caixão cheio de meleca verde.

Nunca mais o verei.

Pensar nisso traz de volta o buraco em meu peito. Isso não para de acontecer, acontece a cada poucos dias desde o enterro. Parece que uma cavidade enorme se abre entre a terceira e a quarta costela do lado esquerdo, um rombo por onde se poderia ver o assento de vinil do ônibus por trás dos meus ombros. Machuca, e meu corpo inteiro fica tenso de dor, e minha mandíbula trava e meus punhos se cerram, e o ar congela em meus pulmões. Nessa hora, tenho a sensação de que posso morrer. De que *estou* morrendo. Mas então, tão de repente quanto surgiu, o buraco desaparece. Eu consigo respirar. Tento engolir, mas minha boca está seca.

O buraco é Ty, acho.

O buraco é algo como o pesar.

Na escola, nada acontece. Sigo no piloto automático, perdida em pensamentos sobre John Nash, peixe na praia e a logística de como as correntes de ar poderiam ter levado o cheiro da colônia de meu irmão de onde ela está, toda empoeirada ao lado da pia no banheiro do porão, pela sala, subindo a escada, até a cozinha, para confundir totalmente a minha mãe.

Então, começa o que costumava ser a melhor aula do dia: a sexta aula, Laboratório de Cálculo. Eu a chamo de Central Nerd, a maior concentração de pessoas inteligentes na escola em um mesmo lugar.

Meu lar, doce lar.

O objetivo dessa aula é dar aos alunos tempo de estudar e fazer sua lição de cálculo. Mas como somos nerds, todos terminamos a tarefa nos primeiros dez minutos da aula. Então, passamos o resto do tempo jogando cartas: pôquer, combate, copas, buraco, o que nos dá na telha.

Nossa professora, brilhante e que arrasa na matemática, srta. Mahoney, senta-se à sua mesa na frente da sala e finge que estamos fazendo um trabalho sério. Porque é meio que a aula livre dela também, já que os cortes no orçamento da escola eliminaram a aula de preparação para a faculdade.

Ela tem um fraco por vídeos de gatos no YouTube.

Todos temos nossas fraquezas.

Então, ali estamos nós, jogando pôquer de cinco cartas. Estou arrebentando. Tenho três ases. E isso é um adorável problema de matemática por si só — a probabilidade de ter três ases numa mão é 94/54.145 ou (se quer falar de improbabilidade), 1 a cada 575, o que é bem improvável, pensando bem.

Jill está sentada à minha esquerda, enrolando uma mecha dos cabelos ruivos no dedo. Acho que ela quer que o gesto pareça um sinal, como se estivesse com cartas incríveis, mas provavelmente significa o contrário. Eleanor está sentada à minha direita, e as cartas de sua mão estão péssimas, e sei disso porque ela simplesmente diz: "Minhas cartas estão péssimas", e se fecha. Assim é El — ela diz o que pensa, sem filtro.

E chegamos a Steven, que está sentado à minha frente com ótimas cartas. Como eu sei? Ele está tentando fechar a cara, o que não consegue fazer. É uma das coisas de que eu gostava muito em relação a Steven — a incapacidade que ele tem de esconder sentimentos. Dá para ver muito bem nos seus grandes olhos castanhos o que está rolando na cabeça dele. E, no momento, os olhos estão bem contentes com as cartas que ele está segurando.

Então, sim, as cartas dele são boas, mas tão boas quanto uma trinca de ases? Provavelmente não.

"Aposto com você, e coloco cinquenta Skittles." Conto os doces e os coloco no centro da mesa.

Os jogadores respiram fundo... é muito doce.

Steven olha para mim meio inseguro.

"E aí?", digo, desafiando, e penso: *Só porque terminamos não quer dizer que tenho que pegar leve com você. Só porque algo ruim aconteceu não quer dizer que você tem que pegar leve comigo.*

No entanto, antes que ele possa responder, a srta. Mahoney me chama.

"Alexis, posso conversar com você por um minuto?"

Quer conversar comigo sozinha. Não deve ser coisa boa.

Coloco as cartas na mesa, viradas para baixo, e caminho com relutância até a mesa dela. Ela está mordendo o lábio inferior, outro mau sinal.

"O que foi?", pergunto.

"Queria conversar com você sobre isto."

Ela empurra um pedaço de papel em cima da mesa na minha direção.

A prova que fizemos na semana passada.

Que valia 25% da nota total.

Na qual, ao lado do meu nome, a nota é um enorme 71% em vermelho.

Empurro os óculos para cima no nariz e observo o pedaço de papel, assustada. Parece que resolvi os três problemas de um jeito totalmente errado, e ela me deu crédito parcial num quarto. De dez problemas.

Setenta e um por cento.

Praticamente um D.

Engulo em seco. Não sei o que dizer.

"Eu sei isso." Digo com a voz rouca depois de alguns segundos arrebatadores, olhando para a nota de novo, vendo meus erros de modo tão claro que até parece uma piada cruel.

Lá vai minha nota 4, é o que penso. Bum.

"Sinto muito", diz a srta. Mahoney, em voz baixa, como se todo mundo da sala já não estivesse tentando ouvir a conversa. "Posso deixar que você o refaça na sexta, se achar que vai ajudar."

Preciso de alguns segundos para entender. Pelo que ela sente muito. Por que está me oferecendo uma recuperação, sendo que nunca permite isso? Sua nota é um fato, ela diz. Você precisa aprender a lidar com os fatos.

Eu me endireito.

"Não, eu assumo." Seguro a ponta do papel e o puxo para mim, pego, dobro a folha no meio para esconder a nota. "Vou me sair melhor na prova final."

Ela assente.

"Sinto muito, Lex", diz ela de novo.

Ergo o queixo.

"Pelo quê?", pergunto, como se não soubesse. "Você não bombou na prova. Eu bombei."

"Sei que as coisas têm sido difíceis desde que Tyler..."

E para.

Nossa, eu odeio essa pausa, enquanto a pessoa que está falando procura o modo mais tranquilo de dizer *morreu*, como se encontrar outra palavra deixasse a coisa menos horrorosa: termos como *foi descansar*, como se a morte fosse temporária; *partiu* ou *se foi*, como se fossem férias; *expirou*, que deveria ser um termo mais técnico, mas que mais parece que o morto é uma caixa de leite, com uma data carimbada ali, depois da qual a pessoa se torna... bom, leite azedo.

"Se matou", eu completo para a srta. Mahoney.

Pelo menos, estou determinada a ser direta. Meu irmão se matou. Na nossa garagem. Com um rifle de caça. Isso faz com que pareça o jogo mais cruel do mundo, mas é isso.

Os fatos.

Devemos aprender a lidar com os fatos.

"Estou bem", digo a ela. E repito: "Vou me sair melhor na prova final".

Ela olha para mim, com os olhos tomados por aquela piedade insuportável.

"Tem mais alguma coisa?", pergunto.

"Não, é... é só, Alexis", diz ela. "Obrigada."

Volto para o pôquer. Consigo perceber o olhar dos outros alunos em mim, meus amigos, meus colegas de sala, a maioria das pessoas que conheço pelo menos desde o sexto ano e com quem frequento o Clube de Matemática, a Equipe de Ciências e o Torneio de Física há quatro anos. Todo mundo agora deve estar achando que sou muito fria e cínica, para dizer algo como aquilo. Como se não me importasse. Como se eu não amasse meu irmão se consigo aceitar com tanta facilidade o fato de ele ter morrido.

Eu me sento, enfio a insultante prova na mochila, e tento encarar meus amigos. E isso está se tornando meio impossível.

Os olhos de Jill estão brilhando com lágrimas. Não consigo olhar para ela, porque sei que ela vai começar a soluçar. O que poderia emocionar todas as meninas da sala, exceto, talvez, El. Porque o choro de mulheres, diferentemente do suicídio, é contagioso.

Eu poderia ir, acho. Poderia simplesmente sair, descer o corredor, ir para a rua, encarar a tarde fria de −10 °C e um trajeto de vinte quilômetros para casa. Morrer congelada deve ser melhor do que isso. A srta. Mahoney permitiria que eu saísse. Não teria problemas.

Mas é porque não teria problemas que não consigo sair.

Não posso ter tratamento especial, não por isso.

Então, pego minhas cartas e tento, mas não consigo sorrir e dizer, do modo mais casual que consigo: "Vamos ver. Onde nós paramos?".

Ah, sim. Trinca de ases.

"Lex...", diz El. "Que nota você..."

Aponto para Steven. "Acho que você ia pagar."

Ele faz que não.

"Eu dobro." Dessa vez, está na cara dele que tem muito mais coisas que ele queria dizer. Muito mais. Mas Steven não está tão certo se deve fazer isso, se deve tentar me confortar. Ele não sabe me confortar. Então, ele joga.

Olho para El. Ela não me encara nos olhos, mas levanta um ombro e observa as unhas como se estivesse entediada.

"Minhas cartas estão uma droga, lembra?"

"Beaker?", pergunto.

Jill assente, pega uma carta com a mão trêmula e empurra o restante de seus Skittles para o centro da mesa.

"Tô dentro", diz ela.

Ela não tem nada. Um par de damas.

Mostro minhas cartas. Trinca de ases. Oba, levo todo o doce. Mas parece que perdi algo muito mais importante.

CAPÍTULO 3

Mais tarde, acontece.

É uma noite comum, pós-Ty. Estou na sala do andar de baixo de pijama, na poltrona abandonada de meu pai. Minha mãe está no andar de cima no sofá da sala de estar, ainda com a roupa do trabalho, lendo *Quando Coisas Ruins Acontecem às Pessoas Boas*. Ela está destacando algumas linhas, como faz com livros desse tipo que as pessoas nos dão, como se tudo o que o autor dissesse fosse direcionado para ela. Mas ao menos, ela não está chorando. Não está falando de fantasmas. Está conseguindo viver.

Então, eu a deixei estudando e passei a maior parte das últimas horas mastigando grãos de milho levemente queimados pelo micro-ondas e avançando comerciais no DVR para assistir *Bones*. Pretendo ver reprises da segunda temporada até ficar cansada demais para acompanhar o enredo, e, assim, cansada demais para ficar pensando no fracasso que foi a minha prova de cálculo.

A noite tem sido uma sucessão de corpos em estados variados de decomposição, um após o outro.

Estou tentando me imunizar diante da visão dos mortos. Pensar em nós, dentre todas as criaturas vivas no mundo, como carne. Leite azedo. Meleca verde. Qualquer coisa. Algo que, inevitavelmente, vai apodrecer. Não sei por quê, mas me ajuda ver a morte como inescapável, inevitável e certa.

Sim, é esquisito, eu sei. Mas você faz o que tem que fazer.

E acontece que exatamente às 22h11, enquanto eu estava terminando de ver o episódio dezessete, sinto o cheiro da colônia do meu irmão.

Forte.

SINTA MEU CHEIRO, ela diz. *AQUI ESTOU EU.*

Não tenho tempo para processar isso. Se eu pudesse parar e processar, eu racionalizaria que o frasco de colônia está muito mais perto de onde estou sentada (no porão, a aproximadamente quatro metros e meio do banheiro) do que de onde minha mãe estava quando ela sentiu o cheiro no andar de cima ontem à noite. Seria fácil de explicar.

Mas não tenho tempo para processar. Porque, nesse momento, desvio o olhar da televisão por um segundo, para ver a hora no meu telefone, e quando olho para a frente...

Lá está ele.

Parado na porta do quarto que era dele, usando calça jeans e camiseta branca, suas preferidas.

Ty.

Eu não penso.

Grito e jogo meu celular nele.

Ele desaparece antes que o aparelho o alcance, como um raio cruzando o céu, sua imagem aparece e some. Meu telefone bate na parede com força, com um barulho repugnante.

"Lexie?", minha mãe chama do andar de cima, a voz abafada pelas camadas de madeira e carpete que nos separam. "O que foi isso?"

Não consigo recuperar o fôlego.

Ty.

"Lex?" Minha mãe chama de novo.

"Estou bem", digo. "Está tudo bem..." Eu me forço a me levantar e pegar o celular. Minhas mãos estão tremendo enquanto tento avaliar o dano, e não só porque eu vi Ty. Porque quebrei o aparelho.

Porque tem algo em meu telefone que não quero perder. Não posso perder. Não posso.

Aperto o botão de ligar e olho para a tela preta trincada. Meu reflexo rachado me encara. Pareço totalmente aterrorizada.

A tela pisca.

Acende. O telefone liga.

Fecho os olhos por alguns segundos. Por favor, penso. Por favor.

Milagrosamente, apesar da tela rachada, o telefone parece estar bem. Busco nas mensagens, sem parar, passando por centenas de mensagens de preocupação que se acumularam nas últimas seis semanas, os *sinto muito* e *estou rezando por você e por sua família* e os *avise se* até uma mensagem de 20 de dezembro.

A noite em que Ty morreu.

Ainda está aqui.

Minha visão embaça, então não consigo ver as palavras, mas não preciso mais vê-las. Nem sei por que a ideia de perder essa mensagem me deixou assim, em pânico. Nunca vou perder essa mensagem. Ela está gravada no meu cérebro pelo resto da minha vida.

Respiro. Demoro umas duas ou três respirações profundas antes de tentar entender o que acabou de acontecer.

Tyler.

Ty. A palavra é como um batimento cardíaco.

Olho para onde ele estava.

"Ty", sussurro.

Mas a sala está vazia.

Meu irmão não está aqui.

9 DE FEVEREIRO

Não tem sentido isso.
     ~~A última vez em que vi Ty~~
     ~~Não.~~
     ~~Não foi real.~~

~~A última vez em que vi Ty feliz~~
     *Certo, então Ty nunca pareceu muito infeliz, sério, não o tipo
de infelicidade que alguém precisa sentir para*
     Ele estava melhorando
     Ele estava bem. Estava...

*Claro, ele ficava triste de vez em quando. Todo mundo fica tris-
te de vez em quando.*

Ele tinha seus motivos para fazer o que fez:
     Pai
     Megan
     aquela tal de Ashley
     os amigos idiotas dele
     Mamãe
     eu
     a sensação de que ninguém estava do lado dele
     o cansaço generalizado com a vida
     *Mas a vida é dura para a maioria de nós. E não é todo mun-
do que deixa este planeta com uma bala no peito.*

Eu preciso superar isso.

*A última vez em que vi Ty feliz, real e verdadeiramente feliz, foi na
noite do baile. Onze de outubro. Ele havia convidado uma garota*

e ela aceitou. Marcou de pegá-la às oito. Lá pelas 19h15, ele apareceu atrás de mim no espelho do banheiro enquanto eu terminava de passar maquiagem e me lembro de que ele estava feliz.

Ele disse que eu estava bonita.

Fiz uma careta para ele. Odeio maquiagem. Odeio usar lentes de contato. Odeio o lance de baile da escola, o drama todo, os vestidos desconfortáveis e as fotos toscas e o ponche ruim que todo mundo toma para não ter que conversar. Eu fico claustrofóbica em grupos grandes de pessoas — tem algo a ver com o ambiente abafado que se forma quando muitos corpos se aproximam. Preciso de meu próprio espaço. Preciso respirar.

Mas Steven disse que os bailes são ritos de passagem, e apesar de serem meio torturantes, são um mal necessário.

"A gente precisa ir para ter a prova de que já fomos jovens", ele disse.

Eu acho que ele só queria me ver de vestido.

De qualquer modo, Ty disse que eu estava bonita.

"Sei. O que você quer?", perguntei, desconfiada.

"Preciso de sua ajuda", disse ele. "É importante, Lex, e não vou conseguir sem você. Por favor."

Nós nos olhamos pelo espelho. Tínhamos os mesmos olhos (do papai), castanhos com um círculo dourado ao redor da pupila. Tínhamos o mesmo nariz (da mamãe), com a mesma leve elevação na ponte. Tínhamos os mesmos cabelos encaracolados castanhos que sempre ficavam bons em Ty com a ajuda de muito produto, e não tão bem em mim, porque não me importo em ajeitá-los. Sempre que eu olhava para o meu irmão, me surpreendia em ver que ele era uma cópia levemente melhorada de mim mesma, no departamento das aparências, pelo menos.

A expressão dele estava tão séria, que logo cedi. "Claro", disse. "O que é?"

Ele ergueu uma das pinças da minha mãe.

"Preciso que você dê um jeito na minha monocelha."

Eu o empurrei.

"*Credo! De jeito nenhum! Não sou responsável por nada relacionado à sua higiene.*"

"*Por favor!*", *ele implorou.*

"*Faz você!*"

"*Tentei. Não consigo. Não sei fazer!*"

"*Há salões para esse tipo de coisa, viu?*"

"*Está tarde demais para isso. Preciso buscá-la em menos de uma hora. Vamos, Lex. Estou a cara do Bert da* Vila Sésamo. *Você tem que me ajudar.*"

Então, ele veio com aqueles olhinhos de cachorro pidão e eu acabei aquecendo o potinho de cera que uso para fazer minha própria sobrancelha — eu também ficaria a cara do Bert se a deixasse crescer, e ainda que não seja superpreocupada com minha aparência na maior parte do tempo, houve um incidente no nono ano em que Jamie Bigelow me chamou de mulher peluda das cavernas, e desde então, comecei a tirar a sobrancelha e a me depilar e me torturar em nome da feminilidade.

Ty se sentou no balcão do banheiro enquanto eu espalhava a cera cuidadosamente entre os olhos dele. Eu coloquei o tecido, pressionei e alisei bem com a mão na direção do crescimento do pelo. Ty agarrou a beira do balcão, com força, e respirou fundo.

"*Confio em você.*" *Lembro que ele disse.* "*Não me deixe com cara de louco.*"

"*Você já tem cara de louco*", *falei, mas ele sabia que eu estava brincando.* "*Certo, vou contar até três...*"

Mas não contei. Só puxei a tira de tecido.

Ty caiu para trás, uivando, com as mãos no rosto.

"*Ai! Sua vaca louca!*"

Fiquei chocada. Ty não xingava. Nenhum de nós xingava. Quando éramos pequenos, minha mãe sempre nos repreendia mesmo quando usávamos palavrões mais leves: droga, bosta, caramba, merda, porcaria e assim por diante. Se significa a mesma coisa, minha mãe dizia, por que dizer? Acho que essa bronca nos afetou, porque Ty e eu não conseguíamos xingar com a convicção adequada. Vindo de nós, os palavrões ficavam esquisitos, pouco naturais.

Então, uau. Vaca louca. Nunca tinham me chamado daquilo antes. Descobri que não gostei.

"Bundão!", gritei em resposta com uma reação instantânea. "Babaca imbecil!"

"Bruxa sádica!"

"Bebezinho chorão!", respondi.

"Arrancadora de pelos!"

"Cabaço!" gritei, sem jeito.

Então, começamos a rir. Muito. Rimos e rimos, aquela risada de doer a barriga e de quase chorar. Rimos até doer. Depois, nós dois suspiramos, e Ty esfregou o rosto, e voltamos ao espelho para ver o que eu tinha feito.

E não ficou bom.

Porque o pelo não estava mais ali — verdade —, mas agora havia uma faixa cor-de-rosa de pele irritada entre as sobrancelhas de Ty. Parecia que ele tinha sido atacado por uma brasa.

"Oops", falei, rindo.

"Lex... O que você fez comigo?"

Disse a ele que ficaria melhor no dia seguinte.

Ele me lançou um olhar bravo.

Então, Ty me disse que gostava muito da garota que levaria ao baile — Ashley, era o nome dela —, e queria impressioná-la, e eu, basicamente, tinha acabado com a vida dele.

"Calma, não se irrite." Peguei um chumaço de algodão para passar o óleo calmante que vem com a cera.

O óleo calmante, infelizmente, não fazia jus ao nome. Nós esperamos 10 minutos depois de passar o óleo, e o rosto dele ainda parecia ter sido marcado com uma brasa no meio dos olhos.

Tentamos passar gelo. Tentamos passar creme. Tentamos creme para hemorroidas, que foi uma das minhas ideias mais engenhosas, mas no fim, o rosto dele só ficou mais cor-de-rosa.

"Lex", disse ele. "Acho que tenho que estrangular você agora."

Ele só estava meio de brincadeira.

"Só tem mais uma coisa que podemos fazer", falei com seriedade.

Peguei meu frasco de base.

Ele não reclamou. Ficou parado enquanto eu passava uma camada de base da Clinique Stay-Matte Oil-Free cuidadosamente entre as sobrancelhas. Era um tom claro demais para a pele dele, mas melhor do que o cor-de-rosa. Eu também tive que cobrir uma parte grande de sua testa, para que combinasse bem.

"Bem, agora me sinto totalmente afeminado", disse ele quando terminei.

"Cala a boca ou vou passar batom", provoquei, e então, ele saiu correndo, desceu a escada para passar a colônia e terminar de se arrumar. Alguns minutos depois, minha mãe chegou em casa do trabalho, e antes de sairmos, ela fez Ty e eu posarmos na porta de casa para tirar uma foto.

"Meus dois filhos lindos", lembro de ela ter dito. Ty passou o braço em volta de mim, e eu encostei a cabeça no ombro dele, e sorrimos. A câmera piscou o flash. Minha mãe se virou para pegar alguma coisa da bolsa, e Ty de repente beijou meu rosto, aquele tipo de beijo nojento e molhado, que me fez me afastar e dar um soco no ombro dele.

"Sai fora, pentelho", disse, secando o rosto.

Minha mãe deu a ele a chave do carro dela.

"Meia-noite", disse ela.

"Sim, sim, capitão", respondeu ele.

Ela estreitou os olhos para o rosto dele.

"Você está usando... maquiagem?"

Ele deu de ombros como não tivesse ideia do que ela estava falando.

"Bom, está bonito", disse ela depois de um minuto.

Estava, mesmo. O terno servia perfeitamente, e ele estava arrasando. Claro que eu não disse isso, porque eu era a irmã dele e teria sido esquisito. Mas ele parecia confortável consigo mesmo, pensei naquele momento. Relaxado. Pronto para ser ele mesmo.

"Seja um cavalheiro", disse minha mãe.

"Sim, senhora." Ele sorriu e a cumprimentou, e então, se foi. Ela se virou para mim com nostalgia estampada no rosto.

"Meus bebês estão crescendo", disse ela, suspirando.

Revirei meus olhos, e então, Steven estava batendo à porta, para me buscar, para provar que sim, era uma vez, éramos jovens.

Não me lembro muito do baile, mas me lembro de que quando chegamos no salão, que estava decorado com fitas prateadas e balões azuis e brancos e luzes estroboscópicas, Steven pegou minha mão e me rodou para que pudesse ver meu vestido. Era um modelo sem manga, de gola redonda, saia em A com cinto que descia até meus joelhos, de renda preta com forro de cetim verde, que eu havia encontrado por 79 dólares na Macy's.

"Você está parecendo a equação de Euler", murmurou ele, olhando para mim de cima a baixo.

Tradução nerd: dizem que a equação de Euler é a fórmula mais perfeita já feita. Simples mas elegante. Bonita.

"Obrigada", falei, corando, e tentei pensar em um elogio parecido, talvez algo comum ou sofisticado, mas escolhi "Você está gostoso. Sério".

Steven sorriu. Ele é um cara bonito, com olhos castanhos e cabelos loiros e lisos, dentes brancos melhorados ortodonticamente, mas as pessoas ao nosso redor não costumam ver isso. Elas veem como ele se anima com a aula de física. Elas veem a calculadora no bolso de trás. Elas veem seus óculos.

Ele levou minha mão aos lábios e a beijou.

"Venha, minha garota", disse ele, "vamos dançar."

Nós nos remexemos na pista de modo meio desajeitado, e em pouco tempo, Beaker e Eleanor apareceram com seus pares, e nós tiramos sarro das meninas frescas com cabelos armados e vestidos bufantes. Então, admiramos os vestidos umas das outras, e tiramos nossas fotos para a posteridade, e dançamos um pouco mais.

E então, tem uma parte da qual me lembro muito bem. Eu estava dançando com Steven ao som de uma música lenta, e encostei a cabeça no peito dele, onde consegui sentir seu coração batendo. A música era "A Thousand Years", de Christina Perri. Nós tínhamos rido da breguice, do excesso de sentimentalismo, e fizemos algumas piadas sobre Crepúsculo, *mas então voltamos a dançar. É uma música boa para isso. Steven estava com as mãos na parte inferior de minhas costas, com o rosto dele na curva do meu pescoço, sua respiração aquecendo minha pele, e eu tive um momento de euforia repentina. Estamos juntos, pensei. Nós nos encaixamos.*

Parecia a equação de Euler.

Eu ergui a cabeça, e ele ergueu a dele. Nós nos entreolhamos. Nossas pernas se resvalaram enquanto nos mexíamos lentamente de um lado a outro.

"Darling, don't be afraid, I have loved you for a thousand years", disse Christina Perri. "I'll love you for a thousand more."

Espera aí, pensei. Espera aí.

Eu tinha a vida inteira à minha frente, faculdade e uma carreira e a fase adulta da vida, e não era o momento para "me apaixonar" por ninguém. Éramos jovens demais para isso. Hormônios, eu conseguia entender. Namorar, ficar e descobrir como era beijar e ser beijada, tudo fazia sentido. Mas aquilo — o modo com que me sentia nos braços de Steven naquele momento, não parecia hormônios.

Parecia muito mais.

Abracei Steven com mais força, e abaixei a cabeça de novo. Seu coração, quando encostei a cabeça no peito dele, batia forte.

O meu também.

Por acaso, olhei para a frente e vi Ty a cerca de três metros, dançando com uma menina — Ashley, pensei. Não vi o rosto dela, só a parte de trás de seu vestido cor-de-rosa raspando no chão e seus cabelos loiros descendo em ondas por seus ombros. Mas vi Ty com clareza. Seus olhos estavam fechados, os dedos espalhados no quadril dela enquanto eles se movimentavam. *Meu irmão não estava sorrindo, mas vi satisfação em seu rosto. Uma calma.*

Ele parecia mais feliz do que nunca.

Então, como se ele soubesse que eu estava olhando, abriu os olhos e me viu. Sorriu.

Vaca, ele disse só movendo os lábios.

Eu sorri de volta, e então, apontei o espaço entre as sobrancelhas dele. Está usando maquiagem?, perguntei só movendo os lábios.

Ele me mostrou o dedo discretamente.

Ri alto, o que fez Steven se afastar e perguntar: "O que é tão engraçado?".

"Nada", *falei, tentando conter minha risada.* "Meu irmão é um idiota."

Steven se virou na direção dele e fez um gesto do tipo "e aí, cara", *e Ty retribuiu.*

Os meninos e seus códigos.

"Gosto do seu irmão", *disse Steven.*

"Ele gosta de você." *Sorri porque era verdade — Ty aprovava Steven como meu namorado.* "Aquele cara é legal", *ele me disse, certa vez.* "Ele entende você." *E antes, era verdade. Steven me entendia.*

Os violinos aumentaram no fim da música, e então diminuíram. Paramos de dançar e nos entreolhamos.

"E agora?", *perguntou Steven.*

"Agora, bebemos o ponche ruim", *falei e saímos.*

Não me lembro do resto do baile. Está perdido com outros segundos insignificantes de minha vida. Eu. Steven. Ty. Tempo passando. Eu não sabia aproveitar aquele momento na pista, entender como ele era bonito e raro, frágil, efêmero, quando Ty estava feliz. Quando estávamos todos felizes, e estávamos juntos, e estávamos seguros.

Eu não sabia.

Eu não sabia.

CAPÍTULO 4

O consultório de Dave fica num daqueles prédios de escritórios comuns no centro da cidade — você sabe como é, aqueles nos quais você percorre os corredores lendo os nomes dos advogados, contadores e corretores em placas idênticas do lado de fora de portas idênticas até chegar à placa que diz DAVID HARRINGTON, TERAPEUTA DE FAMÍLIA.

Na primeira vez em que fui lá, cerca de um mês atrás, entrei no consultório de Dave esperando ver as mesmas paredes cinza e carpete do corredor, mas então, a porta se abriu para uma sala de espera cheia de aquários, várias luminárias de lava, uma coleção de bonecas dançarinas de hula-hula sobre as mesas de canto, uma parede com a coleção impressionante de Dave de frascos antigos de Tabasco e, melhor de tudo, a maior coleção de quadrinhos (como aqueles do jornal) que já vi. Passei dez minutos folheando uma coleção antiga de *Peanuts*. Charlie Brown tentando chutar a bola. Lucy arrancando a bola do pé dele. E eu ri do pobre Charlie, e era estranho rir, porque Ty estava morto havia duas semanas.

Foi quando Dave saiu de seu consultório. Imaginei, depois da sala de espera, que ele fosse um hippie ou um tipo de esquisitão excêntrico, mas ali estava ele, com a camisa xadrez e a calça cáqui passadas, a barba perfeitamente ajeitada e os cabelos claros, já um pouco grisalhos, bem cortados e penteados cuidadosamente, talvez com um pouco de gel a mais. Ele estendeu a mão para mim.

"Você deve ser Lexie. Sou Dave", disse ele.

Devo ter feito cara de surpresa, porque ele falou logo depois: "Desculpe. Você prefere ser chamada de Alexis? Quando conheci sua mãe, ela chamou você de Lexie."

"Você conversou com a minha mãe? Em pessoa?"

"Sim, brevemente", respondeu ele. "Ela queria me falar sobre a situação."

Não conseguia imaginar minha mãe naquele lugar, sentada ali com as pernas cruzadas ao lado das bonecas dançarinas e da parede de Tabasco, esperando para entrar e contar àquele homem sobre seu filho morto e sobre a filha triste.

"Bem", disse Dave, fazendo um gesto para dentro do escritório onde o sofá xadrez grande e a caixa de lenços esperavam. "Entre."

Hesitei. "Olha, talvez não seja uma boa..."

"Estou aqui para ouvir. Basicamente, é isso, Alexis", disse ele. "Se você quiser falar. Tente."

Dave é um cara legal. Não sei ainda para que ele é realmente bom, além de ser uma maneira errada de minha mãe sentir que está fazendo algo por mim nesse momento de necessidade. Como se a vida não fosse ficar uma droga agora, independentemente do que aconteça. Mas não importa. Meu irmão morreu. Não estou falando muito, e não estou saindo com meus amigos, e não estou sendo a Lexie normal que todos esperam.

Então, está claro que eu deveria fazer terapia.

Assim, eu fico na sala de Dave por trinta minutos até conseguir pensar em algo produtivo a dizer. Até agora, ele está bem com isso — deixa que eu fale quando estiver pronta —, mas hoje percebo que ele está pensando em alguma coisa, uma castanha de minha psique que ele está disposto a rachar.

Tem algo na minha mente também, mas não conto a ele.

Quero falar. Os últimos dias foram muito difíceis. Fico pensando que devo estar louca. Algo dentro de meu cérebro frágil deve ter se desgastado sob toda essa pressão emocional. Perdi o contato com a realidade.

Porque Ty está morto.

Ele se foi. E não vai voltar.

O que vi naquela noite *deve ter sido* uma alucinação ou parte de um colapso mental ou de um sonho.

Parecia real.

Mas não podia ser.

De qualquer modo, a coisa mais inteligente a se fazer seria contar tudo ao médico. Afinal, ele é pago para me ouvir. Falando racionalmente, ele é a pessoa perfeita com quem falar — imparcial, sem emoção, prático. A terapia é ótima para isto: para tirar o louco de dentro de você. Para melhorar. Para enfrentar.

Mas o que posso dizer? *Hum, sim, vi o fantasma do meu irmão no porão quatro dias atrás.*

E Dave dirá: *Ah, muito interessante, Alexis: vou lhe receitar umas pílulas ótimas.*

Então, ele me pergunta como estou e digo que estou bem. E não estou nem um pouco bem. Ele me pergunta como foi minha semana e eu digo que foi boa. O que não foi mesmo.

Então, ficamos em silêncio enquanto Dave me olha com olhos azuis e gentis e uso a ponta de meu tênis para cutucar a barra do tapete.

Dave diz, finalmente: "Espero que você não esteja mais chateada por causa da semana passada".

Olho para ele de modo inexpressivo por alguns segundos até me lembrar. Ah. Semana passada.

Certo. Tivemos uma discussão na semana passada.

Porque eu contei a ele sobre o buraco em meu peito. Sobre como tenho a impressão de que vou morrer nas vezes em que o buraco aparece. Que estou morrendo de medo que esses momentos aconteçam cada vez mais, e de que eles durem cada vez mais tempo, até que eu só sinta o buraco, e então, talvez ele me engula para sempre.

Pensei que tinha sido corajoso da minha parte me confessar. Eu estava tentando me abrir para ele. Eu estava tentando fazer o que se tem que fazer.

O que eu queria que Dave me dissesse era que o buraco é horrível, sim, totalmente horrível, mas que é normal, e que vai melhorar, não piorar, e que não vou morrer, pelo menos ainda não. Vai doer por um tempo, mas vou viver.

E então, eu tentaria acreditar nele.

Mas o que ele disse foi: "Podemos receitar um remédio para você".

Então, começou a falar sobre inibidores seletivos de receptação de serotonina e sobre as maravilhas do Xanax, e talvez começar com Valium, que não vicia, e fiquei olhando para ele sem nada a dizer até ele terminar de falar poeticamente sobre drogas. Então, perguntou: "O que você acha?".

Eu disse: "Você quer me dar antidepressivos?".

Ele falou que os antidepressivos com terapia tradicional formavam uma combinação muito eficiente.

Eu perguntei: " Você acha que estou deprimida?".

Ele tossiu. "Acho que você passou por algo muito difícil, e o remédio pode facilitar um pouco as coisas."

"Compreendo. Você já leu o livro *Admirável Mundo Novo*, do Huxley?", perguntei.

Ele piscou algumas vezes. "Não, acho que não."

"É sobre uma sociedade no futuro na·qual haverá uma droga chamada soma que deixa todo mundo feliz", expliquei. "Essa droga conserta tudo. Não está satisfeito no trabalho? Não tem problema. Se usar soma, nada te perturba. Sua mãe morreu? Tome soma, e tudo vai ficar ótimo."

"Alexis", disse Dave. "Estou tentando ajudar. O que você está falando sobre esse buraco mais parece uma descrição de ataque de pânico..."

"Mas aí está", falei. "Aquela sociedade futurística na qual todo mundo é drogado para ser feliz, o tempo todo, independentemente do que aconteça, é horrível — monstruosa, até —, é como o fim da humanidade. Porque temos que sentir coisas, Dave. Meu irmão morreu, e eu tenho que sentir."

Parei de falar, sem fôlego, de repente. Queria dizer mais. Queria gritar que Ty tinha tomado antidepressivos também, que os tomava havia mais de dois anos quando morreu, e olha o bem que fizeram a ele. Queria contar a Dave aquele segredinho irônico: que eu sei que tenho que sentir dor pelo meu irmão — pesar, dor, o que você quiser chamar — que eu até *quero* senti-la, mas não sinto. Fora desses momentos com o buraco, não sinto nada.

Não preciso de drogas para amortecer a dor.

"Entendi", disse Dave.

"Meu Deus, quando os terapeutas se tornaram tão chatos?", perguntei, ainda irritada.

Dave sorriu, como se achasse que meu insulto fosse cômico, e então se virou para mim: "Certo, Alexis, tudo bem. Nada de remédios". E foi quando ele sugeriu o lance do diário.

Escrever em vez de tomar Xanax.

"Escrevi no diário essa semana." Falo com ele agora.

Ele parece estranhamente surpreso. "Sobre o que escreveu?"

Dou de ombros. "Coisas."

Ele espera eu dizer mais, e quando não falo, ele vem e diz: "Certo. Esta semana, gostaria de falar com você sobre seus amigos".

"Não tenho amigos no momento", é o que escapa.

Ele ergue a sobrancelha. "Você não tem amigos?"

Oops.

"Quero dizer, tenho, tenho amigos, mas..."

"Eles deixaram de ser seus amigos?", pergunta ele. "Às vezes, as pessoas não sabem como reagir a algo assim..."

"Não", interrompi. "Não, eles são ótimos. É só que... eu acho que parei de ser amiga deles."

Dave emite um som como se aquilo fosse a mina de ouro de um terapeuta.

"Por quê?"

Paro um minuto para pensar sobre isso. Bem, no caso de Jill é porque ela estava me sufocando com sua solidariedade.

Assim que Ty morreu, ela estava do meu lado a todo momento, com os olhos preocupados e vermelhos de chorar. Ela perguntava: "Você está bem?", muitas e muitas vezes.

Não, idiota, eu pensava. Não estou nada bem. Meu irmão está morto.

Mas eu engolia calada e dizia: "Sim, estou", que, depois de alguns dias, deu lugar a um meneio fraco de cabeça, e então, ela dizia algo como "Me avise se precisar de alguma coisa" ou "Estou aqui se você quiser conversar". Depois de um tempo, percebi o que ela queria que eu fizesse aquilo. Ela queria que eu falasse sobre Ty. Sobre sua morte. Sobre meus sentimentos a respeito da morte dele. E, de repente, tive a clara sensação de que ela queria que eu chorasse, para que pudesse ser meu ombro. Ela queria que eu chorasse para que pudesse me colocar de pé, para que pudesse ser minha fada madrinha para atravessar o pior comigo.

Sei que provavelmente estou sendo injusta. Adoro a Beaker. De verdade. Eu a conheço desde o sexto ano, quando éramos as nerds mais nerds naquela escola de talentosos e sortudos. Dormimos centenas de vezes uma na casa da outra, e conversamos muito durante a madrugada a respeito do sentido da vida e da possibilidade de haver vida em outros planetas, e também sobre a estupidez dos garotos. Mas o lance com Ty não é só mais uma conversa. É minha vida arruinada e bagunçada. Sou eu.

Ela não pode me consertar.

Estava me cansando de ver ela tentar. Então, fui me afastando.

Digo tudo isso a Dave, e ele assente. "E seus outros amigos? Seu namorado?"

"Terminamos há algumas semanas", digo. Novo assunto. "Também tenho uma amiga chamada Eleanor, mas é mais simples com ela, de certo modo. Ela está me evitando, enquanto tenta parecer que não está me evitando, claro. Acho que ela não me olha nos olhos desde que aconteceu. Mas tudo bem. Eu entendo. Como você disse, algumas pessoas não sabem como reagir."

"Então, você não tem amigos agora?"

"Bem, eu vejo meus amigos antigos na escola, almoço com eles, e temos aula juntos. Mas não quero fazer nada extracurricular, e preciso estar em casa com a minha mãe. Então, acho que não. Não no momento."

"Isso é triste, Lex", diz ele.

Este tem sido meu segundo nome, por esses dias. Alexis Triste Riggs.

"Você não precisa passar por isso sozinha", diz Dave. "Tente deixar as pessoas se aproximarem. É a única maneira que elas vão ter de ajudar você."

Ninguém pode me ajudar, penso. Não existe feitiço mágico que traga Ty de volta. Não há nada que ninguém possa fazer.

"Vou cuidar disso", digo, e volto a remexer no tapete.

Silêncio de novo. Dá para ouvir o tiquetaquear do relógio. Mais quatro minutos de terapia.

Três minutos.

Dois.

"Tem mais alguma coisa sobre a qual você queira conversar?", pergunta Dave.

Última chance, penso. Contar a ele sobre ter visto Ty.

"Não", digo. "Tudo bem."

Essa deve ser a mentira número 17 só nessa sessão.

Então, eu me levanto, apesar de ainda ter noventa e seis segundos, e saio da terapia o mais depressa possível.

Janto com meu pai no Olive Garden. Normalmente jantamos juntos nas noites de terça, mesmo dia das minhas sessões com Dave. Porque Megan faz ioga às terças. O jantar com o papai é sempre tranquilo, porque ele tem ainda menos a dizer do que eu. Ele não tem o emprego mais animado do mundo — é contador — e sabe que não quero ouvir falar sobre Megan nem sobre a casa onde ele mora com ela ou como passam o tempo, então não temos muito o que discutir. Era mais fácil quando Ty estava conosco (apesar de meu irmão odiar os jantares com nosso pai e sempre encontrar desculpas de última hora para não aparecer), porque pelo menos acabávamos falando sobre esportes.

Agora, ficamos com um tópico seguro.

"Como está a escola?", pergunta ele.

"Me dei mal na prova de cálculo", digo.

Não sei por que conto isso a ele. É embaraçoso, principalmente com meu pai, que é, obviamente, um cara que se sai bem com números. Não consigo olhar para ele ao dizer isso. Tenho certeza de que meu rosto está muito vermelho, mas fico remexendo a salada como se tudo estivesse bem.

Meu pai solta o pão.

"Parece sério."

"É muito sério", concordo. "Minha nota caiu para pelo menos A–. O que quer dizer que não serei a oradora da turma."

"Pode refazer a prova?", pergunta ele.

"Não." Mentira número 18.

"Compreendo." Ele pigarreia, então volta a comer seu pão.

"Sinto muito, pai", digo depois de um minuto. E sinto mesmo. Odeio decepcioná-lo, mesmo depois de tudo. Eu me importo com o que ele pensa.

"Não tem problema", diz ele, mas ele não está sendo sincero. Meu pai sempre fala que é preciso trabalhar muito para ser o melhor, para se dar bem em tudo, para chegar ao topo — as melhores notas, a melhor educação, o melhor emprego — para que possa alcançar seu potencial, ele sempre diz, que é onde leio *para que você não acabe sendo um contador em Nebraska com um divórcio e dois (bom, pode ser só um) filhos quando poderia ter sido muito mais.*

Nós comemos. Meu pai bebe duas taças de vinho tinto, apesar de detestar vinho. Então, ele me pressiona a pedir sobremesa.

"Como está sua mãe?", pergunta ele enquanto parto um pedaço de tiramisu.

Eu poderia contar a ele sobre o choro. Mas ele não quer ouvir isso. Não quer saber que ela chora o tempo todo e que não sai da cama se não for para trabalhar ou para ir à igreja, e que dorme com o macaco de pelúcia de Ty agarrado ao peito. Ele não quer ouvir que ela acha que Ty ainda está em casa, e eu nem sei o que ele faria se eu dissesse o que eu vi no porão.

Ele quer ouvir que minha mãe está bem.

Então, eu digo: "Ela tá bem" — mentira número 19 —, e meu pai paga a conta. Vestimos nossos casacos e vamos para a noite fria, e ele me abraça forte, e então, como sempre, cada um vai para seu lado.

CAPÍTULO 5

A casa está escura quando chego. Minha mãe já deve ter ido dormir, o que não é tão incomum, mesmo às oito da noite. Ela dorme para que não tenha que ficar acordada, para que passe o menor tempo possível consciente do que aconteceu.

Gostaria de conseguir dormir assim.

Passo uma hora fazendo lição de casa. Então, chego ao momento em que normalmente desceria para assistir à TV.

Isso é um dilema. Não vou ao porão há quatro dias, nem mesmo para lavar roupa. Não assisti à TV. Não falei com minha mãe que talvez a história da colônia não tenha sido tão ridícula assim.

Sim, sei que sou totalmente covarde.

Pego o diário que Dave me deu. Durante alguns segundos, penso em escrever nele de novo, rabiscando uma longa confissão a respeito de tudo que não disse em voz alta. A respeito do fantasma. A respeito da mensagem. A respeito de Steven. A respeito de Ty. A meu respeito. Mas não consigo.

Então, coloco o Moleskine embaixo do colchão numa homenagem aos clichês e me deito na cama por um tempo, lendo *Uma Mente Brilhante*, no qual não consigo me concentrar. Então, tento ler *Contato*, de Carl Sagan, que é meu romance preferido, mas meus olhos passam pela página sem encontrar sentido nas palavras. Fico pensando na cara de Ty quando jogo o telefone:

assustado, ofendido e um pouco triste. Eu nunca tinha jogado nada nele. Não somos assim. Sempre nos demos bem.

De repente, fico furiosa. Eu penso, e daí, nunca mais vou ao porão? Vou andar pela casa na ponta dos pés até ir para a faculdade? Vou me assustar com o quê, coisas da minha imaginação? Quantos anos eu tenho? Dez? Com medo do escuro?

Supere, Lex, digo a mim mesma. Cresça um pouco.

Então, me levanto. Desço até o porão e fico ali por alguns minutos, olhando para o ponto onde Ty apareceu naquela noite, para a pequena marca na parede que ainda está ali, é claro, onde meu celular bateu. Eu me obrigo a ficar de pé ali por cinco minutos.

Não vejo nada esquisito. Não sinto nenhum cheiro esquisito. Só me sinto idiota.

A porta do quarto dele está aberta.

Vou até lá. A luz da lua atravessa a janela. Não entro no quarto do Ty desde que estivemos ali para pegar as roupas com as quais ele foi enterrado, mas está como me lembro. A mesa dele cheia de livros e coisas da escola. Há roupas no chão. Sapatos. Uma bola de basquete murcha. Um aeromodelo empoeirado pendurado no teto, que ele e o papai construíram quando Ty tinha onze anos. Fotos de amigos dele coladas nas paredes. Pôsteres de bandas e filmes de que ele gostava e de jogadores da NBA.

Quando entro, o cheiro dele me envolve — não só sua colônia, mas aquele cheiro de bode que ele tinha, e seu desodorante, levemente almiscarado. Lascas de lápis. Meias sujas. Cola de madeira.

Ty.

Eu engulo em seco. É como se ele ainda estivesse aqui, não de um jeito fantasmagórico, mas como se nunca tivesse acontecido. Se eu ficar aqui, se fechar meus olhos, consigo imaginar que meu irmão só está em algum outro lugar e que ele vai voltar.

Gostaria de conseguir chorar. Seria uma coisa bem apropriada de se fazer neste momento: lembrar do meu irmão e chorar.

Mas não consigo.

Eu me viro para sair, e é quando vejo alguém dormindo na cama dele. Os cobertores estavam enrolados em um corpo deitado de lado, de costas para mim.

Meu coração dispara. Sei que não é Ty, sei que não pode ser, mas naquele momento, quero que seja. Quero vê-lo de novo ainda que signifique que estou louca. Talvez seja por isso que não pude contar a Dave, ou porque não consigo escrever, pois se fizer isso, certamente eles me farão tomar remédios, e o que aconteceu naquela noite com o telefone não vai acontecer de novo, e nunca mais verei Ty, nunca mais, enquanto viver, e eu não acredito em um pós-vida, então também não o verei depois.

Sei que isso não é razoável.

Mas é o que penso.

Caminho até o outro lado da cama. Toco o ombro da pessoa que está deitada ali, e vejo que está quente, movendo-se lentamente a cada respiração.

Respirando. Vivo.

Não é ele, penso ao pegar a borda do cobertor e começar a puxar. Não é ele.

E estou certa. Não é.

É a minha mãe. Ela está dormindo, usando uma camiseta vermelha e desbotada do Led Zeppelin, uma camiseta velha do Ty. Borrões de rímel estão secos como tinta de tatuagem em suas faces, colorindo as rugas perto dos olhos, manchando a fronha.

Ela parece velha. Pequena. Desgastada. Eu deixo o rosto dela descoberto, e então me sento na cama e a observo por um tempo, sua respiração, os movimentos de seus olhos por trás das pálpebras. Com o que ela sonharia na cama de Ty, cercada pelas coisas e pelo cheiro dele?

Quero acordá-la, tirá-la dali, porque não está certo ela estar naquele lugar. Não é saudável. Mas a deixo dormir. Porque, pelo menos por enquanto, ela não parece estar com dor.

Às vezes, eu me pergunto se ela gostaria que eu tivesse morrido no lugar de Ty, sua filha irritável em vez do filho socialmente aceitável. Sei que ela me ama. Mas e se pudesse escolher?

A culpa é do Ty.

Ele deixou um bilhete pra ela. Como qualquer outro bilhete de suicídio, foi curto e direto ao ponto. Estava escrito:

Desculpa, mãe, mas eu estava muito vazio.

Ele não escreveu um bilhete ao nosso pai. Nem a nenhum de seus amigos. Nem a mim. Só deixou essas sete palavrinhas em um Post-it amarelo, colado no espelho do quarto. Sua única explicação.

Ainda está lá. A polícia o pegou por um tempo, como prova, mas voltaram e o colocaram exatamente onde fora deixado. Eles tiraram uma foto do quarto para que soubessem onde estava. Até aquele momento, nenhum de nós tivera a coragem de tirá-lo dali.

Eu me levanto e caminho até o espelho.

Desculpa, mãe, mas eu estava muito vazio.

Estico a mão.

Meus dedos acabaram de passar pela borda do papel quando vejo Ty no reflexo do espelho.

Ele está de pé atrás de mim.

Ty.

De novo, não penso. Não paro para pensar no que uma pessoa racional poderia fazer naquela situação. Não considero com calma.

Corro.

Eu me afasto do espelho, dele, subo a escada, saio pela porta e quando me dou conta, estou na rua, com os pés amassando a neve congelada enquanto corro sem parar.

Isso não está acontecendo é o que gira no meu cérebro. Isso não está acontecendo.

Percorro três quarteirões antes de parar na frente de um parque onde Ty e eu costumávamos passar todas as tardes de verão quando éramos crianças. Eu me abaixo, ofegante, sentindo o frio, finalmente. Eu não estava usando um casaco quando saí de casa, estava apenas de camiseta e calça jeans, e o vento frio do inverno contra meus braços é forte e causa dor. A lua está iluminada sobre minha cabeça. O parque está congelado, os balanços estão parados. Abandonados. Um carro passa pela rua, diminuindo a velocidade ao passar por mim. Limpo o nariz, me endireito e tento respirar fundo. Não sei o que estou fazendo.

Ty. Dentro de casa. No quarto dele.

Isso não está acontecendo, penso.

Meu corpo treme, mas não tem nada a ver com o frio.

Sinto um tipo de resignação enquanto caminho de volta. A porta da frente está entreaberta, esperando por mim. Vou me arrastando como um zumbi em direção ao quarto de Ty, onde minha mãe ainda dorme.

Ty não está no espelho.

Percebo imediatamente que a gaveta de cima do lado direito da mesa está aberta. Não consigo me lembrar se ela estava aberta antes, mas agora acho esquisito, deslocado. Minha mãe estava mexendo nela enquanto eu estava fora? Ou já estava assim antes? Ou foi outra pessoa?

Isso não está acontecendo, penso. Mas está.

Eu me ajoelho ao lado da cama e dou uma ligeira sacudida no ombro da minha mãe. Ela emite um som fraco e abre os olhos. Demora alguns segundos até focar meu rosto.

"Ah, Lexie", diz ela. "Está tudo bem?"

Ela olha ao redor. Eu observo sua expressão mudar quando ela percebe onde está. No quarto de Ty. Ty não está. Ty está morto.

O pesar toma o rosto dela.

"Eu vim acordá-lo naquela manhã", diz ela. "Ele estava aqui. Parecia bem."

"Eu sei."

"Deveria ter percebido que alguma coisa estava errada naquele dia. Sou a mãe dele. Deveria ter visto."

Nunca sei o que dizer quando ela fala isso. Ela tem um jogo de culpa e eu tenho outro, e a diferença é que eu tenho algo pelo que me sentir culpada.

"Está frio aqui embaixo." Eu digo quando a ajudo a se sentar. "Vou levar você para cima."

Mais tarde, quando a coloco em sua cama e ela dorme de novo, volto ao porão para ver a gaveta aberta. Está vazia, só tem uma coisa dentro dela. Um envelope fechado.

Uma carta.

Meu coração dispara, pensando que ele pode ter escrito para mim. Não respondi à mensagem de texto, então ele escreveu o que queria dizer. Os motivos dele. Suas acusações, talvez. Suas últimas palavras.

A ideia me enche de alívio e terror.

Eu viro o envelope com mãos trêmulas, e é quando vejo o nome rabiscado com a letra horrorosa de Ty no papel.

Para Ashley, está escrito.

12 DE FEVEREIRO

A primeira vez que meu irmão tentou se matar, quase dois anos atrás, foi no dia em que o divórcio dos meus pais foi finalizado. Não sei se ele fez isso para chamar atenção ou o quê. Eu também não estava do lado dele naquela noite; estava no cinema com a Beaker. Nem me lembro qual filme era. Só sei que eu não estava presente quando ele foi até a pia da cozinha com um frasco tamanho família de Advil e começou a engolir um comprimido atrás do outro. Ele fez isso praticamente embaixo do nariz da minha mãe, enquanto ela estava de costas para ele na mesa da cozinha, alternadamente estudando para seus exames de enfermagem, lidando com uma pilha de cartões nos quais estavam anotadas dosagens e partes do corpo humano e as definições de terminologia médica, e lendo a Bíblia, tentando ficar em paz com a parte que dizia que o divórcio era aceitável desde que o adultério tivesse ocorrido.

Aos 42 anos, minha mãe era a aluna mais velha da sala da escola de enfermagem, mas era a melhor. Era focada, determinada a construir uma vida nova para si depois do meu pai. Ela nem ergueu os olhos das anotações quando seu filho de 14 anos tomou 63 comprimidinhos de analgésico, disse boa noite, desceu para seu quarto e foi dormir.

Ele ficou decepcionado quando acordou na manhã seguinte. Saiu do porão com uma expressão que nunca vou esquecer: um tipo de frustração resignada e confusa por não ter simplesmente partido durante a noite.

"Não vou à escola hoje", disse ele quando se sentou para tomar o café da manhã. "Não estou me sentindo bem."

Minha mãe, que sempre foi enfermeira antes mesmo de estudar para isso, levou a mão à testa dele. Estava fria. Ela fez algumas perguntas para Ty: está com dor de garganta? Dor de cabeça? Dor de estômago? Ele balançou a cabeça, negando, e olhou para ela, deu de ombros e contou o que tinha feito.

No hospital, o máximo que eles puderam fazer foi colocá-lo em observação. Era tarde demais para fazer uma lavagem estomacal. Eu me sentei num canto e assisti à TV com ele enquanto as enfermeiras vinham e iam, checando seus sinais vitais, trocando o soro. De vez em quando, minha mãe entrava, chorosa, em agonia sem conseguir decidir se ficaria conosco o dia todo ou se faria as rondas no hospital, a última semana de estágio antes da formatura. Sem aquilo, ela não poderia se formar.

"Estou bem", Ty disse a ela, e até sorriu para provar, o rosto pálido sob as luzes fluorescentes do hospital, os lábios sem cor enquanto ele formava a palavra "vá".

"Eu vou voltar", ela prometeu várias vezes antes de partir.

Eu não soube o que dizer a ele naquele dia. Me encolhi na cadeira de plástico desconfortável e tentei pensar em um conselho de irmã mais velha que o traria de volta ao normal. Mas eu tinha 16 anos naquela época. O que eu sabia? Eu tinha meus problemas, minhas tristezas, e se fosse sincera, admitiria que a ideia de sumir desta vida havia cruzado minha mente algumas vezes no último ano horroroso, entre a partida de meu pai por causa do clichê que ele havia conhecido no trabalho, que tinha exatamente metade da idade dele, e a volta de minha mãe para a escola, quando a casa ficou sem adultos, de um jeito que parecia implicitamente errado.

Mas eu nunca fiz um plano de verdade para acabar com a minha vida. Tinha muito medo de morrer. Da escuridão. De deixar de existir.

"Eu fui idiota", ele acabou dizendo para mim naquele dia quando o silêncio se tornou pesado entre nós.

Fiquei aliviada quando ele disse isso.

"Sim, foi. Totalmente imbecil", concordei, e então, ele voltou a assistir a "Os Vídeos mais Malucos da Polícia" na TV que ficava perto do teto. As enfermeiras vinham e iam. Minha mãe vinha e ia. E nós dois nos perguntávamos (mas não em voz alta) se nosso pai apareceria.

Por fim, ele apareceu. Estava usando uma camisa polo, eu me lembro. Ele havia chegado para nos levar para casa, já que o hospital havia decidido dar alta a Ty, e minha mãe ainda tinha três horas de trabalho. Nosso pai também não parecia saber o que dizer quando nos levou para casa. Tamborilou os dedos no volante, checou o espelho retrovisor, olhou em meus olhos, desviou o olhar, e então, pigarreou.

"Tyler", disse ele quando estacionou.

"Volte para casa", interrompeu Ty. "Por favor, pai, volte para casa. Por favor."

Minha respiração ficou presa no peito. Ty nunca dizia coisas como aquela. Ele estava bravo com meu pai; era assim que ele lidava com a situação. Ele sempre dizia odiar o papai, dizia estar feliz por ele ter ido embora, dizia que não sentia sua falta.

"Por favor", repetiu ele.

E eu?, pensei. Eu queria que o papai voltasse? Poderíamos fingir que aquele último ano humilhante não tinha acontecido, que ele não era um mentiroso traidor, um ser humano ridículo, que tudo não tinha sido virado de cabeça para baixo? Poderíamos voltar a ser como era antes? Eu queria voltar?

Meu pai pigarreou de novo.

Esperei que ele dissesse que não podia. Ou sinto muito, filho. Ou algo a respeito da dureza da vida, mas que não era por isso que a gente ia desistir.

Mas ele não disse nada.

E não ficou. Apesar de o médico ter dito que Ty precisava ser monitorado de perto pelas próximas 24 horas, meu pai nem sequer saiu do carro. Só olhou para mim e disse: "Ligue se precisar de alguma coisa", e eu meio que assenti e meus olhos arderam com lágrimas de ódio que não deixei que caíssem, e eu me virei e subi os degraus com Ty para dentro da casa.

Mais tarde, quando meu irmão estava dormindo, fui de um cômodo a outro pegando tudo que pudesse ser perigoso. Lâminas. Comprimidos, apesar de já termos decidido que este não era um modo eficiente de morrer. Corda. Então, destranquei o armário no fundo do escritório do papai e olhei para a fileira de três rifles de caça em suas caixas. Conferi para ter certeza de que nenhuma das armas estava carregada, e, então, fui até a estante e coloquei todas as balas em uma caixa com o restante das coisas. Fechei a caixa com fita adesiva, escrevi LIVROS e a escondi num canto do fundo do meu armário embaixo de uma pilha de bonecas Barbie seminuas que eu ainda mantinha em casa. Depois disso, fui ver Ty, ouvi sua respiração e tentei me convencer de que ele ficaria bem. Então, voltei na ponta dos pés para cima e me sentei à mesa da cozinha, onde finalmente me permiti chorar.

Eu podia chorar naquela época.

Eu amava o Ty. Eu o amava e quase o perdera. Então, chorei. Lágrimas que ainda faziam parte da minha anatomia.

Eles disseram que ele teve sorte, daquela vez. O corpo dele conseguiu metabolizar o Advil. Seu fígado foi prejudicado, mas provavelmente se curaria. Sorte, foi o que disseram no hospital enquanto ouviam o relato dele, faziam exames e agiam, de modo geral, como se a coisa toda tivesse sido uma brincadeira, como se ele tivesse tentado uma manobra mal planejada com sua bicicleta. Você tem muita sorte. É muito sortudo.

Sortudo era a última palavra que meu irmão escolheria para se descrever. Mas, por fim, ele assentiu e disse a eles que estavam certos. Para que fosse deixado em paz.

O lance do Advil foi um "grito de socorro", disseram eles, por isso recomendaram que ele se consultasse com um terapeuta, que receitou antidepressivos a meu irmão e tentou fazer com que ele falasse sobre a "dor" toda semana durante um ano, aproximadamente, por 60 dólares a sessão, que nosso seguro não cobria, mas que minha mãe convenceu meu pai a pagar. E durante dois anos inteiros, nada demais aconteceu. Minha mãe se tornou uma enfermeira. Meu pai se casou com o clichê. Tirei 800 em matemática nos exames para entrar na faculdade e todo mundo começou a falar sobre a universidade para a qual eu iria. Ty entrou para o time de basquete. Começou a levantar peso, e seu corpo ficou forte. Seus braços ficaram fortes e musculosos.

Ele usava uma jaqueta de time nos corredores da escola. As garotas gostavam dele. As pessoas, de modo geral, gostavam dele. Ele era popular de um jeito que eu nunca pensei em ser. E era fácil esquecer que ele já se sentira triste o bastante para engolir um frasco de comprimidos.

Falamos sobre isso uma vez, depois daquele dia no hospital. Foi há cerca de duas semanas, e estávamos no Denny's, esperando o papai aparecer para tomarmos café da manhã. Eu estava olhando para o Ty, olhando de verdade, e os olhos dele pareciam vidrados, como se estivesse vendo sua vida através de um vidro.

"Você está bem?", perguntei.

Ele olhou para mim, assustado. "Estou com fome. Queria que o papai chegasse logo."

"Não estou falando disso", falei. "Você está bem?"

As orelhas dele ficaram vermelhas. "Ah, isso. Eu disse, foi idiotice. Estou bem. Sério. Não vou fazer de novo."

"Certo. Mas quero que me prometa que se um dia se sentir daquele jeito de novo, como se quisesse..."

"Não vou...", disse ele.

"Mas se acontecer, tem que me dizer. Ligue, envie mensagem, pode me acordar às três da madrugada, não me importo. Quero saber. Estou do seu lado."

Ele não olhou nos meus olhos, mas assentiu. "Está bem."

"Prometa", disse ele.

"Prometo."

"Ótimo", falei, mas temi que meu irmão estivesse dizendo o que ele sabia que eu queria ouvir.

No fim, eu não deveria ter me preocupado se ele cumpriria sua promessa. Deveria ter pensado se eu cumpriria a minha.

CAPÍTULO 6

Ashley Davenport, de acordo com o livro de fotos do ano, é líder de torcida. Ela está no segundo ano. Tem cabelos loiros compridos, ou pelo menos acho que tem — é difícil dizer pela foto 3×4 em preto e branco da página 173.

Poderia ser ela.

Há 1.879 alunos na minha escola, e dezenove deles se chamam Ashley: quase 1%. Nos últimos dois dias, já descartei Ashley Adams, que praticamente está casada com o namorado (então, claramente, não é quem estou procurando); Ashley Chapple, que está no último ano, que conheço e que sei que não namorou Ty; e Ashley Chavez, cujos cabelos bem pretos não combinam com a lembrança que tenho da garota que meu irmão levou ao baile.

Então, agora estou na letra D: Ashley Davenport. Loira. Segundo ano. Líder de torcida.

Ashley Davenport é o objetivo de hoje.

Além disso: é Dia dos Namorados. O que é uma droga.

Ano passado, nesse temido dia, encontrei uma margarida branca de papel enfiada nas frestas mais altas do meu armário quando cheguei na escola. Era de papel, mas, ainda assim, fiquei ali, segurando o caule verde de arame entre os dedos, sorrindo como uma tola, e então, abaixei a cabeça para cheirar as pétalas. Tinha cheiro de livros, uma mistura de papel, tinta e cola, doce.

Não havia bilhete na flor. Nenhum cartão. Nenhum nome. Um mistério.

Ainda não estávamos namorando — só começamos a namorar oficialmente em junho —, mas eu sabia que a flor era de Steven. Ele não confessou que a havia deixado ali para mim, mas eu sabia. Por causa de algo que eu havia dito quando estávamos num mercado naquele ano, tentando encontrar um presente de última hora para a sra. Seidel, nossa professora de química, que estava no hospital, com câncer.

"Não compreendo", falei ao olhar para as rosas envoltas em plástico. "Por que dar a uma garota algo que deveria representar o amor e que vai murchar e morrer em poucas horas?"

Ele riu e disse que era uma maneira muito pessimista de ver a vida. Dei de ombros.

Então, o garoto disse: "As melhores coisas são assim, Lex, as mais lindas. Parte da beleza vem do fato de elas viverem pouco". Ele pegou um buquê de rosas bem vermelhas, e o entregou a mim. "Estas flores nunca mais serão tão lindas assim, por isso temos que apreciá-las agora."

Olhei para ele. Ele coçou a nuca, com o rosto um pouco vermelho, e então, lançou a mim um sorriso tímido. "Pode me chamar de romântico", disse ele.

Eu queria dizer que há algumas coisas neste mundo, algumas coisas raras, que eram lindas e ficavam assim. Mas, em vez disso, peguei o buquê da mão dele. "Certo. Então, vamos de flores", falei, e rimos e compramos as rosas para a sra. Seidel.

Então, algumas semanas depois, a margarida de papel. Uma flor que nunca morreria. Ainda a tenho, presa na beirada de meu mural de cortiça acima de minha mesa em casa.

Hoje, quando chego ao armário, não tem flor à minha espera. Eu sabia que não haveria. Pego os livros para a primeira aula e fecho meu armário. Digo a mim mesma que nunca daria certo, Steven e eu, e que foi a melhor coisa ter terminado quando terminei. Ainda assim, não consigo deixar de procurá-lo no fluxo dos alunos que vinham pelo corredor. Muitos deles estavam sorrindo, vestindo vermelho e cor-de-rosa e levando caixas de doces a seus amores, e finalmente vejo Steven, caminhando com a cabeça baixa, a mochila pendurada em um dos ombros. Ele olha para a frente. E me vê. Ergue a mão num aceno leve.

Desvio o olhar. Não tenho tempo pra isso, digo a mim mesma. Tenho uma tarefa para cumprir aqui. Um objetivo. Então, eu me viro e ando em direção aos armários dos alunos do segundo ano, observando as meninas loiras.

Uma delas é Ashley Davenport, tenho certeza.

Só não sei qual.

Vejo um grupo de velhos amigos de Ty, os atletas, num canto, rindo de alguma coisa. Parece que eles estão sempre rindo, como se estivessem numa festa. Olho para o rosto deles e tento me lembrar de nomes, mas não conheço os amigos de ensino médio de Ty como eu conhecia os amigos do ensino fundamental, e não sou boa com nomes, então só sei do cara com um moicano da moda; o garoto com várias medalhas de ouro costuradas na jaqueta; o Cara Alto do time de basquete; Grayson, apesar de não saber se é nome ou sobrenome; e um cara que é nadador ou lutador, ou algo que deixa seu corpo com um formato ridiculamente triangular.

Um deles, o Cara Alto, olha para a frente e me vê observando-os. É quando eu deveria me aproximar e perguntar a eles: *Ei, você conhece uma Ashley? A garota que Ty levou ao baile? Qual era o sobrenome dela? Davenport?*

Mas enquanto estou ali, olhando, penso, de repente: deve haver um espaço. Onde Ty costumava ficar. Mas não tem. Eles estão organizados em um semicírculo com trinta centímetros entre eles, distância padrão dos caras, e não tem espaço para mais ninguém. O espaço onde Ty ficava, eles fecharam.

E isso faz com que o buraco do pesar se abra no meu peito. Espero que passe, mas não passa, pelo menos não nos trinta segundos que costuma durar. Como sempre, começo a achar que há algo fisicamente errado com meu corpo — não consigo respirar, meu coração está acelerado demais, não consigo respirar não consigo *respirar*. E o Cara Alto acaba de dizer algo sobre mim ao Homem Triângulo, porque os atletas estão todos olhando para mim agora com as mesmas expressões atentas.

Então, alguém me empurra por trás, com força suficiente para derrubar um de meus livros no chão, e, de repente, meus pulmões funcionam de novo.

"Ei!" Digo a ninguém em especial. "Olha por onde anda." Eu me abaixo para pegar o livro, mas alguém o alcança antes de mim.

"Peguei", diz ele.

Respiro fundo algumas vezes para provar a mim mesma que consigo, e então, olho para a frente.

"Ah, oi, Damian."

O salvador do meu livro é Damian Whittaker: aluno do segundo ano, um daqueles tipos magros que não se formaram totalmente ainda, com camiseta larga e cabelos ensebados caindo na frente dos olhos e o queixo cheio de espinhas. Ele é um garoto tímido, discreto, do tipo calado que não parece interessado em nada nem em ninguém. Um solitário, na classificação social escolar.

Mas ultimamente, está tentando ser meu amigo.

Ele e Ty eram amigos há alguns anos, no verão em que meu pai se mudou para a casa de Megan. Damian e outro garoto, Patrick, e Ty eram como os três mosqueteiros daquele ano. Passavam todas as tardes que podiam jogando *Halo* e *Guitar Hero*, e ficando à toa no quartinho onde brincávamos ouvindo Led Zeppelin e Doors. Eles achavam que estavam sendo clássicos e descolados. Mas isso foi há muito tempo. Desde que Ty começou o ensino médio e a praticar esportes, ganhando popularidade, Damian não aparece mais lá em casa. Mas ele sempre faz questão de sorrir e me cumprimentar quando me vê. Como se fosse meu amigo, e não do meu irmão. O que quer dizer que ultimamente, ele aparece do nada na escola e tenta puxar conversa.

Ele é meio bonitinho, ainda que seja a última coisa que eu queira.

E é a última coisa que quero. Quando vejo Damian, só consigo pensar que nunca verei Ty. Quando Damian me conta sobre um filme que viu no fim de semana, eu penso Ty nunca verá esse filme. Nunca vai jogar esse novo jogo de videogame que Damian adora. Nunca vai passar para o terceiro ano. Damian vai.

E não parece justo.

"Ah, o horror", Damian diz para mim.

"O que foi?"

Ele sorri com timidez quando me devolve o livro. "*Coração das Trevas*", diz ele.

"O quê?", pergunto de novo.

"Você está lendo *Coração das Trevas*. Tem uma frase famosa no fim. 'Ah, o horror'."

Eu me sinto idiota, o que não é um estado normal para mim. "Ah, sim. Certo. O horror."

"Gostei desse livro", diz ele.

Já li mais ou menos um quarto de *Coração das Trevas*, para a aula de literatura, mas, até agora, é o tipo de livro que odeio, no qual a história parece bem simples, interessante, mas quando chego na aula, a professora começa a falar sobre os sentidos ocultos, as metáforas, a importância da cor amarela. Todo o sentido que o autor estava tentando passar ao leitor, como uma mensagem escrita numa língua secreta.

Não é a minha praia.

Não sei o que dizer a Damian. Ele parece estar ansioso, como se ele e eu estivéssemos prestes a iniciar um debate sobre Joseph Conrad.

"Eu... ahn, não terminei de ler ainda", digo.

Seu sorriso desaparece. "Ah, dei um *spoiler*. Desculpa."

Estou bem cansada da palavra *desculpa*.

"Ei, você conhece a Ashley Davenport?", pergunto, porque acabei de lembrar o que estou fazendo na terra de quem estuda no segundo ano. "Ela é líder de torcida?"

Os olhos de Damian, de um cinza úmido, se tornam distantes no mesmo instante.

"Sim", diz ele. "Conheço. Por quê?"

"Você sabe onde posso encontrá-la?"

Ele dá de ombros. "Ela está na minha aula de biologia."

"De qual professor?", pergunto.

"Do professor Slater."

"Quando?"

Ele olha para o relógio digital na parede acima de nós, que marca 6h56. "Em quatro minutos."

"Obrigada", digo depressa, já me afastando dele. "Esqueci uma coisa no armário. Tenho que ir buscar antes de o sinal tocar."

"Certo", diz ele, simplesmente, e sorri de novo. "A gente se vê, Lex."

"Tchau." Vou desviando dos alunos, de volta ao armário. Para pegar a carta. Tenho que ir à ala de ciência e chegar à aula de literatura em menos de quatro minutos.

De repente, fico tão aterrorizada com a ideia de encontrar a Ashley de verdade (e quando encontrar, o que vou fazer?) que quando volto ao meu armário, quase deixo passar.

A flor.

Uma rosa, dessa vez, presa nas frestas do armário. Também é feita de papel branco, mas é mais complexa do que a flor do ano passado. Há palavras escritas nela com um lápis, uma única frase, e tenho que ir virando a flor para conseguir ler pelas pétalas.

Amo você como a planta que nunca floresce, mas que carrega em si a luz de flores escondidas.

Fecho os olhos. O calor toma o meu rosto. Droga. Que garota normal não se derreteria com isso?

Ah, Steven, penso. O que você está fazendo?

E agora, tenho dois minutos, aproximadamente. Deveria jogar a rosa fora. Não sei se Steven está observando, mas preciso me livrar dela, para o caso de ele estar me vendo. Assim, mostraria a Steven que acabou, porque está claro que ele acha que não acabou — caso contrário, não me daria essa flor.

Caminho até o lixo no fim do corredor. Minha mão está tremendo quando seguro a flor acima da lata aberta. Tem um burrito mordido ali, alguns papéis e folhetos *"Faça teste para a peça da escola! Festa do bolo das meninas do basquete este sábado!"*, várias latas de refrigerante vazias e um lápis quebrado.

Vamos, eu penso.

Solte.

O sinal toca. Suspiro e volto ao meu armário, onde enfio a rosa de papel na mochila, dentro do bolso lateral, onde não será amassada pelas minhas coisas. Pego a carta para Ashley e a enfio no bolso da frente de meu caderno de cinco matérias, não que eu esteja planejando entregá-la a ela agora se essa for a Ashley certa — não posso pensar tão adiante —, mas porque, por algum motivo ilógico, quero ter a carta comigo. Então, caminho até a sala de aula do professor Slater. Se eu me lembro corretamente, é a sala 121B.

Chego na 121B com um minuto antes de o último sinal tocar, mas antes de conseguir olhar ali dentro, sou atropelada por uma ruiva com uniforme de líder de torcida. Ela está com tanta pressa para entrar na sala antes do segundo sinal que tromba comigo. Nossos livros e papéis se espalham pelo carpete na frente da porta.

"Desculpa", diz ela quando caímos de joelhos para separar o que é de quem. "Me desculpa, mesmo."

O sinal toca.

"Ashley", ouço a voz do professor Slater reverberar de dentro da sala. "Você está atrasada. De novo."

Ela sorri para mim.

"Sinto muito, professor S. Estou indo", diz ela.

"Ashley Davenport?", pergunto.

Ela olha para mim espantada. "Isso. Você é... a irmã de Ty, certo?"

Minha fama como a menina cujo irmão morreu se espalhou demais.

Olho para Ashley. Ela é líder de torcida, sim, e está no segundo ano. É bonita, com grandes olhos azuis e a pele tão clara que chega a parecer transparente, dá até para ver uma veia azulada bem clara correndo sob a superfície de sua têmpora, desaparecendo embaixo dos cabelos. Mas o cabelo não está certo. É curto demais, preso em um rabo de cavalo apertado com a ponta mal chegando a sua nuca. E é cor de cobre. Vermelho.

Ela não é a menina de cabelos loiros e compridos com quem vi Ty dançar naquela noite.

É a Ashley errada.

Solto o ar que estava segurando.

"Sou eu." Digo para responder à pergunta anterior. Entrego a ela seu caderno de biologia e me endireito.

"Isso é... meu?", pergunta a garota, e vejo que ela pegou o envelope de Ty, franzindo o rosto porque o nome dela está escrito nele.

Eu o pego de volta. "Não, é meu." E sem mais explicação, me levanto e começo a correr porque também estou atrasada. Para a aula de literatura. Para Ty.

Para tudo. Estou atrasada demais.

CAPÍTULO 7

Steven está na aula de literatura comigo. Claro — Steven, Eleanor e Beaker estão nas mesmas aulas principais que eu. Houve um tempo em que isso era bom, ótimo, até. Mas não hoje. Estou cinco minutos atrasada, mas a mesa a qual costumo me sentar, aquela do lado direito no fundo, entre Steven e Beaker, e na frente de El, ainda está vazia. Esperando por mim. Steven olha para a frente e sorri. E sinto meu rosto esquentando de novo, pensando na rosa.

Droga.

A professora Blackburn para de falar e olha para mim de onde está, na beirada de sua mesa, achando estranho meu atraso incomum.

"Desculpe", murmuro, e então, vou para o fundo da sala e encontro um assento à esquerda. Não quero lidar com meus amigos agora.

Muito menos com Steven.

A professora Blackburn continua a aula. Ela está explicando um exercício sobre etimologia, diz ela — o estudo da origem das palavras. Ela nos mostra um site no qual você pode digitar qualquer palavra e a origem dela aparece: sua definição, onde e como a palavra se originou, e como o uso da palavra mudou com o tempo. Aproveitando a leitura que estamos fazendo de *Heart of Darkness* [*Coração das Trevas*], ela demonstra como o site funciona usando a palavra *heart* (que vem de *hjarta*, nórdico antigo) e a palavra *darkness* (*deorcnysse*, do inglês antigo) e nos leva pela história de cada termo.

"Então, classe", diz a professora Blackburn quando termina a lição de história da língua. "Que outras palavras vocês associam com *Coração das Trevas*, até agora?"

Levanto a mão, o que a surpreende porque não costumo querer falar naquele ambiente (não gosto, lembre-se), então sugiro a palavra *horror,* que o site mostra que vem do francês do início do século XIV.

Oh la horreur.

A professora Blackburn parece satisfeita por eu ter, aparentemente, terminado o livro e saber a importância da palavra no contexto da obra.

Valeu, Damian.

Então, ela pede para que usemos os laptops da sala para pesquisar nossas próprias palavras.

"Pesquisem uma palavra em que estejam pensando", diz ela.

Olho para a tela em branco por muito tempo antes de digitar a palavra que está em minha mente.

> GHOST [**fantasma**] *(substantivo):*
> *Origem:* anterior a 900; *goost*, do inglês médio, gäst, inglês antigo; cognato de *Geist*, em alemão; espírito
> 1. A alma de uma pessoa morta, um espírito sem corpo imaginado, normalmente, como uma sombra vaga ou forma evanescente, vagando entre ou assombrando pessoas vivas.
> 2. Uma mera sombra ou semelhança; um traço.
> 3. Uma possibilidade remota.

Como em: sem sombra de dúvida, o que vi — o que tenho visto, acho que é uma descrição mais exata, já que aconteceu duas vezes — não pode ser real. Parece real, no momento. Parece, sim. Mas não é.

Fantasmas não existem. Sou uma pessoa racional, sei disso. O que me leva a:

> HALLUCINATION [**alucinação**] *(substantivo)*:
> *Origem*: 1640-50; < latim hallūcinātiō: um devaneio da mente.
> **1.** Percepção falsa ou distorcida de objetos ou acontecimentos com uma forte sensação de realidade, normalmente resultante de um distúrbio mental (????) ou droga (não, sou bem careta; não gosto nem de tomar analgésicos). Os objetos ou acontecimentos assim notados. (Ver também: **ilusão.**)

Um lapso de sanidade.

Um rompimento com a realidade.

Parece uma explicação muito mais provável.

Abro meu caderno e olho para a beirada da carta de Ashley surgindo do bolso da frente, vejo como a tinta parece levemente borrada na letra *y*. Ty era canhoto; sempre ficava com uma mancha na lateral da mão depois de um dia de aula, por arrastá-la em cima de tudo o que escrevia.

Para Ashley. Não *a* Ashley, mas *para* ela.

> FOR [**para**] *(preposição)*:
> *Origem*: anterior a 900. Do protogermânico, fura. Saxão antigo, furi. Holandês médio, voor.
> **1.** Com a intenção ou propósito de
> **2.** Com intenção de pertencer a, ou ser usado com
> **3.** Adequando os propósitos ou as necessidades de
> **4.** Para obter, ganhar ou adquirir
> **5.** Usado para expressar um desejo, de algo a ser experimentado ou obtido

Para tem muitos sentidos.

"Certo, turma", a professora Blackburn diz repentinamente. "Já deu tempo, creio eu, de pensarem na importância de uma palavra. Vamos compartilhar."

Não posso mostrar isso. *Fantasma. Alucinação. Para.* Oi, pessoal, sou uma louca.

Eu me sento em silêncio, em pânico, enquanto a professora Blackburn começa a andar entre as fileiras de mesas, parando e escolhendo alguma palavra de um aluno, de maneira ocasional: *baseball* [beisebol], de Rob Milton, *beautiful* [belo], de Jen Petterson, *biography* [biografia], de Alice Keisig — somos uma sala terrivelmente original, e pelo visto, gostamos da letra B.

"Espero que vocês estejam entendendo, enquanto estudam etimologia, que uma palavra não é simplesmente uma palavra", ela diz com aquele toque dramático professoral, como se fosse um assunto que mudaria nossa vida. Ela é esse tipo de professora — o tipo que exagera tudo, que nos chama pelo sobrenome e não pelo primeiro nome, para que nossas conversas pareçam mais formais, que enfatiza a importância de cada livro que lemos, cada redação que escrevemos, como se fosse a coisa mais importante que precisamos saber antes de partir para o mundo grande e mau.

Vamos nos tornar intelectuais muito cultos, se depender da nossa querida professora.

Ela continua: "Cada palavra tem uma história específica, um contexto, uma evolução lenta do sentido. A maioria das palavras que usamos hoje vem de um choque de culturas: língua normanda contra o saxão, latim versus língua germânica, suave contra gutural". Ela para perto de Eleanor. "Dê-me uma palavra, srta. Green".

"*Brave* [Bravo]", diz El. Claro que é uma palavra que El diria. Certa vez, ela flagrou um cara tentando roubar a placa de trás de seu carro na frente da casa dela e acabou perseguindo o sujeito pelo bairro com um bastão de beisebol gritando como uma guerreira amazona. El é destemida.

"Francês, certo?", pergunta a professora Blackburn.

"Sim."

"E o que você gosta nessa palavra?"

"Gosto porque ela se deriva de um verbo", responde El. "Bravo não é algo que alguém seja. É algo que se faz. Vem de ação. Gosto disso."[1]

"Excelente", diz a professora Blackburn, seguindo em frente. Ela se vira e continua andando pela fileira. "Sr. Blake", diz ela. "Uma palavra."

Steven pigarreia. O rosto fica levemente corado, mas sua voz não falha quando ele responde. "Escolhi *love* [amor]."

A professora Blackburn arregala os olhos e sorri.

"Amor? Então é isso que está na mente do jovem."

"É Dia dos Namorados", ele explica esboçando um sorriso. "Então, estou pensando nisso, sim." Ele olha para mim e continua depressa.

"*Amor* ou *amar*?"

"Amar", diz ele.

Amo você como a planta que nunca floresce, mas que carrega em si a luz de flores escondidas.

Droga.

A professora Blackburn assente.

"E de onde essa palavra vem?"

"Do inglês antigo." Ele lê no laptop. "*Lufian*. Adorar, mostrar alegria, aprovar. Que vem de *lubon*, do alto-alemão antigo, que significava algo como alegria."

"Algo como alegria", a sra. Blackburn repete como se estivesse recitando um poema. "Lindo. Srta. Riggs?"

Eu me assusto, e não estou pronta. Por que ela me chamaria? Estou do outro lado da bendita sala. Será que sou tão associada assim a Steven?

"O quê?", pergunto, como se talvez eu não a tivesse ouvido direito.

"Qual é a sua palavra?"

"Ah, a minha não é muito boa."

---

1   Brave, em inglês, pode ser verbo e viria do francês *braver: affronter sans crainte,* enfrentar sem medo. [As notas são do Editor.]

Ela espera.

Suspiro. Meus olhos encontram uma palavra na tela.

"*Delusion* [ilusão]", digo enquanto meus dedos a digitam. Vou improvisando. "Do latim, *delusio*, que quer dizer 'uma crença que, apesar de falsa, foi cercada e aceita pela mente como verdade'."

"Interessante" diz a sra. Blackburn, pensativa. "Por que escolheu essa palavra?"

"Bem, estávamos falando sobre amor, não? O amor é um exemplo clássico de uma ilusão."

A professora Blackburn ri.

"Ah, compreendo. Você não é romântica, então, certo?"

"Não", digo, séria. "Não acredito em amor romântico."

"Por que não?", pergunta ela.

Aqui vamos nós.

"Porque o que associamos com a ideia de amor é apenas químico. Pode ser sintetizado em fases provadas cientificamente: começa com uma dose de testosterona e estrógeno, o que pensamos ser 'desejo', seguido pela fase de 'paixão', que é uma combinação de adrenalina, dopamina e uma queda nos níveis de serotonina — que, a propósito, faz com que nossos cérebros se comportem exatamente como o cérebro de viciados em crack — e termina, se passarmos pelas fases um e dois, com 'compromisso', quando o corpo produz oxitocina e vasopressina, que basicamente nos faz querer dar carinho em excesso. É ciência. Só isso."

"Hum", diz a professora Blackburn. "Belo discurso, Alexis."

Steven sorri para mim de novo, mas é um sorriso triste, dessa vez. Um sorriso de piedade.

Isso me deixa irada.

Então, eu continuo falando.

"Essa história toda de Dia dos Namorados vem do comércio tentando capitalizar com a ilusão de amor. Todos os doces, jantares à luz de velas, as flores..." Encaro Steven, sustentando o olhar e então, o desvio. "Gera mais de um bilhão de dólares de lucro todos os anos. Porque as pessoas querem acreditar no amor. Só que ele não é real."

A professora Blackburn balança a cabeça, franzindo o rosto.

"Mas já considerou a ideia de que no que acreditamos — no que decidimos acreditar — *seja* real? Torna-se real, para nós."

Empurro os óculos no nariz e olho para a professora sem qualquer expressão.

"Talvez você esteja certa", diz ela, "e o que parece ser amor não passe de uma combinação de certos químicos de nosso corpo. Mas se acreditarmos que o amor é uma força poderosa que nos une, e se essa crença nos trouxer felicidade e estabilidade nesse mundo tumultuado, qual é o problema?"

Ergo o queixo, como se eu tivesse algo a provar aqui. Talvez eu tenha algo a provar, de fato.

"Na minha experiência, o amor não traz felicidade e estabilidade. E acreditar nele pode causar bastante problema."

Como com meus pais.

Como com meu irmão.

A professora Blackburn ajeita a aliança de casamento no dedo por um minuto antes de voltar a falar.

"Acho que o amor é um conceito muito parecido com a coragem, srta. Riggs. Eu, por exemplo, sou casada com o mesmo homem há trinta e dois anos. E, em todo esse tempo, não me 'apaixonei' por ele todos os dias, não como o amor é descrito em comédias românticas e romances, mas eu o amo. O amor é uma escolha que fiz. Um ato. E isso, porque eu acredito, porque ajo para isso, é real. O amor é algo muito real para mim."

A sala fica em silêncio. A discussão passou para um território esquisito, muito pessoal. Não queremos saber da vida romântica de nossos professores.

Olho para as minhas mãos por um momento. Sei que não deveria discutir com ela. Nem sei por que quero discutir com ela — porque não quero que Steven se safe com a rosa? —, mas não consigo parar.

"Houve um estudo", digo finalmente, "no qual um cientista fez pessoas se 'apaixonarem' com uma série simples de ações: ele pediu para que elas falassem sobre certos assuntos pessoais e olhassem nos olhos umas das outras por um tempo, além de terem um contato físico específico. Se colocarmos esses fatores juntos, pronto, qualquer um pode se apaixonar por qualquer um. Algumas das pessoas do estudo se casaram depois, e eles tiveram um índice de divórcio mais baixo do que a média nacional. É simples assim. Você faz certas coisas e se apaixona. É biologia. Ponto. Que as pessoas acreditem no amor é prova de como a ilusão está profundamente enraizada em nossa sociedade."

A professora Blackburn olha para mim com o rosto avermelhado como se adorasse a ideia de me mandar para a diretoria, mas não consegue pensar num bom motivo — ser o balde de água fria oficial sobre o desfile do amor no Dia dos Namorados não parece ser um muito bom.

Sinto a garganta apertar. Engulo em seco.

O relógio redondo sobre a porta marca a passagem dos segundos. Então, Jill, que sempre me resgata em momentos de dificuldade social, diz:

"Ei, eu tenho uma palavra. *Moist* [umidade]. Odeio a palavra — acho nojenta. Quem inventaria uma palavra como *essa*?" Ela lê seu caderno. "Parece que vem de algo chamado 'latim vulgar' — o que quer que isso signifique — *muscidus*, que quer dizer 'escorregadio, molhado, mofado'. Nojento, não? E então, num momento do século XIII, se transformou na palavra francesa *moiste*, que significa 'encharcado'."

A professora Blackburn hesita, como se tivesse se esquecido do que dizer, e então, ri.

Obrigada, Beaker.

"Também nunca gostei dessa palavra", diz a professora ao voltar para a frente da sala. "Soa desagradável, concordo." Ela ri de novo. "O estudo de palavras sempre traz uma análise de nossos sentimentos, o que acho que se tornou evidente hoje, não? É o que as palavras fazem. No nível básico, elas são simplesmente uma coleção de símbolos agrupados para representar um objeto. C-A-D-E-I-R-A representa isto." Ela coloca a mão nas costas da cadeira vazia. "Cadeira. Mas cada palavra representa algo diferente para cada um de nós."

O sinal toca.

"Para segunda-feira", diz ela, erguendo a voz acima do som de papéis e pés, "escrevam mil palavras a respeito do sentido de uma palavra, e como essa palavra faz com que vocês se sintam, e o motivo."

Ah, caramba. A classe suspira em uníssono.

"A aula terminou", diz ela. "Aproveitem o restante do Dia dos Namorados."

"Ei, Lex, espere."

Beaker corre para me alcançar no momento em que estou saindo da sala. Paro no corredor e espero. Ela passa à minha frente, com os cabelos encaracolados loiros se enroscando no capuz enquanto veste a blusa. Ela os solta e sorri sem fôlego.

"El e eu vamos fazer uma festa anti-Dia dos Namorados na casa dela hoje à noite. Não é exatamente uma festa; é uma reunião, só pizza e alguns filmes bobos, e talvez uma partida ou outra de *Catan*." Ela morde o lábio e olha para mim de modo esperançoso. "Você vem?"

Eu amo *Catan*.

Amo pizza.

Adoro filmes bobos também.

Durante dois segundos, me permito imaginar: eu, Beaker e El de pijama no porão da casa de El, como as coisas costumavam ser. E talvez eu contasse a elas. Nós ficaríamos no sofá velho, com canecas de chocolate quente, e eu contaria tudo que está acontecendo: minha mãe e sua teoria de que Ty ainda está na casa e que não sei se ela está errada, a carta para Ashley, e eu poderia perguntar o que elas acham que devo fazer, e talvez eu até falasse sobre o que aconteceu naquela noite em que Ty morreu. Com Steven. Com a mensagem de texto.

Mas assim que imagino a cena, sinto o buraco vindo. Se apenas pensar nisso me dá a impressão de que vou morrer, o que aconteceria se eu dissesse em voz alta? Daí, penso em como Beaker costuma rir quando está nervosa. Imagino a cara que El vai fazer, aquela cara que ela faz quando alguém diz algo muito ridículo para ser verdade. E eu penso, não. Não. Não posso contar a elas. Não posso.

"Lex?", Beaker me chama.

Balanço a cabeça.

"Eu preciso ficar em casa com a minha mãe hoje à noite, sabe?"

E isso seria verdade se minha mãe não estivesse de plantão hoje. Então, não se trata de uma mentira, teoricamente.

Beaker contrai os lábios, frustrada. Consigo perceber que ela está pensando nas opções e decidindo que não existem opções. Nada ganha da mãe triste e solitária.

"E por que você não vai sair com o Antonio?", pergunto.

Ela prende uma mecha de cabelo atrás da orelha.

"Ah, não estamos mais juntos. Ele é um otário."

"Sinto muito...", digo, sem convicção. Nunca gostei do Antonio. Ele era o tipo de cara que sempre queria ficar nos amassos com a Beaker, mas nunca queria conversar com ela.

Ele não valia a pena.

Beaker balança a mão como se afastasse um Antonio imaginário, e faz um *pffft*. "Bom, como você disse, o amor não é real, certo? E os hormônios de Antonio decidiram reagir quimicamente com outra pessoa."

"Que merda."

"Bem, é...", diz ela com uma risada amarga. "Tem certeza de que não quer ficar com a gente? Estou com saudade. Todas estamos... Lex. Foi muito legal o jeito como você meio que calou a boca da professora Blackburn."

Todas estamos, ela disse.

"Steven vai estar lá?", pergunto.

"Ele não tem que estar", responde ela, o que quer dizer que sim, ele vai estar, claro que sim, ele ainda é amigo delas, ainda que não seja mais meu namorado, mas que o desconvidaria se eu me sentisse mais à vontade.

Não quero encarar o Steven. Mas não posso tirá-lo da turma.

"Como eu disse, tenho que fazer companhia para a minha mãe hoje. Desculpa, acho que ia ser divertido."

"Bom, tudo bem." Ela apoia a mão em meu ombro. "Se eu puder fazer alguma coisa... se você quiser conversar."

"Tá. Preciso ir", digo. "Tenho aula."

Ela sabe disso. Também tem aula, a mesma, de história, e no terceiro horário, cálculo; depois, física; a quinta aula é programação; e a sexta, laboratório, e então, almoço, e ficamos juntas até a sétima aula, quando ela tem francês e eu, alemão, e então, a oitava aula, quando ajudo a professora Seidel, de química, e Beaker tem aula de teatro que serve como a primeira hora do ensaio da tarde para a peça da escola.

Mas ela me deixa, e eu me afasto para não ter que encarar por mais tempo a decepção na cara dela.

CAPÍTULO 8

Para o jantar, coloco uma torta congelada de frango no micro-ondas e me sento para assistir ao noticiário na televisão minúscula da cozinha. Como um pouco, até a cobertura do Dia dos Namorados se tornar enjoativa demais. Desligo a TV. Do lado de fora, a neve está caindo com a passagem de mais uma tempestade de inverno.

Eu devia tirar a neve da frente de casa. Seria uma boa surpresa para quando minha mãe chegasse.

Mas, para isso, teria que entrar na garagem.

Não entro na garagem.

O telefone toca. Atendo, mas ninguém diz nada — digo alô algumas vezes, mas só ouço o silêncio, e então, desligo. É o telefone antigo da cozinha, que não tem identificador.

Imagino que seja Steven, querendo saber como estou.

Gostaria que ele tivesse dito alguma coisa, se fosse ele.

Não que Steven tenha algo a dizer. Não que eu soubesse o que dizer se ele dissesse alguma coisa.

Termino minha torta. Não é um jantar de Dia dos Namorados à luz de velas ao som de uma serenata feita por um quarteto de cordas, mas considerando que é uma refeição congelada, não está tão ruim.

Ouço um barulho no corredor, e o som de algo pesado batendo no chão.

Vou ver o que é.

Um quadro caiu da parede. Eu o pego e o viro em minhas mãos. A foto não está ali. Procuro no chão, mas não está lá. A parte de trás da moldura está presa, então alguém deve ter retirado a foto e pendurado a moldura vazia de novo.

Estranho.

Sei qual é a foto que está faltando. É uma do meu pai com Ty, de quatro anos antes, antes da Megan, quando estavam prestes a sair para a primeira caça de Ty. Usavam um macacão camuflado e bonés cor de laranja, neon. Os dois sorriam, segurando os rifles, mas o sorriso de meu irmão era forçado.

Ele não queria ir. Passou várias semanas nervoso.

Mas foi porque achou que nosso pai ficaria feliz.

Eu me lembro do dia em que eles voltaram para casa depois daquela viagem. Trouxeram um veado, um bicho pequeno com ossos pequenos.

"Ah, não", falei quando saí e os vi pendurar o animal nos ganchos da garagem. "Um dia ruim para o Bambi."

Ty sorriu com a minha piada, mas ficou calado. Meu pai estava orgulhoso, falando sobre a dificuldade do tiro que Ty havia dado, como havia sido certeiro, para que o animal não sofresse, mas Ty não disse nada. E no jantar, não estava com muita fome. Foi cedo para a cama naquela noite. Quando minha mãe emoldurou aquela foto e a pendurou na parede, ele nunca parava para olhar para ela ao passar pelo corredor.

Sinto o começo da dor em meu peito. O buraco.

Então, de repente, sou tomada pela sensação de que não estou sozinha. Se eu me virar e olhar, verei uma figura escura no fim do corredor. Vou vê-lo.

Ty.

Os pelos de minha nuca se eriçam com essa ideia. Não sabia que eles podiam fazer aquilo — ficar arrepiados daquele jeito —, mas ficam. Sinto meus braços arrepiados. Meus ombros estão tão tensos que doem. Minha boca está seca. Encolho o lábio inferior para molhá-lo.

Não vou correr dessa vez. Vou encarar.

Lentamente eu me viro.

Não tem ninguém ali. O corredor está vazio.

Solto o ar que estava preso, e então tento rir de mim mesma. Ilusão, penso. Uma crença que, apesar de falsa, foi cercada e aceita pela mente como verdade. Não um fantasma, não uma alucinação. Uma ilusão.

Penduro o quadro onde estava, na parede.

14 DE FEVEREIRO

Às vezes, sinto falta de ser beijada.

Parece uma coisa bem pequena, trivial, meus lábios encontrando os dele, mas às vezes, como esta noite, fico deitada na cama sem sono, olho para o teto e me lembro de como era, não só a parte do beijo, mas aquele momento um pouco antes, quando nossos rostos se aproximavam, quando eu sentia a respiração dele e via seus olhos bem próximos dos meus, a curva de cada cílio escuro, a cavidade entre o pescoço e a mandíbula. Os segundos antes de ele me beijar. A ansiedade. A emoção dos lábios dele nos meus.

Uma pessoa passa, em média, 20.160 minutos da vida beijando, segundo a internet.

Fico me perguntando qual foi nosso total.

Deus. O Dia dos Namorados se infiltrou no meu cérebro.

A primeira pessoa que beijei na boca foi um garoto chamado Nathan Thaddeus Dillinger II. Eu tinha 14 anos, e Nate era o tipo de garoto cujos pais compraram para ele um carro esporte no aniversário de 16 anos, que ele destruiu (mas sobreviveu para contar a história) antes dos 16 e meio. Ele era alto, moreno e bonito, usava jeans de marca e tinha um daqueles sorrisos de alta voltagem que faziam as professoras pegarem leve com ele.

Sim, ele era gostoso. Parabéns pra mim.

Apesar de ter muitas qualidades, Nate Dillinger não era o cara mais esperto do mundo.

Ia mal em álgebra.

Dá para imaginar onde isso vai parar.

O primeiro beijo aconteceu numa sala de estudo na biblioteca pública Williams Branch. Eu estava ensinando a ele os sistemas de equações. Estávamos resolvendo um problema.

John compra 3 peixes dourados e 4 betas por $33. Marco compra 5 peixes dourados e 2 betas por $45. Quanto Cecilia gastaria se comprasse 6 peixes dourados e 4 betas?

Nossas cabeças estavam próximas uma da outra, estávamos inclinados sobre meu caderno, onde eu havia acabado de escrever as equações

$$3d + 4b = 33$$
$$5d + 2b = 45$$

quando, de repente, sem qualquer aviso, Nate Dillinger me beijou.

Hum, eu me lembro de ter pensado enquanto os lábios dele se moviam sobre os meus. Isto não é totalmente desagradável.

Então, ele tentou enfiar a língua na minha boca, e eu pensei algo como Credo, não, nojento, e me afastei.

"Desculpa", disse Nate, sorrindo de um jeito de quem não se arrependia nem um pouco.

"Tudo bem", falei, surpresa. Sei lá, ele tinha acabado de roubar meu primeiro beijo. Eu não poderia pegá-lo de volta. Estava feito.

Ele entendeu meu "tudo bem" como permissão para fazer de novo, e se inclinou para a frente. Eu me afastei.

"Espera, você gosta de mim?", perguntei.

Ele franziu o rosto, confuso.

"Como assim?"

"Você me acha... sei lá... atraente?"

Ele deu de ombros.

"Você é legal."

Calma, coração.

"Só legal?", resmunguei. "Então, por que me beijou?"

Deu de ombros mais uma vez.

"Eu estava entediado."

Ele estava entediado. Ele roubou meu primeiro beijo porque estava entediado.

Ah, o horror.

Suspirei e resisti à vontade de dizer algo que o magoasse. Ele era um garoto e, dessa forma, biologicamente criado para uma *estupidez como essa. Poderíamos superar aquilo, pensei. Eu ainda podia continuar a aula e receber os $50 que ele havia me prometido.*

"Vamos voltar a John e Marco, está bem?" sugeri. "A primeira coisa que devemos fazer é multiplicar a segunda equação por −2, para que tenhamos um +4b e um −4b, e um vai cancelar o outro, e então, vamos somar..."

Foi quando ele tentou me beijar de novo.

E foi assim:

Nate Dillinger + nariz sangrando = eu − $50

Sim, meu primeiro beijo não foi nada de mais.

O segundo beijo, o que importa, só aconteceu no verão passado.

Naquele dia, eu tinha combinado de encontrar o pessoal na livraria Barnes & Noble do shopping para nos divertirmos um pouco, e vermos um filme no cinema ao lado. Como sempre, Steven chegou cedo; ele já estava lá quando eu cheguei. Mas El enviou uma mensagem de texto avisando que estava com uma de suas dores de cabeça (leia-se: Maratona Downtown Abbey*) e Beaker ligou para dizer que ela e Antonio "estavam tendo problemas com o carro" (ou eles estavam ocupados dentro do carro), e ela achava que não conseguiriam chegar antes de o filme começar.*

"Parece que seremos só nós dois hoje", falei a Steven quando o encontrei folheando uma Scientific American *na seção de revistas. "Os outros deram o cano."*

"Que bom." Lembro que ele disse isso com aquele sorriso gentil e cúmplice que dá de vez em quando. "Faz tempo que não tenho você só para mim."

Ri, porque de repente, me senti inexplicavelmente nervosa com a ideia de ter Steven "só para mim". Talvez eu estivesse sentindo que havia algo rolando. Uma mudança na equação.

Eu disse a mim mesma que estava sendo boba. Steven e eu éramos amigos. Nós nos conhecíamos desde os 12 anos, quando decidimos que era melhor que os espertos do ensino fundamental andassem juntos. Assim, estaríamos protegidos. Eu achava o Steven bonitinho já naquela época. Mas a atração não vinha exatamente de sua aparência, porque houve períodos em que ele teve muita espinha e usou aparelho, e era extremamente magro. Só que ele tinha um algo a mais. O modo com que se empolgava como coisas como Tolkien, física quântica e Doctor Who. Ele ainda se encantava com as coisas, o que costuma desaparecer da maior parte da população adolescente quando completa 18 anos. Ele ainda amava muitas coisas do mundo. E eu achava isso incrivelmente sexy.

Isso e o fato de eu sempre ter sabido que ele gostava de mim. Além da flor de papel no Dia dos Namorados, às vezes eu o flagrava olhando para mim de um jeito que ia muito além da amizade. Interessado.

No entanto, Steven é racional demais para se apaixonar, eu pensava. Como eu.

Ficamos matando tempo na seção de ficção científica e fantasia e começamos a conversar sobre Ender's Game, que nós dois adoramos, e concordamos que Hollywood não tinha estragado a história demais, mas que o filme nunca chegaria perto da experiência que uma pessoa vive ao ler o livro, e relaxei. Tudo parecia exatamente a mesma coisa entre nós, como sempre tinha sido.

Então, Steven pegou Contato.

"Você deveria ler este", disse ele.

"Carl Sagan, o astrofísico?" Estreitei os olhos para a capa, que tinha uma foto de Jodie Foster, por algum motivo misterioso. "Ele escrevia ficção?"

"É um livro incrível", disse Steven. "Mostra como a crença na religião e a crença na ciência são fundamentalmente parecidas. Acreditamos, mesmo sem poder provar, mesmo sem poder ver."

"Mas, na ciência, existe evidência", falei. "Existe prova."

"Leia. Você vai entender o que quero dizer. Vai gostar."

Apoiei a mão no quadril e sorri para ele.

"Como você pode ter certeza que vou gostar?"

Pensando bem, isso até que poderia ter sido como uma tentativa de paquera, ruim, da minha parte.

E funcionou.

"Ah, acho que conheço você, Lex", disse Steven, e o som de sua voz mudou em relação a como estava um minuto antes. "Tenho uma boa ideia das coisas que você poderia gostar."

"Tá bem", falei, e peguei o livro, mas ele não largou.

"Já que estamos falando sobre isso, sabe do que mais você poderia gostar?" Ele pigarreou e olhou ao redor. Estávamos sozinhos, pelo menos naquela parte da livraria. "Você poderia gostar de sair comigo. Uma saída que não seja só de amigos. Um encontro. É o que quero dizer."

Bum. Um encontro.

Puxei o ar.

"Você está me convidando?", perguntei como uma boba.

"Sim, quero dizer... você consideraria... sair comigo?"

Fiquei olhando pra ele. Pensei em uma dúzia de motivos pelos quais não seria uma boa ideia. Esse tipo de coisa só complica tudo. Faz uma confusão. Odeio isso. Minha vida já estava uma bagunça. Eu achava que agora estava começando a me acostumar com a história do divórcio dos meus pais. Eu tinha que me concentrar na escola, manter minhas notas perfeitas, entrar na faculdade, resolver o que ia fazer da vida. Gostava de Steven — gostava demais dele; era fácil admitir isso; ele era uma das minhas pessoas preferidas —, mas se estivéssemos juntos desse jeito, podia ficar esquisito com os nossos amigos. Teria o risco de acabar com a nossa amizade.

Acabaríamos nos machucando.

"Steven..." Comecei a me preparar para tentar dizer todas as coisas difíceis.

"Espere", disse ele. "Ouça o que tenho a dizer." Ele pegou o livro que eu estava segurando e o colocou de novo na estante, e então, pegou minha outra mão. "Sei que um relacionamento romântico poderia ser considerado arriscado neste estágio. Temos um ano de ensino médio antes que a gente siga por caminhos diferentes, como se presume. Sei que o envolvimento romântico, num nível biológico, serve para procriação, e nenhum de nós *quer isso, claro. Mas..." Ele olhou para as minhas mãos. "Não é só isso. Tem o aspecto social, de aprender a interagir com alguém, como parceiro, o que poderia ser útil para nossa experiência futura. E está provado que a companhia romântica faz bem para a saúde; promove a liberação de endorfinas, o relaxamento, uma sensação de maior segurança, e..."*

Nós dois estávamos corados nesse momento. Somos tão parecidos, pensei. Quando ficamos nervosos, começamos a falar desembestados.

"Você está enrolando", observei.

"Eu sei." Ele suspirou e continuou falando. "Acho que podemos nos dar bem, Lex. Prometo que não pressionaria você a respeito... de nada, e não terei expectativas sobre o que vai acontecer daqui um ano. Só quero saber como seria. Um experimento."

Mordi o lábio. Ele estava fazendo parecer razoável. Lógico. Tentador. E além disso, ele estava me olhando com aqueles olhos castanhos inacreditavelmente afetuosos, e sua expressão dizia:

DIGA SIM, POR FAVOR.

"Então, o experimento é para ver se existe ou não química entre nós", falei.

Ele soltou uma de minhas mãos para ajeitar os óculos, e sorriu.

"Exatamente. Um simples experimento de química."

E fazia sentido. Não havia nada de que Steven gostava mais no mundo do que química.

"Então, faz parte do experimento nós dois sairmos juntos", continuou ele, passando para a logística de como aconteceria. "Talvez uma ou duas vezes por semana, ou mais, se você quiser. Do jeito que você preferir, de verdade... Poderíamos..."

"Sim." A palavra saiu de minha boca antes que eu pudesse me controlar. "Vou sair com você, sim."

"Fantástico", disse ele, parecendo tão animado que pensei que ele pudesse começar a dançar bem ali na livraria. "Você não vai se arrepender."

E foi assim que começou.

Ele segurou minha mão durante o filme. Fiquei sentada no escuro, assustada com a ideia de que aquilo havia acontecido muito fácil, depois de tanto tempo que nos conhecíamos. Ele me pediu para pensar nele romanticamente, e eu disse que faria isso. Simples dessa forma.

"Isso não é muito esquisito pra você, é?", sussurrou ele depois de um tempo.

"Não." Apertei a mão dele. "Está bom."

E estava.

Depois do filme, atravessamos a Lincoln até o Oven, um restaurante indiano no centro da cidade. Steven abriu a porta para mim, puxou a cadeira quando fui me sentar, e insistiu em pagar o jantar.

Aquilo foi meio esquisito.

Então, ele me levou para casa e caminhou comigo até a porta da frente. E na varanda, parou.

"Posso beijar você?", perguntou ele, rouco. Havia tanta coisa na expressão dele, e eu percebi tudo. Ele gostava de mim. Gostava de verdade. Não queria estragar as coisas. Ele achava que podia ser cedo demais, mas quis me beijar. Ele queria saber se eu sentia o mesmo. Era uma parte real do experimento, o beijo. Era:

Eu + Steven + namorando = química?

É para isso que serve o beijo, num nível biológico. É um teste de gosto, para saber se as duas pessoas combinam.

"Sim", falei, e me aproximei dele. "Pode me beijar."

Lentamente, ele abaixou a cabeça até seus lábios quase tocarem os meus. Ele sorriu, e eu me senti meio zonza ao perceber como queria aquilo. Puxei o lábio inferior entre os dentes para molhá-lo e sorri também. Sem fôlego. Esperando.

"Certo", sussurrou ele, com o hálito quente contra meu rosto. "Aqui vamos nós."

Seus lábios tocaram os meus delicadamente, sem pressão, e não tenho palavras para descrever como foi quente, maravilhoso e vivo, e nenhuma dessas palavras basta para explicar. Depois de um minuto, nossas bocas se abriram e minha língua tocou a dele, e a coisa em que menos pensaria seria credo, eca ou nojento. Ele tinha gosto de curry e chá. A eletricidade percorreu meu corpo e se acumulou na minha barriga, e pensei Uau. Então, é assim que é. Durante todo aquele tempo, eu fiquei imaginando. Eu tinha quase 18 anos e nunca havia me sentido tão conectada a outra pessoa.

Apoiei a mão em seu ombro firme e o puxei para mais perto. Ele emitiu um som forte no peito e mudou o ângulo, e nossos óculos se chocaram. Nós nos afastamos um do outro, rindo.

"Isso foi...", ele começou.

"Espetacular", falei.

"Espetacular", ele repetiu, com os olhos castanhas brilhando. Porque os resultados de nosso experimento foram conclusivos:

Eu + Steven + namorando = combustão espontânea

Ele arrumou uma mecha de cabelo para trás da minha orelha, e passou o polegar de leve no meu rosto. Eu estremeci. Queria beijá-lo de novo.

"Boa noite, Lex", disse ele, e então, virou-se de repente e voltou correndo para o carro. Ficou ali por alguns minutos sem partir, e eu me perguntei o que ele podia estar fazendo, até que meu telefone vibrou com a chegada de uma série de mensagens de texto. Estava escrito:

Há algumas coisas que não consegui dizer antes.

Você é uma garota incrível, Lex. É inteligente, engraçada, gentil e linda. Você é o pacote completo.

Obrigado por dizer sim.

Nós nos vemos amanhã?

Respondi que sim, que adoraria vê-lo no dia seguinte. Sorrimos um para o outro pelo vidro da janela do carro, e ele se afastou, e eu entrei.

Era 20 de junho.

Eu teria seis meses com Steven, seis meses até o dia, 183 dias de beijos até a equação mudar de novo.

CAPÍTULO 9

Ty e eu estamos andando na mata. Não há muitas áreas de floresta para escolher em Nebraska — somos mais um estado de planícies —, mas quando éramos crianças, nossos pais nos levavam naquela parte do Nebraska National Forest onde havia árvores altas, um lago e um acampamento. Acampávamos em barracas, Ty e eu em uma e minha mãe e meu pai em outra. Não consigo me lembrar quantos anos tínhamos, mas éramos pequenos, acho. Pequenos o bastante para que nossa barraca, só com nós dois dentro, parecesse a maior aventura. Passávamos metade da noite acordados, cochichando, fazendo bonecos de sombra com nossas lanternas, olhando pela tela no topo da barraca para as sombras escuras dos galhos das árvores acima de nós, imaginando as estrelas. Na manhã seguinte, acordamos cedo para pescar no lago. Ty pegou cinco peixes e eu, quatro, mas ele devolveu os dele à água. Ele tinha coração mole, já naquela época, era doce demais para matar um peixe inocente. Mas meu pai bateu na cabeça dos meus com um martelo especial e os fritou no acampamento para o almoço. E então, ele disse a Ty: "Isto é a realidade. Coma".

Meu pai não é muito chegado a sentimentalismo. Acho que puxei isso dele.

Bom, é aquela mata, suponho. Onde Ty e eu estamos caminhando agora.

Ele está vestindo camiseta branca e calça jeans escura.

O sol está se pondo em algum lugar atrás de nós. Não sei para onde estamos indo. Estou com minha mochila, que está pesada. Quero parar, para poder olhar com atenção, à luz fraca, para o rosto de Ty. Começo a me esquecer dele. O formato do nariz. Suas orelhas. Seus lábios, que estavam sempre rachados. Eu costumava dizer para ele: "Cara, compre uma manteiga de cacau". Agora, só quero memorizá-lo, todos os detalhes que puder, com lábios rachados e tudo, afastar da minha mente a imagem dele, amarela e rígida, coberta por uma camada de maquiagem da casa funerária.

"Ei", digo a ele. "Podemos descansar um pouco?"

Ele se vira para mim.

"Já está cansada? Acabamos de começar." Mas ele se senta em uma rocha grande. "Me arruma um pouco da sua água."

Percebo que estou carregando uma garrafa grande de água mineral. Eu a seguro. "Qual é a palavrinha mágica?", pergunto, provocando-o.

"Por favoooor", diz ele, estendendo a mão, sorrindo, e eu balanço a cabeça.

"Não."

"Umidade", diz ele. "A palavra mágica é *umidade*."

"Credo. Não."

"Não é *ilusão*, posso garantir."

"Cala a boca. Eu estava improvisando."

"Sobre qual palavra será seu trabalho?"

"Não estou planejando fazer esse trabalho", digo a ele.

"Você. Não vai fazer um trabalho. Você."

"Como soube deste trabalho?"

Ele dá de ombros. "Que palavra?", meu irmão insiste. "Sobre qual palavra você escreveria?"

"*Boboca*", respondo.

"Genial. Combina com você", diz ele revirando os olhos. "Agora, me dê a água, Lex. Estou morrendo aqui."

Arqueio uma sobrancelha para ele.

Ele ri. "Figurativamente falando."

Entrego a água. Ele bebe metade dela, seca a boca com as costas da mão em um gesto tão familiar que faz meu peito doer, e me devolve a garrafa.

Sinto saudade, é o que quero dizer. Está na ponta da língua, mas eu penso, se chamar atenção ao fato de que isso é um sonho, vou acordar.

Não quero acordar.

Algo surge na mata. Um bando de aves em uma árvore se assusta e dispara, batendo as asas no ar. A luz está desaparecendo depressa. Olho para Ty. Ele está olhando em direção à parte mais escura da mata.

"Hora de ir", diz ele quando se levanta.

"Tudo bem."

Começamos a andar de novo. Ainda não sei aonde estamos indo. Não parece haver uma trilha, mas Ty age como se ele conhecesse o caminho. Não para de olhar para trás, atrás de nós, como se estivesse com medo, e isso me dá medo também. De repente, escurece. As sombras estão se aproximando de todas as direções.

Caminhamos mais depressa. Estou sem fôlego. Tropeço numa raiz de árvore ou coisa assim.

Caio.

Ty segura minha mão e me ajuda a levantar. Na mata atrás de onde estamos, há mais sons de galhos quebrados e folhas amassadas, os sons de algo se movendo em nossa direção. Alguma coisa atrás de nós. Algo grande.

Machuquei muito o tornozelo.

"É um urso", diz Ty, quando abro a boca para dizer a ele que não vou conseguir correr. "Um urso-cinzento."

"Não há cinzentos em Nebraska."

"Vamos subir naquela árvore." Ty escolhe um carvalho enorme, que também não deveria estar naquela mata. "Consegue subir nela?"

Não tenho experiência em subir em árvores, mas tento. Subo pelo tronco, ignorando a dor no tornozelo, entrando pelo meio dos galhos. Ty vem atrás, e me ajuda a me equilibrar, me empurra para cima, me orienta. Mas sou devagar. Não subo o suficiente nem com a rapidez suficiente. Sou desengonçada.

"Depressa!", Ty grita. "Ele está aqui." O lugar é tão escuro que mal consigo enxergar, mas consigo ver os ombros do urso lá embaixo, enorme. Ele emite um som meio grave, como um latido, e se estica na nossa direção. Então, abocanha o pé de Ty. Começa a puxá-lo da árvore.

Agarro os braços dele. Não largo.

Ty olha em meus olhos. Ele sorri, e é um sorriso triste, porque sabe como isso vai terminar. Nós dois sabemos.

Ele diz: "Não olhe. Fique aqui em cima, onde é seguro. Vai acabar logo".

"Ty, não." Agarro os braços dele com mais força. "Não."

O urso é muito forte. Não consigo segurá-lo. Ele escapou. Ele cai. Na escuridão da floresta, eu o escuto gritar.

Isto é um sonho, digo a mim mesmo. É só um sonho. Ele não pode morrer de novo.

Mas ele morre. Ouço o urso matando-o. Há rosnados, os gritos de dor e terror de Ty, o tecido sendo rasgado e os ossos sendo esmagados. Pressiono o rosto na casca áspera do carvalho, e fecho os olhos com força, e escuto quando ele morre. Mesmo ali, nos meus sonhos, não consigo chorar por ele. Não consigo impedir. Não consigo evitar.

Sou totalmente inútil, penso. Não posso salvá-lo.

Então, quando termina, quando a mata se silencia de novo, eu acordo. No meu quarto. No escuro. Sozinha de novo.

Esses sonhos vêm se repetindo há semanas. Sempre a mesma coisa, eu e Ty, fazendo algo que costumávamos fazer, conversando como costumávamos conversar, e então, depois de um tempo, algo dá errado e Ty morre. Até agora, ele morreu em um acidente de avião, levou um tiro de um membro de uma gangue e foi atingido por um raio durante uma tempestade. Em um deles, caiu da escada e quebrou o pescoço. Em outro, foi atingido por um carro enquanto íamos de bicicleta para a escola. É minha versão pessoal do Kenny de *South Park*, mas Ty nunca morre como morreu. E sempre que ele morre, sempre que o vejo morrer, parece real.

Meu estômago dá voltas como se eu fosse vomitar. Respiro fundo, de modo constante, como quando meu pai nos ensinou a fazer quando estava naquela fase de fazer pilates, e me sento. Afasto os cabelos embaraçados do rosto. E então, meu coração para em minha garganta como uma pedra de gelo.

Na luz fraca que vem da janela, vejo alguém de pé. Uma silhueta. Uma pessoa.

"Ty?", chamo.

A figura se mexe levemente, como se estivesse olhando alguma coisa na rua, mas agora está se virando. Ele não fala nada. Eu procuro meus óculos no criado-mudo. Sou cega sem meus óculos. Quando eu era criança, me assustava no meio da noite, pensando que se um monstro saísse do meu armário para me pegar, eu só veria quando já fosse tarde demais.

Meus dedos seguram a armação. Eu os abro com cuidado, levo-os ao rosto, e olho para a janela de novo.

Ele não está ali. Só há a sombra do salgueiro do lado de fora.

Voltou a me deitar no travesseiro.

Uma sombra. Uma sombra idiota. De uma árvore idiota.

Ty não vai estar aqui quando eu abrir meus olhos, digo a mim mesma com firmeza. Não de verdade. Independentemente de qual seja meu sonho.

Eu deito de lado, com o rosto para a parede. Tento voltar a dormir. Recorro a um método testado e comprovado: números 0, 1, 1, 2, 3, 5, 8, 13, 21, cada número, a soma dos dois números antes dele. Sequência de Fibonacci, é o nome, em homenagem a um matemático italiano que escreveu sobre ela em 1202. Os números de Fibonacci estão em todos os cantos, na natureza, até, no padrão de folhas em um galho ou no modo com que os círculos se apresentam na casca de um abacaxi ou na organização das sementes em uma pinha. Matemática. A matemática segura e confiável.

Não existe nada mais real que números.

Meu coração começa a desacelerar. Meus ombros se relaxam. Eu respiro.

34. 55. 89. 144.

Eu me lembro que estou usando os óculos, e os tiro, dobro-os e os coloco sobre o criado-mudo atrás de mim. O quarto fica escuro e embaçado, como uma pintura impressionista, com cores, mas sem linhas distintas. Como um quadro de Van Gogh, eu dizia a mim mesma. *Noite Assustadoramente Estrelada*. Puxo os cobertores até meu queixo.

233. 377. 610. 987. 1.597. 2.584.

E é bem ali, quando minhas pálpebras começam a ficar pesadas, quando começo a partir para o espaço cinzento onde Ty não está morto, que eu sinto o cheiro.

Uma mistura de sândalo, manjericão e um toque de limão.

Brut.

O cheiro da colônia do meu irmão.

CAPÍTULO 10

Alguém está batendo na porta da frente.

Ignoro. Estou ocupada, de verdade. Estou com as mangas arregaçadas, com luvas de borracha, avental e tudo, e os braços enfiados até os cotovelos na água quente com sabão, no meio da montanha de pratos que ficaram empilhados na pia da cozinha a semana toda, já que nem minha mãe nem eu temos energia para lavar pratos.

Não tenho dormido bem.

Agora, decidi, não é um momento bom para uma visita de solidariedade.

Quem quer que esteja batendo, volta outra hora.

Fico irritada. Minha mãe ainda está dormindo. Sim, são mais de três da tarde no domingo, mas ela dormiu o dia todo. Nem sequer se levantou para ir à igreja, o que é um mau sinal. Até então, ela sempre acordou por Deus.

Estão batendo de novo.

Ah, tudo bem, penso, ainda ignorando, colocando um prato na lava-louça. Minha mãe não tem que ir à igreja. Podemos ser antissociais. Podemos dormir quanto quisermos. Temos permissão. É a única vantagem dessa história toda de ter perdido meu irmão: um tempo ilimitado para dar desculpas. Não tenho que atender à porta.

Mas essa batida. É alta. Persistente. Uma batida que não vai parar tão cedo.

Então, penso que quem estiver batendo pode ter trazido o jantar. É assim que a cultura norte-americana ensina as pessoas a lidarem com uma morte: oferecer uma travessa de ensopado. Uma torta. Uma salada de frutas. Esse ritual permite que a pessoa que oferece a comida sinta que fez algo útil para nós. Ela nos alimentou. É assim que ela mostra que se importa.

Na primeira semana, as pessoas se importaram muito. Recebemos tanta comida que algumas quase estragaram antes que pudéssemos dar conta de tudo. Minha mãe e eu nem sentimos fome naqueles dias; nós só ficávamos sentadas em várias posições em diversos lugares, e as pessoas orbitavam ao nosso redor, trazendo lenços, água, perguntando se queríamos comer alguma coisa. Eu sempre dispensava a comida, mas minha mãe tentava. Queria ser educada. Eu a observava sentada à mesa, forçando-se a comer, mastigando cada mordida cuidadosamente, engolindo, tentando sorrir e reafirmar que estava delicioso, que a pessoa tinha sido muito gentil.

Na segunda semana, a maioria delas se foi, e comemos as melhores coisas que elas levaram: as tortas de creme de chocolate, os frangos assados, os pães doces. Joguei o resto fora. Na terceira ou quarta semana, retomei um pouco do meu apetite, mas foi quando a comida parou de chegar.

As pessoas seguem sua vida.

Ainda que não consigamos seguir com a nossa.

O que é bem ruim, já que não sei nem fritar um ovo, e minha mãe está se tornando cada vez menos confiável nesse departamento.

Sinto uma repentina esperança quando vou abrir a porta. Um ensopado cairia muito bem. Estou morrendo de fome.

Abro a porta e vejo Sadie McIntyre, nossa vizinha que mora a três casas descendo a rua. *Voilà*.

Mas alguma coisa está esquisita. Ela não segue o protocolo comum de visitas ao meu ver, não sorri, não me pergunta como estou. Não está segurando um prato de biscoitos, nem uma travessa de enchiladas, nem nada do tipo. Está de pé, uma perna cruzada na frente da outra, olhando para mim com olhos azuis-claros, a expressão neutra.

"Oi?", digo, é uma pergunta.

"Vou ao Jamba Juice", diz ela com a voz rouca de fumante. "Quer ir?"

Esse convite não faz sentido por vários motivos:

1. Estamos em fevereiro. Em Nebraska. O dia está bem frio; meu celular rachado registra −15 °C no momento. Quando Sadie pergunta, as palavras saem com uma névoa branca. *Quer ir ao Jamba Juice?*

Supostamente, para comprar uma bebida gelada.

2. Sadie e eu não andamos juntas desde o ensino fundamental.

Quando éramos crianças, quando éramos muito pequenas, nós praticamente vivíamos uma na casa da outra. Eu tinha um caminho secreto. Saía pela porta dos fundos da minha casa, atravessava a varanda do sr. Croft, seguia rente à parede grande de pedra que segue por todo o quintal da sra. Widdison, atravessava por uma fresta entre os arbustos de lilases que margeiam a propriedade dos McIntyre, e ia pelo gramado até a janela do quarto de Sadie. Eu conseguiria fazer aquele caminho dormindo.

Sadie foi minha primeira amiga. Não consigo me lembrar de como a vida era antes de conhecê-la, apesar de nossos pais gostarem de contar uma história de Sadie ter fugido de casa quando tinha dois anos para acabar na caixa de areia de nosso quintal, e foi assim que nos conhecemos. Meus pais chamavam a Sadie de *espoleta*. Ela foi minha melhor amiga durante anos. Quando as outras crianças me chamavam de Quatro Olhos ou Fundo de Garrafa (os óculos eram um grande vilão naquela época), eu podia sempre contar com Sadie para me defender. Ela tinha quatro irmãos mais velhos, e quando uma criança nos importunava, Sadie colocava seus irmãos em cima da pentelha como se incita uma matilha de cães. Sobrevivi ao ensino fundamental, em grande parte, graças a Sadie e aos meninos McIntyre.

Ainda me lembro da Sadie daquela época: magrela e bronzeada, cabelos encaracolados e soltos, quase brancos sob o sol de verão, usando uma camiseta limpa, mas desbotada, de um de seus irmãos, e sempre ficava tão comprida que balançava na altura dos joelhos quando ela corria. Sadie adorava correr. Nunca ia a nenhum lugar andando se pudesse ir correndo. Eu gostava muito dela, e como ela era minha amiga, sempre corria atrás dela.

Até um dia, quando Sadie parou de correr. Ganhou uma bicicleta, e começou a entregar jornais no lugar do irmão mais velho, para poder comprar suas roupas quando começasse o sexto ano. Começou a usar maquiagem e a sorrir de um jeito diferente. Ela se transformou numa Sadie totalmente diferente.

Para ser sincera, eu também mudei, naquele ano. Comecei a andar com Jill e Eleanor e Steven. Sadie e eu nos afastamos. Acontece. No segundo ano, houve um lamentável incidente envolvendo furto em uma loja, sobre o qual a vizinhança toda sabe, mas do qual não fala. Sadie anda com os maconheiros. Eu sou da brigada dos geeks. Ainda somos amigas, mas nossos círculos sociais são diferentes.

Agora, ela está de pé na porta da minha casa com uma jaqueta xadrez castigada e uma calça jeans com rasgos nas pernas, os cachos loiros presos embaixo de um gorro preto. Está usando luvas e delineador demais. Fico me perguntando por que os maconheiros sempre acham que precisam de delineador.

"Lex?", ela chama, porque eu ainda não dei nenhuma resposta.

Ah, sim. Jamba Juice.

Não consigo imaginar o que ela quer de mim, o que poderia estar aprontando, mas também não consigo pensar numa boa desculpa e, sinceramente, a ideia de sair de casa por um tempo me atrai. Então, concordo e tiro as luvas de borracha.

"Claro. Vou só pegar meu casaco."

O Jamba Juice está vazio quando chegamos. Que surpresa. O cara atrás do balcão parece assustado ao nos ver, como se tivéssemos entrado por engano.

"Nossa!", Sadie diz com um sorriso brincalhão quando se senta à frente do balcão. "Está um calorão lá fora. Estou desidratando."

Ela está brincando, mas o Cara do Balcão não se liga, e abaixa o telefone antes de terminar de digitar uma mensagem e olha para nós como se fosse uma pegadinha, como se a qualquer momento uma equipe de filmagem fosse aparecer do nada.

"Vou tomar o Matcha Green Tea Blast", diz ela sem nem olhar o cardápio, como se viesse àquele lugar todos os dias. "Com o antioxidante." Ela se vira para mim. "Pegue um também, Lex. É por minha conta. Precisamos combater os renegados livres."

Radicais livres, eu penso, mas não a corrijo. Peço a mesma coisa.

"Podemos nos sentar em qualquer lugar?", Sadie pergunta ao Cara do Balcão depois que paga. "Ou precisamos esperar uma mesa esvaziar?"

Ele balança a mão pelo salão vazio e volta ao telefone, irritado, como se estivéssemos interrompendo seu intervalo. Sadie escolhe uma mesa no canto, pendura a bolsa de couro nas costas da cadeira, senta-se e começa a beber. A tal bebida, tenho que mencionar, tem a mesma cor e textura de guacamole.

Isso vai ser interessante.

"Algumas pessoas", diz ela, "não têm senso de humor."

Tomo um gole do *smoothie* denso com esforço. É surpreendentemente bom.

"Então", diz Sadie depois de tomarmos um quarto da bebida. "Quero conversar com você sobre uma coisa."

Lá vem. O discurso do "sinto muito". O apertão solidário na mão. O "como posso te ajudar?" do qual me sentirei culpada quando recusar. A parte em que me tornarei alvo da pena de Sadie.

"Vi você uma noite dessas", diz ela. "Correndo."

Ah, isso. Pisco e olho para ela. Tento me ver do ponto de vista dela, uma pessoa em um frio de congelar, sem casaco, correndo pelo bairro como se estivesse sendo perseguida por cães selvagens.

Uma doida, é o que eu parecia. Uma louca desvairada.

"Você está praticando corrida?", pergunta Sadie.

A ideia é tão absurda que eu quase dou risada. Mesmo na época em que corria atrás de Sadie, sempre detestei aquilo. Eu odiava todos os aspectos da corrida: o suor, a falta de fôlego, o gosto esquisito que ficava na boca, a dor nos tornozelos depois. Eu tenho como regra evitar a exaustão física sempre que possível.

Mas o que posso dizer a ela, que estava correndo do fantasma de meu irmão morto?

"Algo assim", murmuro.

Sadie assente como se estivesse confirmando um boato que ouviu a meu respeito.

"Que ótimo", diz ela. "Tenho pensado em voltar a correr. Baixei um aplicativo no meu celular que consegue tirar você do sofá para que corra cinco quilômetros em um mês. Você começa alternando a corrida e a caminhada e acaba correndo o percurso inteiro, no fim. Dá para queimar umas quinhentas calorias por hora.

"Foi o que ouvi dizer", falei.

"Então, talvez possamos correr juntas", ela sugere casualmente e me lança um olhar esquisito, como se estivesse tentando criar um desafio.

Ah, não. Perigo, Will Robinson. Alerta vermelho.

"Ah, claro", consigo dizer. "Deveríamos, sim. Quer dizer, estou meio ocupada agora, mas talvez em algumas semanas. E não sei se é uma boa ideia correr no frio, pode fazer mal para os pulmões ou algo assim. Talvez na primavera. Mas aí tem as Olimpíadas de Física, e tenho que fazer um monte de testes, e minha agenda está bem lotada. Talvez no verão..."

Sadie estreita os olhos.

"Ah, Lex", diz ela. "Tanto faz."

Quando estávamos no quinto ano, passamos por uma fase na qual jogávamos um jogo chamado Tanto Faz, no qual, basicamente, você tem que se livrar de todas as suas cartas mentindo a respeito do que tem, mas se alguém diz *tanto faz* e pega você mentindo, você tem que ficar com o monte inteiro. Sadie era campeã nesse jogo, eu lembro. Sempre me pegava.

Ela está me chamando de mentirosa.

"Sadie...", começo.

"Tem alguma coisa acontecendo com você" diz ela, cruzando os braços na frente do peito. "Você estava assustada, naquela noite na estrada. Quero saber do que estava fugindo."

Olho para ela desarmada. "Eu não estava fugindo de nada..."

"Sem essa", diz ela. "Tanto faz. Você está com problemas. É obvio."

O silêncio se estende entre nós. Eu penso, Claro que estou com problemas. Você não prestou atenção nos últimos dois meses? E: De que importa para você se eu estou com problemas? Não somos próximas há anos. Não é da sua conta. Mas então, a vontade de tirar a última semana do meu peito me toma como um tsunami. Sadie ainda é minha amiga. E ela não é como meus outros amigos: não é superracional e científica, e talvez ela não tire conclusões precipitadas a respeito da minha saúde mental duvidosa. Ela poderia ter a mente aberta.

Poderia ouvir.

Passo os olhos pelo salão rapidamente. O Cara do Balcão não está em lugar nenhum, provavelmente foi para os fundos. O Jamba Juice está vazio.

"Eu estava correndo porque..." Respiro fundo. "Pensei que tivesse visto o Ty. Então, precisei sair um pouco de casa."

Sadie se inclina para a frente. Seus olhos estão muito sérios.

"Certo", diz ela depois do que eu juro serem os sessenta segundos mais longos da minha vida. "Pode me contar tudo."

Uma hora depois, estamos no meu quarto assistindo a *Long Island Medium*. Quando terminei de contar a Sadie os detalhes básicos da história de Ty-poderia-ser-um-fantasma, ela insistiu para que eu a levasse até a minha casa, no porão, para mostrar a marca na parede onde joguei meu telefone em Ty, como se quisesse ver a evidência com os próprios olhos, apesar de não haver prova real. Ela me encheu de perguntas: a que hora do dia, exatamente, vi meu irmão? Eu senti calor ou frio em sua presença? Ele estava usando roupa branca ou preta? Ele parecia normal ou estava alterado de alguma forma?

Tentei responder da melhor maneira que consegui.

Então, ela ficou de pé no meio do quarto olhando no espelho como se esperasse que ele aparecesse a qualquer momento. Eu não sabia se deveria me sentir aliviada ou decepcionada por ele não ter aparecido.

"Essa é a mensagem?", perguntou ela, observando o Post-it no centro do vidro.

Desculpa, mãe, mas eu estava muito vazio.

Confirmei.

Ela olhou para ele por mais alguns segundos, e sua voz estava baixa quando ela perguntou: "Ele falou com você?".

"Não", respondi, e pensei, Isto é loucura. Como pode estarmos conversando sobre isso como se tivesse acontecido? "Ele apareceu por um ou dois segundos, nas duas vezes. Foi como um flash."

"Bem", disse ela com seriedade, "ele vai tentar encontrar uma maneira de expressar o que quer. Ele está aqui por um motivo, e você tem que descobrir o que é."

Certo.

"Como você sabe tanto sobre fantasmas?", perguntei.

E foi assim que acabamos no meu quarto assistindo a *Long Island Medium* no meu laptop. Nunca tinha visto o programa, mas parece que Sadie viu quase todos os episódios.

"Theresa é hilária", diz ela, deitada aos pés da minha cama de barriga para baixo, com os pés balançando no ar. "Parece que ela não consegue se controlar. Ela tem que conversar com os espíritos sempre que os vê."

É verdade. Até agora, no episódio que estamos vendo, Theresa — a médium, que tem um forte sotaque de Long Island e cabelos pintados de um loiro muito claro e bem armados — se sentiu tentada a entregar uma mensagem do além ao cara do restaurante chinês e a uma garota que ela conhece em uma aula de culinária.

"Ela sempre morde o lábio quando ouve os espíritos", diz Sadie. "Adoro como ela conta às pessoas também. Simplesmente aparece e diz: 'Sou uma médium. Converso com mortos'."

Não me convenço. Não que o programa não seja divertido, porque para ser sincera, é, sim. Mas parece que a médium está simplesmente dizendo às pessoas o que elas, claro, querem ouvir: que a pessoa que morreu está segura, feliz e em paz, e que elas não devem se sentir culpadas independentemente do motivo pelo qual se sentem culpadas, e tudo está bem.

Na minha experiência, tudo não está bem.

"Então", diz Sadie depois que o programa termina. "O que você acha que Ty está tentando dizer? Por que ele está aqui?"

Hesito. Então, pego minha mochila onde a deixei, no canto, e viro o conteúdo sobre a mesa.

"Nossa! Essa rosa é feita de papel?", pergunta Sadie, virando-se para se sentar. "Incrível! Onde a conseguiu?"

"Em lugar nenhum." Enfio uma tachinha no caule de metal e prendo a rosa ao lado da margarida do ano anterior antes que Sadie possa observá-la de perto. Eu não quero falar sobre a minha vida amorosa no momento. Então, pego a carta de Ty de dentro do meu caderno. Eu a seguro por um momento, sentindo seu peso, sem muita vontade de soltá-la, e então, a entrego a Sadie.

"Encontrei isto na mesa dele", explico, um detalhe que havia passado despercebido antes. "Depois que eu o vi... mais tarde, eu a encontrei."

"Quem é Ashley?", pergunta ela imediatamente.

Suspiro.

"A garota que ele levou ao baile. Fora isso, não faço ideia."

Mostro a ela a lista de Ashleys.

"Caramba", diz ela, observando a página e correndo o dedo pelos nomes. "São muitas."

"Pode crer."

"E você não tem nenhuma outra pista?"

Engulo em seco. "Ela é loira. Só a vi uma vez, de costas."

"Não é informação suficiente." Ela olha para mim e ri. "Ah, não se sinta culpada. Nunca sei quem meus irmãos estão namorando. É como um episódio de *The Bachelor* na minha família, ultimamente. Tenho que me informar sobre o status de relacionamento deles pela internet."

Isso faz com que eu me sinta 5% melhor.

E então, a resposta me ocorre.

Eu pego o laptop.

"Claro. Sou tão idiota, às vezes."

"O quê?" Sadie espia sobre meu ombro.

"A internet. Ty poderia ter postado sobre o baile."

Não gasto muito tempo em redes sociais, mas tenho uma conta na maioria. Entro em uma delas. Vou até a página de Ty. Está cheia de posts de outras pessoas, mensagens do tipo *Sentimos saudades, Ty*, e *Por que nos deixou tão cedo?*, e *Não vamos te esquecer.*

Deveríamos tirar isso do ar, penso. Não sei por que me incomoda ver a presença de Ty na internet sendo que ele não está mais vivo. Mas me incomoda.

"Quando foi o baile, mesmo?", pergunta Sadie. "Setembro? Nunca vou a esses bailes idiotas."

"Outubro." Eu rolo até o fim, clico em POSTS MAIS ANTIGOS, e rolo mais, volto na linha do tempo dele até chegar em outubro.

E de repente, aparece. Uma foto de Ty e de seu par no baile. Ele está atrás dela na frente de um pano de fundo azul de cetim, com as mãos na cintura da garota, que usa um vestido cor-de-rosa, sorrindo. Ela está virando a cabeça, olhando para ele, com a boca entreaberta como se a câmera a estivesse flagrando enquanto ria.

Eu me pergunto se ela notou a maquiagem.

Os cabelos dela são compridos e loiros, como eu me lembro, e não consigo ver a cor dos olhos dela deste ângulo. Mas eu a reconheço instantaneamente.

Ela deve ter cortado os cabelos. Ela deve tê-los tingido.

Porque conheço a garota na foto. Arrasto o mouse sobre o rosto dela, e seu nome aparece. Ele a marcou.

Ashley Davenport.

A carta é mesmo da líder de torcida.

16 DE FEVEREIRO

Na primeira vez em que Ty gostou de uma garota, pelo menos que eu saiba, ele tinha 8 anos. Na volta da escola para casa, um dia, ele anunciou que se casaria com Melissa Meyers, uma garota de sua sala do segundo ano. Porque ela era bonita, explicou. E porque ela era a "mais legal". Aparentemente, ele havia feito o pedido de casamento no recreio, e ela aceitou. Então, estava combinado.

Meus pais, sempre sensíveis, desataram a rir quando ele contou a novidade.

"Você já a beijou?", perguntou meu pai em meio às risadas.

"Credo, não, que nojo", respondeu Ty. "As meninas têm germes."

Essa resposta só fez meus pais rirem ainda mais, e Ty percebeu que ele era a piada. Corou e franziu o rosto, e então foi para seu quarto para pensar em seu amor sem fim por Melissa em paz.

Foi a primeira vez que Ty passou informações sobre sua vida amorosa à família. Também foi a última.

Eu me lembro bem do incidente porque, naquela época, meu eu de 10 anos alimentava uma paixão secreta por um dos meninos da família McIntyre: Seth, que era 2 anos mais velho do que eu e era meio durão, sempre brigava na escola, mas para mim era, como Ty dissera, "o mais legal". Vi o que aconteceu com meu irmão e decidi nunca contar a meus pais a respeito de minhas experiências românticas.

Não que eu tivesse muito o que contar. Não me exibi com o encontrinho que tive com Nate Dillinger.

Eu costumava provocar Ty com a história de garotas, não muito, mas o suficiente. Era minha obrigação de irmã, pensei. "Boa colônia", devo ter dito algumas vezes. "Está tentando impressionar alguma garota?", "Para quem está escrevendo?", eu perguntava quando o via checar seu telefone. "Uma garota?" "Aquela é sua namorada?", eu cutucava quando ele sorria para uma garota enquanto íamos para a escola juntos. "Como ela se chama?"

Ele costumava responder de dois modos:

1. Não
2. Cala a boca.

Mas eu só o provocava porque sabia que não havia nenhum motivo sério sobre o qual provocá-lo, e ele sabia disso. Quando ele dizia "Não, cala a boca", sempre sorria, porque era uma brincadeira nossa, a brincadeira de a "irmã mais velha perturba o irmão mais novo".

Foi diferente com Ashley. Naquela noite antes do baile, quando ele admitiu que gostava daquela garota, e gostava de verdade, não fiz piada porque notei que era sério. Não tentei descobrir os detalhes: ela frequentava a nossa escola? Era aluna do segundo ano também? Eles estudavam juntos? Como ela era? O que ele gostava nela? Ele já a havia beijado?

Ele teria odiado se eu tivesse perguntado se ele a havia beijado.

Ele me contaria sobre ela quando estivesse pronto para contar sobre ela, pensei. A seu próprio tempo.

Não o pressionei, não provoquei, mas observei. Percebi coisas. Percebi que, entre outubro e novembro, ele passou muito tempo no celular, e sua voz, quando ele falava ao telefone, era mais suave e doce, como eu nunca tinha ouvido. Começou a usar perfume todos os dias, e fazia a barba mesmo quando não precisava, e passava mais tempo arrumando os cabelos de manhã. Andava com o peito estufado. Assobiava ao subir a rua. Até parecia mais relaxado durante nossos jantares com o papai.

Fiquei feliz por ele. Era bom vê-lo sorrir quando ele via o nome dela na tela do celular.

Eu não pensei no fato de que ele tinha 16 anos e que a parte da felicidade não duraria.

Não pensei na queda.

Não sei quando acabou, exatamente. Comecei a perceber alguma coisa na primeira semana de dezembro, quando Ty entrou numa briga na escola com um dos seus amigos atletas. Ele não nos contou os detalhes, mas pelo que o diretor descreveu para a minha mãe, Ty deu o primeiro soco. Ele foi suspenso só por um dia, por ter sido a primeira ocorrência, mas notei uma leve mudança no modo com que as pessoas agiram com ele na escola depois disso. Como se ele tivesse sido expulso do clube dos caras legais, também, talvez não permanentemente, mas por enquanto. E Ty estava se esforçando para agir como se não se importasse nem um pouco.

Ele parou de falar, só abria a boca para o estritamente necessário: por favor, passe o sal, vou sair etc. Ficava no quarto dele, na maior parte do tempo, e tocava música bem alto, e o som do baixo ecoava no chão do meu quarto.

A felicidade havia acabado.

Esse comportamento continuou até o dia 10 de dezembro, quando uma nevasca muito forte tomou a cidade. Retirei um metro de neve em questão de horas, e a cidade cancelou as aulas. Ty e eu passamos uma tarde assistindo à TV. Ele estava calado. Mal dissera 3 palavras no café da manhã, rolara os olhos quando a mamãe sugeriu que era a vez dele de lavar a louça e, pelo cheiro, ele não tomava banho havia uns dois dias.

Algo precisava ser feito.

Decidi ver se podia melhorar a situação.

"Então", falei enquanto ele zapeava. "O que aconteceu com aquela tal de Ashley?"

Eu nunca fui muito sutil, mesmo.

Ele fechou o rosto numa máscara de indiferença cuidadosa, mas houve alguns segundos, antes de se recompor, que a dor pura surgiu em seus olhos.

"Não aconteceu nada", disse ele.

"Vocês não estavam saindo?"

Ele olhou para a televisão, pensando no que dizer a mim.

"Saímos por um tempo, mas não mais. Tudo bem."

Não estava tudo bem. Isso era claro.

"Ih, vou ter que bater nela?", perguntei. "Porque eu bato, se precisar, você sabe."

Ele sorriu discretamente.

"Não."

"Quem é essa garota, hein? Ashley do quê? Qual é o sobrenome dela? Porque vou chutar a bunda dela", falei, e a palavra bunda saiu tão forte e de um modo tão pouco natural que Ty deu uma risadinha, mas continuou dizendo que não, que não diria o sobrenome, não era preciso que eu batesse nela, ele sabia se virar, e agradeceu.

Eu não tinha intenção de confrontar Ashley. Eu só estava tentando animar Ty com a ideia ridícula de que eu, com meus óculos e meus braços de graveto, fosse capaz de bater em alguém. Então, continuei falando sobre o assunto, continuei perguntando, e ele continuou dizendo que tudo estava bem. Então, eu o arrastei para o quintal para construirmos um boneco de neve representando Ashley e derrubá-lo com bolas de neve, que ele fez com relutância, mas depois, começou a jogar bolas de neve em mim, o que acabou virando uma guerra. Então, quando nós dois estávamos cheios de neve e cansados, sugeri que entrássemos para fazer coisas de menina e comer muito chocolate.

A Operação Animar o Ty funcionou. Ty sorriu. Pelo resto do dia, ele pareceu mais leve. Até fez uma piada na hora do jantar.

Ele sairia daquela tristeza, pensei. Superaria a tal de Ashley. Ficaria bem.

CAPÍTULO 11

Tem alguma coisa no ginásio do ensino médio — talvez sejam os odores de suor de adolescentes, e de desinfetante e borracha, o modo com que gritos e gemidos ressoam nas paredes, com todo barulho amplificado, tênis freando no chão, o ar sempre frio — que me deixa ansiosa na hora. Associo esse lugar a castigo físico, à educação física, a correr muito e à quantidade de flexões que nunca conseguia fazer para satisfazer os padrões de condicionamento físico do ensino médio. Eu me sento desconfortavelmente em um banco de metal no fundo da arquibancada e olho para a quadra de basquete de piso brilhante. Aqui não é meu lugar. Meu mundo sempre foi a sala de aula, com seu cheiro de giz ou caneta do quadro branco, ou a biblioteca, a segurança dos livros, dos fatos e a iluminação tranquila, não as luzes fluorescentes fortes que banham o ginásio.

E ainda assim, aqui estou eu. É a oitava aula. Vou cabular a última aula do dia para poder me sentar no ginásio frio e assistir ao treino das líderes de torcida.

Pego meu caderno de cinco matérias.

Nova matéria: Ashley Davenport.

É fácil encontrá-la no grupo de meninas de uniformes marrons do lado mais distante do ginásio. Seus cabelos ruivos contra os loiros. Ela também é alta. Não muito, porém mais alta do que a maioria das garotas. Esguia. Sua voz, quando berra os gritos de torcida, é clara e forte.

Va! Mos!
Va! Mos!
Vamos, poderosos Gators!
Vamos!

Eu a observo por um tempo, faço algumas anotações e nos próximos quarenta e cinco minutos de observação, aqui está o que fico sabendo:

Ashley Davenport consegue chutar bem alto.

Também sabe abrir espacate e virar três reversões seguidas.

Ela é forte. Faz com que pareça fácil ficar de pé com outra garota equilibrada em seus ombros.

Foi o que observei.

Eu não deveria ter matado a oitava aula.

Tento me lembrar de Ashley de outras vezes em que eu devo tê-la visto nos jogos de basquete de meu irmão. Mas naquela época, ela era só mais uma líder de torcida, só mais um par de pompons entre um monte de saias de poliéster curtas demais. Eu não tinha motivos para destacá-la do resto.

Algo me ocorre de repente, o som de uma câmera em funcionamento, e subitamente compreendo a frase *se arrepiar de medo* com mais clareza. Eu me viro, pronta para ver o diretor ou o segurança da escola ali para me levar por ter fugido da aula.

Tenho uma boa desculpa. Assim que a inventar. Além disso: como posso estar fugindo, se não saí da escola?

Mas é Damian. Ele está sentado em um banco duas fileiras acima da minha, usando seu capuz cinza de sempre e a calça larga, segurando uma câmera com lentes grandes voltada para as líderes de torcida.

"Oi, Damian", digo num reflexo. Nem me surpreendo muito ao vê-lo quando minha frequência cardíaca volta ao normal. "O que está fazendo?"

"Tirando fotos para o livro da escola", ele explica quando aciona a câmera de novo. Ele a abaixa e olha para mim. "O que *você* está fazendo aqui, Lex?"

"Só matando o tempo", digo. Como se o ginásio fosse um lugar relaxante.

Ele assente como se fizesse total sentido.

"Eu não sabia que você era fotógrafo", digo.

Ele afasta os cabelos despenteados dos olhos com as costas da mão.

"Estou me esforçando. Vendo se consigo fazer a câmera falar por mim ou algo assim. Sou invisível para as pessoas, sabe? Por isso fica fácil conseguir fotos interessantes."

Isso parece meio assustador.

"Você não é invisível", digo. "Estou vendo você."

Ele sorri o sorriso tímido de novo.

"Eu sei. Mas com algumas pessoas... a maioria, na verdade, eu simplesmente me torno parte da paisagem. Se eu desaparecesse um dia, desaparecesse de verdade e nunca mais voltasse, ninguém notaria."

Sou o contrário, penso. Tenho a sensação de que já desapareci, a Lex que eu fui, e algumas pessoas definitivamente notaram que sumi. Mas o fato de notarem que desapareci não quer dizer que consigo voltar.

Devo parecer trágica e pensativa, porque Damian tenta melhorar o humor.

"O ensino médio é assim mesmo", diz ele. "Todo mundo está cuidando da própria vida. Somos protagonistas de nossos filmes. Bem, este é meu superpoder. Senhor Invisibilidade."

Sei. Raspo meus sapatos contra o metal da arquibancada. Damian tira outra foto das líderes de torcida quando elas se preparam para mais uma coreografia.

> *Temos orgulho! (clap! clap! clap!)*
> *Do nosso lado! (clap! clap! clap!)*
> *Vocês sabem! Nós mostramos!*
> *Temos orgulho!*

"Quem inventa essas coisas?", pergunto. "Sério."

Ele assente.

"Olha, elas são excelentes. Tipo... uau!"

Nós dois rimos. Nada dá aos nerds mais satisfação do que tirar sarro de líderes de torcida.

"Você já cobriu os jogos de basquete?", pergunto. "Para o livro do ano?"

Ele assente de novo. "Sim, alguns."

"Você viu o Ty jogar?" Minha voz fica embargada ao dizer o nome do meu irmão, porque não costumo dizê-lo mais com frequência, não em voz alta, em público, e dizer isso faz com que eu me sinta vulnerável ou levemente egoísta, como se estivesse pedindo solidariedade ou atenção. Não queria falar dele, mas não consigo evitar. Porque Damian conhecia Ty, conhecia de verdade, provavelmente mais do que qualquer amigo atleta dele.

"Ele nunca errava uma cesta", diz Damian. Então, ele arregala os olhos ao pensar como é em meu contexto pessoal. "Ele era bom. Eles não ganham nenhum jogo desde..."

E aí está a pausa.

Dessa vez, não digo nada. Deixo o silêncio se arrastar.

"Devo ter algumas fotos dele deste ano, se você quiser", Damian fala depois de um minuto.

"Sim, eu quero", respondo.

Ele tosse contra a própria manga. "Eu queria ter entregado as fotos antes a você, mas não sabia se..."

"Eu quero", repeti. "Por favor."

"Tudo bem."

Ele está desconfortável agora. Eu o deixei desconfortável. Não deveria ter falado de Ty. Olho no relógio. "Bom", digo. "O sinal vai tocar. Eu deveria... nós deveríamos..." Coloco meu caderno na mochila e começo a descer a arquibancada. Damian me segue. Ele me ajuda a passar pela barra de metal da parte baixa da arquibancada.

"Obrigada, Damian", digo.

"Até mais tarde, Lex", diz ele, e então, se afasta.

O sinal toca.

Eu olho de novo para as líderes de torcida enquanto elas caminham para o vestiário. Ashley Davenport está mais para trás. Ela para e se abaixa para amarrar o tênis. As outras se vão.

Quem é essa garota?, eu me pergunto. O que aconteceu entre meu irmão e ela? O que aconteceu?

Ela termina de amarrar o tênis e se levanta, mas não segue as outras. Ela olha para o outro lado da quadra de basquete, além das arquibancadas.

Para mim.

Fico dividida entre a vontade de me abaixar e a vontade de acenar, mas não faço nenhum dos dois. Simplesmente fico ali, olhando para ela, enquanto Ashley olha para mim. Por um momento, ficamos paradas no tempo.

Estou com a carta. Sempre estou. Poderia entregá-la a ela. Poderia fazer isso agora, poderia descer a arquibancada e colocá-la na mão dela.

"Oi, Ash", alguém chama, espiando do vestiário. "Você vem? Vamos à Starbucks, lembra?"

Ela abaixa a cabeça depressa. "Sim, estou indo."

Ela não volta a olhar para mim enquanto caminha até a porta do vestiário.

CAPÍTULO 12

No ônibus para casa, Sadie se senta ao meu lado. Acho que nunca a vi no ônibus antes, mas aqui está ela, com uma calça jeans preta rasgada e tênis Converse verde, resvalando o ombro em mim conforme o ônibus desce a rua.

"Você quer jantar na minha casa?", pergunta ela.

Fico com a boca cheia d'água pensando no jantar na casa dos McIntyre. A mãe de Sadie é uma cozinheira incrível — assados, lasanhas, frango frito com purê de batata, todas as refeições que já comi na casa dos McIntyre passam por minha mente, um bocado maravilhoso atrás do outro.

Pego meu telefone para enviar uma mensagem à minha mãe e dizer que vou chegar tarde em casa. *Estou na rua com uma amiga* é o que digito. Ela deve ficar satisfeita com isso.

Veja Lexie socializando.

Mas quando chegamos à casa de Sadie, está tudo estranhamente silencioso. Lembro que antes a casa era sempre muito animada e barulhenta — os irmãos de Sadie conversavam, brincavam e brigavam, ouviam música alta, a mãe dela gritava para que eles abaixassem o som —, mas agora parece que não tem ninguém em casa, está tudo quieto. Sadie me leva escada abaixo até a sala no porão. Está como eu me lembro, mesmo sofá, as mesmas cores na parede, mas a televisão é maior agora. Ainda tem um leve cheiro de pipoca, de quando os pais da

Sadie compraram uma pipoqueira antiga de um cinema em Lincoln que fechou, mas a máquina não está mais ali, e o quadrado de carpete mais claro mostra onde ela ficava, encostada na parede. Nós adorávamos ver o milho esquentando e estourando, as pipocas subindo como um delicioso vulcão de delícias amanteigadas. Passávamos horas ali embaixo, horas e horas. Uma boa parte de minha vida.

"Sente-se", disse Sadie, se jogando no sofá.

"Onde está todo mundo?", pergunto.

Ela franze o rosto como se não entendesse a pergunta.

"Seus irmãos?"

"Ah, cada um mora na própria casa agora, menos o Seth. Josh se casou. O Austin está estudando direito. Matt está estudando psicologia infantil na UNL, apesar de mudar de curso a cada poucos meses. Mas eles estão por aí. Eles vêm para os jantares de domingo e aparecem quando precisam lavar roupa." Ela apoia os pés no baú que serve de mesa de centro e suspira satisfeita. "É bom ter a TV só pra mim."

Tudo muda, penso. Esta é a única constante. Todos crescemos. Quase todos nós.

"Eu me lembro de ter assistido a *Tubarão* aqui", digo, e me recosto nas almofadas ao lado dela. "Quantos anos tínhamos? Oito? Minha mãe me mataria se soubesse."

Sadie dá de ombros.

"Demorei anos para esquecer aquele filme. Não conseguia nem nadar no lago sem imaginar um tubarão na água comigo, esperando para aparecer e me dilacerar."

Ela liga a TV e abre o menu de programas gravados, e vejo, como era de se esperar, um monte de episódios de *Long Island Medium*. Mas também tem *Ghost Hunters*, *Paranormal State* e *My Haunting*, e todos os programas relacionados a fantasmas que passam na TV. E isso, por algum motivo, eu não esperava. Não pensei que Sadie fosse do tipo com uma obsessão com o oculto.

"Você tem alguma preferência?", pergunta ela. "Não precisamos assistir a programas de fantasmas. Podemos ver qualquer coisa. Podemos só ficar à toa, se você quiser."

"Por que você gosta tanto desses programas?", pergunto, porque não entendo. Não sei como uma pessoa racional que não está com medo de que o irmão falecido seja um fantasma consegue assistir a esses programas.

Sadie dá de ombros. "Sou mórbida, eu acho. Gosto de pensar que não paramos depois que morremos."

"Você acredita em céu e tudo o mais?"

Ela olha em meus olhos, assustada. "Bom, sim, acredito."

"Mas se o céu existe, o que é esse lance de fantasma?" Faço um gesto para a tv. "Então, todo mundo que Theresa ouve no programa é uma pessoa que não foi para o céu, que está por aqui, na Terra, esperando para falar com o primeiro médium que aparecer?"

"Não", Sadie explica com tranquilidade, como se fosse um fato provado cientificamente. "Theresa lida com espíritos, não fantasmas."

"Tem diferença?"

"Os espíritos são pessoas que passaram para o outro lado. É como se fosse outra dimensão, e eles podem nos visitar e cuidar de nós e passar mensagens, mas estão em paz. Mas os fantasmas, por outro lado..." Ocorre a Sadie, então, que talvez eu não queira ouvir isso, e ela hesita.

"E os fantasmas?", pergunto e me sento. "Pode me contar."

"Os fantasmas não atravessaram. Eles têm negócios não finalizados neste mundo, por isso ficam."

Sinto vontade de rir e dizer que tudo isso é besteira, mas não consigo. Não depois de tudo. "Então você acha que o que tenho... visto... é um fantasma", digo. "Não um espírito."

"Bom, você o viu, mas ele não disse nada", Sadie explica, "o que é mais comum entre fantasmas. Os espíritos são falantes. E ele se suicidou."

"Mas o que isso tem a ver?", eu acabo perguntando, e minha voz está mais aguda do que gostaria. "Quero dizer, com o suicídio, eles querem sair desta terra. Querem atravessar, certo?"

Ela morde o lábio, e eu me pergunto se ela não está me dizendo que acredita que os suicidas vão para o inferno ou que ser um fantasma é um tipo de purgatório. Um castigo. Eu me pergunto se ela está julgando Ty, como todo mundo.

"Acho que no caso dos suicidas, eles estão se apegando a alguma coisa", responde ela, por fim. "Uma raiva, uma dor, ou algo que eles precisam resolver."

"Então, você acha que meu irmão está preso na minha casa porque ele precisa resolver alguma coisa", digo. "Coisas não resolvidas."

É uma ideia absurda. Idiota. Louca. Besta.

Sadie não responde.

Pego a carta na mochila e me sento por um instante, com ela em minhas mãos.

Assuntos não resolvidos de Ty.

"Não sei se ele pretendia entregar isto a ela", digo. "Que assuntos não resolvidos ele poderia ter com Ashley? Sei lá, eles terminaram. Ele morreu. É coisa resolvida, eu diria."

"Você não leu, certo?", pergunta Sadie com a voz rouca.

Eu quis. Quis muito. "Está fechada. Ele não teria colado se quisesse que alguém a lesse."

Ela olha para o envelope com atenção. "Bem, você tem mais autocontrole do que eu. Não sei se conseguiria não ler, se eu tivesse uma carta assim."

"Está colada", repito, como se o assunto fosse concluído com isso.

"Você deveria ler. Assim, vai saber o que Ty quer que faça com ela."

"Sadie", digo, balançando a cabeça. "Não é real. Ty não é um fantasma. Ele não quer nada. Está morto."

Ela olha no meu rosto.

"Você acha que ele não é de verdade? Mas e..."

"Eu o vi por cerca de cinco segundos no total, talvez. Nem sei o que vi de fato. Na primeira vez, devo ter dormido assistindo à televisão e sonhei, e na segunda vez..." Penso no modo com que o rosto de Ty apareceu para mim no espelho do quarto. "Não sei. Não sei o que vi. Talvez eu seja o problema. Talvez eu esteja..."

Ela cruza os braços na frente do peito. "Louca? Você acha que está louca?"

Aliso um canto da carta. Minhas unhas estão curtas, roídas, tortas. Nem me lembro de tê-las roído; é um hábito ruim que nunca tive. Isso, por si só, é prova de que há algo de errado comigo.

Sadie balança a cabeça. "Você não está louca."

Olho para ela. "Como você sabe?"

"Porque pessoas loucas nunca pensam que estão loucas. Vamos, Lex. Se você está maluca, então, o resto das pessoas está ferrada, só digo isso."

Não acho isso muito reconfortante.

"Ainda que você estivesse louca, e não está, e ainda que o fantasma não seja real", ela diz, "a carta continua existindo, e certamente é para Ashley. Então, você deveria entregá-la a ela."

Ela acha que eu deveria entregar a carta. Para a garota que magoou meu irmão. A líder de torcida.

Eu balanço a cabeça. "Não", murmuro.

"Não acha que deveria respeitar os desejos dele?", pergunta Sadie.

Sinto os ombros tensionarem no mesmo instante. Meus pulmões começam a fechar. Parece que tudo está caindo na minha cabeça de uma vez — pesadelos, péssimas lembranças, escolhas ruins. É demais. "E Ty, que desejos ele respeitou?", rebato. "Por que ninguém pergunta isso? Onde está o respeito?"

"Lex, olha, tudo bem... Eu sei..."

"Você *não* sabe", corto. "Não pedi isso. Não sou a mensageira de Ty. Se ele quisesse que essa garota recebesse a carta, ele deveria tê-la enviado pelo correio. Ele poderia tê-la deixado onde outra pessoa a encontraria. Não eu. Por que tem que ser eu?"

"Talvez ele quisesse que você..."

"Não, eu não acredito nessas coisas. Não vou acreditar. Não quero..."

Não consigo terminar a frase. O buraco se abre no meu peito. Estou sem ar.

"Você não quer que ele fique em sua casa", diz Sadie.

É a ironia mais horrível, Ty detestar tanto sua vida a ponto de acabar com ela, só para terminar na mesma casa, de volta ao quarto dele, mais impotente para mudar sua situação do que nunca.

Não consigo pensar nada pior.

Não posso acreditar.

Eu me sento por um minuto, sem ar. Sadie coloca a mão no meu ombro e faz uma ligeira pressão. Não diz nada, mas me puxa para um abraço, e eu deixo. Quando éramos mais novas, ela cheirava a sabão em pó barato, sabonete Ivory e suor, já que corria tanto. Agora, o aroma que vem dela é um adocicado cheiro de frutas, algo como melão, misturado com fumaça de cigarro.

Quando recobro a capacidade de encher os pulmões, Sadie se afasta. "Você está precisando dar uns socos?", pergunta ela. "Acho que socar alguma coisa é terapêutico."

Eu faço que não, envergonhada, fungando. Ninguém tinha visto o buraco no meu peito até agora, ainda mais tão de perto assim. "Desculpa, ando meio sequelada."

Sadie me tranquiliza, age como se não fosse nada.

"Não se desculpe. É o que é. Quando meu pai morreu, pensei, por muito tempo, que enlouqueceria. Eu sentia uma dor muito grande e não sabia o que fazer com ela, então, eu descontava nas pessoas. Minha mãe e Seth aguentaram o pior."

Fico olhando para ela.

O pai dela morreu. Eu sabia disso, em algum canto escuro de meu cérebro. Aconteceu há três anos, no verão em que

tínhamos quinze anos. O pai dela estava brincando de pega-
-pega com os irmãos dela no quintal, e então, ele se sentou na
grama e disse que estava sem fôlego. E morreu.

Eu estava no acampamento de matemática em Vermont naquele verão. Minha mãe me ligou para contar. Não fui ao funeral. Sadie e eu já tínhamos nos distanciado, naquela época.

Caramba. Que amiga horrorosa e egoísta eu sou.

Eu me esqueci que o pai dela tinha morrido.

Por isso a mãe dela não está em casa. Teve que arrumar um
emprego. É por isso que a casa está tão vazia.

"Tudo bem", murmura Sadie.

Não está tudo bem. *Não* está tudo bem.

Não sei o que dizer. Sou uma escrota.

Nesse momento, a porta se abre atrás de nós, e Seth sai.
Ele está usando uma calça camuflada do pijama e nada mais,
seus cabelos loiros e curtos estão despenteados. Ele esfrega
o rosto e abre um sorriso para nós.

"Oi. O que está rolando?" Ele olha para mim. "Oi, Lexie."

"Oi, Seth."

Ele está diferente do que me lembro, também. Está mais
alto, obviamente. Não é mais o adolescente magrelo que costumava ser, está musculoso e tem tatuagens espalhadas pelos
bíceps, um dragão preto nas costelas. Ele ergue uma sobrancelha com piercing para mim.

"Faz tempo que não te vejo", diz ele.

Balanço a cabeça, concordando. "Você acabou de acordar?"

Sadie ri. "Ele dorme o dia todo. É um preguiçoso."

"Não sou preguiçoso", diz Seth, esticando o corpo seminu
sem qualquer cerimônia ao meu lado no sofá. Enquanto Sadie
só tem um cheiro leve de cigarro, Seth carrega uma nuvem de
cheiro de cigarro sobre ele. "Eu trabalho à noite."

"Ele é recepcionista no Residence Inn, na Cornhusker
Highway", Sadie me informa, como se fosse o pior emprego
do mundo, na opinião dela. "Basicamente, ele passa a noite
sentado num banquinho e leva toalhas limpas às pessoas."

Seth esboça um sorriso. Ele olha para a televisão. "Não me diga que está assistindo àquelas coisas de fantasma de novo. Isso é besteira, sabe? Eles mostram algum fantasma de verdade? Não. São só bolas esquisitas, luzes estranhas, sons assustadores e misteriosos. Não há evidência real da existência de um fantasma. É tudo mentira, porra."

Sinto vontade de concordar. Além disso, tenho inveja da naturalidade com que ele diz palavrões, sem nenhum esforço.

"Olha, Lex, acho que encontrei algo pra você socar", responde Sadie.

"Eu posso contar uma história de fantasma melhor do que qualquer coisa que aparece na televisão", Seth se gaba.

Sadie ri. "Sei. Vamos lá, espertão. Vá em frente. Conte uma história de fantasma."

"Têm certeza de que querem ouvir?"

"Ah, queremos."

Ele olha para mim. Concordo.

"Certo." Ele se inclina para a frente, com os cotovelos nos joelhos, e faz uma cara séria. "Há alguns anos, trabalhei na Circuit City na O Street."

Quase dou risada. Por algum motivo, quando ouvi as palavras *história de fantasma*, minha mente não foi diretamente para a Circuit City na O Street.

"Está fechada agora, mas trabalhei lá durante um ano. Era um trabalho bem normal. Trabalho de preguiçoso." Ele sorri para Sadie. "Basicamente, eu ficava na seção de DVDs e tentava impedir que os punks roubassem filmes. Eles sempre roubavam coisas esquisitas, tipo filmes como *O Diário de uma Paixão*, *Mary Poppins* e coisas assim."

"Aaah, aterrorizante", diz Sadie.

Ele a ignora. "Então, uma noite quando havíamos fechado, fui no escritório dos fundos para pegar algum recibo para fechar o caixa, e senti uma coisa esquisita."

"Uma coisa esquisita?" Sadie pareceu desconfiada. "Como a sensação de que talvez você precisasse de um emprego de verdade?"

Ele olha para mim de novo. Seus olhos são do mesmo azul de que me lembro.

"Uma sensação de que tinha alguém me observando. Primeiro, pensei que talvez houvesse alguém na sala comigo, como um cliente, um ladrão ou outra pessoa. Eu disse: 'Quem está aí?', e peguei o taco de beisebol que meu chefe deixava no escritório. Voltei para a sala dos fundos, acendi as luzes e conferi todos os cantos, coisa e tal, mas não havia ninguém. Ainda assim, não consegui afastar a sensação."

Espero Sadie fazer outro comentário sarcástico, mas ela não faz. Ela está inclinada para a frente, esperando para ouvir o fim da história. Eu também.

"Então, deixei o taco de lado e me virei para sair de novo, e foi quando notei." Ele se inclina para trás, claramente gostando do fato de estarmos tão interessadas. "A sombra."

Não consigo evitar; sinto um arrepio percorrer minha espinha. Estremeço.

"Sombra?", Sadie repete com a voz rouca.

"Na parede, havia a sombra de um homem. Então, me virei para ver o que estava produzindo a sombra, e eu vi um cara de pé ali, olhando pra mim. Era um índio. Usava calça de camurça e mocassins, pena nos cabelos e todas aquelas coisas de índio, o que já era bem esquisito. Porém, o mais estranho era que eu conseguia enxergar, através dele, aquela placa na parede que mostrava quantos dias tinham se passado desde o último acidente."

Ficamos em silêncio por bastante tempo. Sadie e eu estamos prendendo a respiração.

"Continua", diz ela. "O que você fez?"

"Dei uns passos para trás", diz Seth.

"E o que ele fez?", quero saber.

"Ele meneou a cabeça, todo solene, e então, ergueu a mão assim." Seth ergue a palma da mão. "E depois disse: 'Rau'."

"'Rau?'", repito. "'Rau' o quê?"

"Tipo 'Rau, homem branco. Venho em paz'. E depois disso, nós nos tornamos muito amigos, eu e Tonto, e todas as noites, depois do trabalho, bebíamos uma cerveja."

Ele começa a rir.

Sadie dá um tapa no ombro dele.

"Seu idiota", diz ela. "Cara, você não consegue falar sério por dois segundos?"

Ele continua rindo. Eu me recosto nas almofadas, meio aliviada, meio decepcionada, enquanto Sadie o provoca.

Idiota, ela xinga. Engulo em seco.

"Mas falando sério", diz ele, segurando os punhos de Sadie quando ela tenta acertá-lo. "Aquela Circuit City foi construída sobre um antigo cemitério indígena. Procurem na internet, se não acreditam. E às vezes, de verdade, ouvíamos passos ou coisas sendo levadas a lugares diferentes quando saíamos da sala. Sério."

"Vamos, Lex", diz Sadie, com nojo, levantando-se. "Vamos sair de perto desse fracassado."

"Também te amo, maninha", diz ele quando saímos, sorrindo com malícia. "Vocês tinham que ter visto a cara que fizeram. Impagáveis."

Ela pega minha mão e me leva em direção às escadas. Quando chegamos na cozinha, Sadie pega dois pratos de papel, desembrulha dois burritos congelados que tira do congelador e os coloca dentro do micro-ondas por dois minutos, e então, pega um com uma espátula e o coloca na minha frente.

Plop.

"Senhoras e senhores", diz ela. "O jantar está servido."

Minha mãe ainda está acordada quando chego algumas horas depois.

"Como está a Jill?" Ela está sentada ao balcão da cozinha folheando uma *Better Homes and Gardens* e bebericando uma taça de vinho branco. "Vocês se divertiram?", pergunta ela.

"Na verdade, eu estava com Sadie McIntyre", confessei.

Uma mistura de surpresa e desaprovação passa pelo rosto dela — Sadie não é o que ela consideraria uma "boa influência" —, mas disfarça depressa. "Como isso aconteceu?", pergunta ela, falando suavemente. "Pensei que você e Sadie não tivessem mais tanto em comum."

"Temos tido mais coisas em comum ultimamente."

A compreensão toma o rosto de minha mãe. Ela não tem dificuldade para se lembrar que o pai de Sadie morreu. Minha mãe é um ser humano decente.

"Bom, acho isso legal, a amizade entre vocês", diz ela depois de um momento. "Vocês duas viviam grudadas."

Eu concordo, lembrando do rosto de Sadie quando ela falou sobre o pai, a tensão em seus lábios, como se ela estivesse tentando evitar que o lábio tremesse, mesmo depois de tanto tempo. Ela acredita que o pai está num lugar melhor agora, mas isso não a impede de ficar obcecada com fantasmas e espíritos e com o que acontece depois da morte.

Penso no que ela disse sobre a carta a Ashley, que não importa se o fantasma é real ou não, que Ty queria que Ashley a recebesse. Que eu deveria respeitar a vontade dele.

"No que está pensando?", diz minha mãe, me assustando. "Teve um dia difícil?"

"O mais difícil", digo. É a sensação que tenho todos os dias.

"Quer falar sobre isso?", pergunta ela.

Que legal. Gostaria de poder contar à minha mãe sobre a carta. Consigo me imaginar contando, como quando pedia conselhos a ela, e então, ela me ajudava a resolver problemas insignificantes que eu tinha antes. Mas minha mãe não é mais essa mãe, e não sou mais aquela Lex. A mulher que está à minha frente agora, enchendo uma segunda (ou sei lá quantas já foram) taça de vinho é praticamente uma desconhecida, mas sei uma coisa sobre ela: é frágil. Mal está se aguentando. Se eu contar que vi Ty, ela não vai conseguir se segurar. Ela desmoronaria.

"Outra hora, tá bem?", digo a ela, e a abraço rapidamente. "Estou exausta."

No corredor, percebo que a moldura vazia, aquela que tinha a foto do papai e do Ty, está no chão de novo. Eu a pego. O vidro num canto está rachado. Eu a viro e a inspeciono, mas não parece haver nada de errado com o aro de metal atrás, nem com o gancho na parede. Só está no chão. De novo.

Suspiro. Pra variar, gostaria de passar um dia sem ver coisas esquisitas acontecendo.

Volto para a cozinha.

"Oi, mãe", digo. "Você fez alguma coisa com esta foto?"

Ela franze o rosto. "Que foto?"

Mostro a moldura. "Uma do Ty com o papai indo caçar. Você a tirou?"

Ela balança a cabeça, olhando para o espaço vazio na moldura. "Eu me lembro desse dia", diz ela. "Seu pai estava tão orgulhoso. E o Tyler..."

Ela não termina a frase, mas não precisa. Eu sei.

Ty nunca quis matar nada. Nem um peixe, nem um veado, nem uma aranha que fosse. Ele era assim.

Então, como ele conseguiu se matar?

Minha mãe seca os olhos. "Não, não a tirei."

E agora, fiz minha mãe começar a chorar de novo. Perfeito.

"Mas tem outra foto faltando", diz ela. "Da escada."

"O quê?"

"A fotografia da formatura do seu pai. Percebi isso outro dia quando..."

Quando ela foi dormir na cama do Ty.

Vou diretamente para a escada. Há dezenas de quadros na parede a caminho do porão: as tradicionais fotos posadas de família e fotos de parentes dos dois lados, tanto do meu pai quanto da minha mãe. Uma foto do papai e de suas duas irmãs mais velhas em penteados dos anos 1970, na frente da casa dos meus avós, quando meu pai ainda era um bebê. Uma foto, na escadaria de uma igreja de pedra, da vovó e do vovô, os pais da minha mãe, no casamento deles. Papai com uma barba esquisita, segurando um bebê molhado e pelado (certo, sou eu), numa toalha laranja felpuda. O vovô em sua festa de aniversário de sessenta anos. Fotos de cartões de Natal de meus primos. Fotos horrorosas da escola. E minha mãe está certa: tem uma foto desaparecida, no lado inferior direito da parede. A moldura ainda está ali, mas a foto sumiu. Era uma foto em preto e branco profissional do papai usando terno e gravata, sorrindo serenamente como se não houvesse nada no mundo que ele quisesse mais do que se formar em contabilidade na Universidade de Nebraska-Lincoln.

Suspiro. Só um dia esquisito.

Quando eu era criança, tinha uma obsessão por Sherlock Holmes, pelo modo com que ele conseguia acertar tanto usando o raciocínio e a dedução, além da simples observação. Tive uma fase em que falava para as pessoas que seria uma detetive quando crescesse. Mas agora, tenho um mistério aparentemente simples à minha frente e não tenho ideia de como resolvê-lo.

Volto a subir a escada. Minha mãe ainda está sentada ao balcão da cozinha. Ainda está bebendo. Ainda está chorando.

Ela olha para a frente e funga.

"Sim", confirmo. "A foto não está lá."

"Pensei que seu pai poderia ter passado aqui para pegá-la", diz ela. "Ele ainda tem uma chave da casa. Talvez tenha pegado a do corredor também."

Essa explicação faz sentido, acho. As duas fotos desaparecidas são do meu pai. Mas (a) eu espero que meu pai não pense que pode entrar na casa sempre que quiser para pegar coisas. Ele poderia ter me pedido, se quisesse alguma coisa. Eu não criaria problemas por isso. E (b) por que ele pegaria as fotos, mas não as molduras? Por que ele se daria ao trabalho de entrar e cuidadosamente retirar as fotos e recolocar as molduras vazias de volta na parede? E finalmente, e talvez o mais importante, (c) por que ele pegaria aquelas fotos em particular e não, por exemplo, a foto das irmãs dele, ou do vovô, ou aquela na qual ele está comigo?

"Acho que devemos trocar a fechadura", digo à minha mãe.

Ela coloca o copo sobre o balcão. "Porque temos um ladrão de fotos em nossa casa?"

"Porque o papai não deveria mais ter a chave daqui. Ou acho que posso pedi-la de volta. O que você preferir."

Ela dobra as mãos no colo e olha para baixo, em sua pose de tomada de decisão. "Não sei, Lex. Isso parece exagero."

Não é exagero. Já faz três anos que ele se mudou. Eles se divorciaram.

O papai não vai voltar é o que quero dizer a ela, mas não digo. Não quero forçá-la. No entanto, gostaria que a mamãe fosse mais forte. Que ela não chorasse. Que ela não tivesse ficado tão arrasada quando meu pai se foi. Que ela tivesse feito aquele lance de mulher desprezada e reunido as coisas dele no quintal e incendiado tudo. Talvez, se ela não tivesse sido tão fraca, então Ty poderia ter deixado de lado a raiva que sentia sempre que a via magoada daquele jeito. Ele poderia ter superado. E então, talvez ele nunca tivesse feito nem mesmo a primeira tentativa com o Advil. E talvez teria ocorrido a ele revidar quando a vida ficou difícil.

Talvez ele ainda estivesse vivo.

Então, nesse momento, apesar de ela ser a única coisa que ainda tenho neste mundo, eu a culpo.

Mas não tem nada que possa fazer com essa emoção, então, eu a engulo.

"Vou pedir pra ele", digo a ela, apesar de não especificar se me refiro à foto ou à chave de casa. "Vou pra cama." Eu me viro na direção do corredor e do meu quarto. "Estou acabada."

"Boa noite", diz ela. "Durma bem, querida."

Ah, sim, claro.

17 DE FEVEREIRO

O último jogo de basquete de Ty que vi foi na primeira semana de dezembro. Três de dezembro, se me lembro bem. Uma noite de terça. Na manhã de quinta, minha mãe foi chamada à diretoria porque Ty tinha batido em um de seus amigos de equipe. Quebrou o nariz do outro, pelo que disseram. Na sexta, as pessoas na escola estavam olhando para o meu irmão com aquela cara de "não aguentamos mais você". Então, pode ser que ele e Ashley tenham terminado naquela terça à noite.

Aquela foi a semana em que Ty foi ala na equipe juvenil do colégio. Foi muito importante. Ele estava orgulhoso — eu percebi pelo jeito com que ele saiu da quadra naquela noite, usando uma jaqueta preta com o número 2 nas costas. Ele tentou parecer confiante em meio ao nervosismo: tranquilo, despreocupado, bem descolado. Então, olhou para a arquibancada como sempre fazia, observando as pessoas. Ele nunca dizia, mas eu sabia que ele estava procurando o rosto do nosso pai.

Papai era o motivo pelo qual Ty começara a praticar basquete.

Basquete tinha sido uma das obsessões de nosso pai quando Ty tinha cerca de 12 anos. Meu pai era assim, antes, sempre procurando um novo passatempo de fim de semana, procurando algo que o deixasse interessado e que tomasse sua atenção, e passava o tempo todo e investia muito dinheiro à procura do melhor equipamento, dos melhores manuais e de roupas. Eu costumava justificar pensando que meu pai tinha o emprego mais chato do mundo, por isso ele estava procurando animação em sua vida. De poucos em poucos meses, era uma coisa diferente. Tênis foi o primeiro de que me lembro, uma série de manhãs de sábado e domingo nas quais meu pai saía com shorts e uma raquete. Depois, navegação — meu pai comprou um barco à vela (sim, um barco à vela em Nebraska: um estado cercado de terra) e um monte de shorts brancos, e passou dois verões inteiros indo e voltando do lago Branched Oak até perder o interesse. Depois, veio a patinação in-line, que durou muito pouco tempo, apenas algumas semanas nas quais ele nos arrastou para o estacionamento vazio da igreja, com joelheiras e capacetes para praticar giros e paradas. Depois, mountain biking, que acabou com meu pai quebrando a perna. Então, xadrez, enquanto a perna quebrada se curava. E depois, se não me engano, foi o basquete.

Acordamos em uma manhã de sábado ao som de uma bola batendo no cimento da entrada de casa, com nosso pai usando um tipo de macacão, jogando, errando e xingando quando a bola batia no aro que ele havia acabado de instalar sobre a porta da garagem.

"Oi, crianças", disse ele quando descemos para assistir. "Querem fazer umas cestas?"

Eu não queria. Havia pegado um livro sobre Einstein na biblioteca, e queria passar o dia fechada em meu quarto tentando fazer meu cérebro de 14 anos entender a teoria da relatividade. Mas os olhos do meu irmão brilharam.

Finalmente, algo que ele conseguia fazer. Algo que ele e nosso pai podiam fazer juntos.

Depois disso, Ty estava sempre praticando. Meu pai passou a se interessar por caça, armas, tiro ao alvo naquele ano, mas Ty ficou com o basquete.

Naquela noite, eles estavam jogando contra o Omaha North, no último jogo que vi Ty jogar. O Clube de Matemática estava arrecadando fundos, como sempre, mas eles me deixaram ficar na arquibancada na maior parte do jogo e, então, voltar no intervalo para ajudar a encher copos de refrigerante e despejar queijo derretido e nojento em batatas fritas e correr para o caixa. Então, eu o vi jogar. Vi a cara que ele fez para a plateia, a procura pelo nosso pai, e quando ele olhou na minha direção, levantei a mão e sorri. Ele assentiu, contente por me ver e decepcionado por eu estar sozinha, e se virou. Ele não voltou a olhar para a arquibancada.

Meu pai foi em alguns jogos no começo, mas logo parou. Acho que ele não aguentava ficar tanto tempo longe de Megan. Mas é uma pena ele não ter visto Ty jogar. Era lindo de assistir.

E Ty teria ficado muito feliz — ainda que ele nunca admitisse — se meu pai tivesse visto como ele havia se tornado um ótimo jogador.

Ele era o cestinha da equipe. Sem dúvida. Às vezes, eu me pergunto se foi assim que o gene da matemática se apresentou em Ty — sua habilidade de calcular ângulo e força com os músculos dos braços, conseguindo lançar a bola para o outro lado da quadra e vê-la entrando fácil, fácil no aro. Ele não era o jogador mais rápido, nem o mais alto, e não era ótimo em bloqueios, na marcação nem nas enterradas. Mas sabia fazer cestas.

Quero me lembrar daquele jogo. Tentei muitas vezes durante a última semana, desde que descobri que a carta pertence a Ashley Davenport. Tento me lembrar de pelo menos uma cesta que ele fez naquela noite. Deve ter feito muitas — nós vencemos de 97 a 33. Eu me lembro do bendito placar, dos números digitais em vermelhos acesos, eu me lembro do que aconteceu um pouco antes, quando ele apareceu com o time, e o que aconteceu depois, mas por mais que eu tente repassar o jogo, não me lembro de nenhum momento específico com Ty durante o jogo em si.

Quando tento, acabo me lembrando de 17 dias depois.

Desculpa, mãe, mas eu estava muito vazio.

E então, tudo fica amortecido. Ou sinto o buraco no peito. Ou um, ou outro.

Aqui está o que me lembro do dia 3 de dezembro:

Steven veio do estande do Clube de Matemática cerca de dez minutos depois do começo do segundo tempo, disse que El e Beaker cuidariam das coisas. Pegou minha mão e a segurou por um tempo, então, soltou-a e passou o dedo indicador na palma de minha mão. Meus nervos começaram a pegar fogo. Eu me arrepiei, ri e pedi para que ele parasse, mas gostei daquilo. Ele entrelaçou os dedos nos meus, e nós assistimos ao jogo, mas na verdade, eu estava observando Steven, o movimento de seu pomo de adão quando ele engolia, a pintinha que ele tinha ao lado da orelha direita, o modo com que ele empurrou os óculos nariz acima meio desajeitado com a mão esquerda, porque a direita estava segurando a minha, o comprimento de seus cílios, que acabavam resvalando nas lentes se os óculos ficassem muito próximos do rosto.

Eu me lembro que no fim do primeiro tempo, Beaker fez uma imitação do diretor Boone, tão engraçada que El espirrou refrigerante pelo nariz, e ficamos tentando não morrer de rir durante os 15 minutos do intervalo, enquanto dávamos os trocos das pessoas e servíamos os pedidos, e todo mundo olhava para a gente com estranheza, porque o que podia ser tão engraçado? E isso fazia com que ríssemos ainda mais.

Eu me lembro que a minha mãe apareceu 20 minutos antes de o jogo terminar. Parecia cansada, mas feliz por ter chegado. Estava com cheiro de hospital quando se sentou ao meu lado, de cloro, plástico queimado e antisséptico. Ela cumprimentou Steven, e ele pegou um Hershey com amêndoas (o preferido dela) do bolso da jaqueta dizendo que havia guardado um só para ela. Ah, o sorriso que ela abriu pra ele, o sorriso de aprovação materna, como um raio de sol naquele ginásio frio.

Steven sabia ser um conquistador.

"Você é um grande puxa-saco", falei pra ele, batendo meu ombro no dele. "Cadê o meu chocolate?"

Ele deu de ombros, mas seus olhos diziam que havia coisas neste mundo bem melhores do que doces.

Sim, havia.

Eu me lembro que ficamos estacionados na frente de casa por mais tempo do que o normal quando ele me levou para lá, até a mamãe acender e apagar a luz da varanda, que era seu modo de dizer Já chega de namoro, está na hora de entrar. Boa noite, Steven.

"Mãe, por favor. Não precisa fazer aquilo", disse a ela quando entrei em casa. "Sou totalmente capaz de decidir quando devo entrar." Meus lábios estavam inchados e os cabelos bagunçados, e meu rosto estava quente, provavelmente vermelho, já que eu sentia vergonha por estar com cara de quem estava nos amassos. E estava. Demais. E minha mãe me esperava do lado de dentro como a polícia da castidade.

"Vamos ter que conversar de novo?", perguntou ela.

"Deus, não. Uma vez só nesta vida bastou, obrigada."

"Certo. Você acha que é melhor marcar uma consulta e pedir uma receita de anticoncepcional?"

Minha boca se abriu e se fechou. Franzi a testa.

"Não. Bem, talvez. Não sei."

"Camisinhas estouram", disse ela.

Agora, eu tinha certeza de que meu rosto parecia um pimentão. "Eu sei disso. Minha nossa, mãe. Onde está o Ty?", perguntei, certa de que ele apareceria no corredor com um sorrisão. Não queria ter aquela conversa na frente dele.

"Ty ainda não chegou", disse ela.

"Ah, talvez ele precise da 'conversa'." Passei por ela em direção ao corredor e ao meu quarto, onde estaria protegida, e pela primeira vez, fiquei feliz por meu pai não morar mais com a gente. Um único pai nessa situação já bastava para ser bem ruim. Não precisava do meu pai e de sua arma.

"Só quero que você se cuide", disse ela.

"Estou me cuidando", respondi, e então fui para o meu quarto e fechei a porta, e respirei fundo. Porque estava segura. Steven e eu não tínhamos passado, hum... (quais eram os limites, mesmo?) dos limites ainda. Mas estávamos passando, dando uns passos na direção do descontrole.

Talvez estivesse na hora de falarmos sobre isso, pensei. Talvez estivesse na hora.

Eu queria que a primeira vez fosse com Steven. Eu sabia disso. Não sabia quando, nem como, nem onde algo como aquilo poderia acontecer, mas eu sabia com quem seria.

E sentada ali em meu quarto, pensando no assunto, corei e sorri. Três de dezembro. Eu me lembro de tudo isso. Em detalhes.

Steven. El e Beaker. Minha mãe. Steven.

Mas não me lembro de Ty jogando. Não me lembro de tê-lo visto interagindo com nenhuma líder de torcida.

Eu não estava prestando atenção. Estava ocupada demais sendo a protagonista de meu próprio filme, enquanto meu irmão estava em algum lugar lá fora aquela noite, no escuro, sofrendo. E 17 dias mais tarde, ele estava morto.

CAPÍTULO 13

"Como está indo o diário?", pergunta Dave, de sua confortável cadeira.

"Sei lá", respondo.

Ele espera eu dar uma resposta adequada.

Dou de ombros. "Acho que não está ajudando muito."

Olho para o relógio. Meu Deus. Ainda tenho quarenta e dois minutos.

"Por que está dizendo isso?", pergunta ele.

"Não tem um motivo certo. Qual o propósito?"

"Já falamos sobre esse assunto. O propósito é liberar um pouco da dor, expressá-la no papel para que não tenha que carregá-la com você todos os dias. É catártico."

"É, não vai rolar", respondo.

Ainda carrego muita dor.

Ele franze o rosto. Dave tem sobrancelhas muito expressivas. "Tem escrito sobre Tyler?"

"Olha, eu fiz o que você pediu. Escrevi sobre as primeiras e as últimas vezes." Suspiro. "Acho que está na hora de tentar outra coisa. Vamos encerrar a parte de escrever do processo de cura, está bem?"

Ele esfrega a mão nos lábios, e então diz: "Mas como você se sente quando está escrevendo?".

"Sinceramente? É um saco tentar lembrar. Dói. Não quero mais fazer isso."

"Ah, dói. Ótimo", diz ele.

Espera aí, penso. É bom doer? Mas então, percebo: Dave sacou sobre como eu me sinto, o entorpecimento. De alguma maneira, ele sabe. E essa história de escrever não é uma tentativa de fazer com que eu expresse meus sentimentos, mas, sim, fazer com que eu tenha sentimentos.

Dave é um espertinho.

"Talvez eu queira esquecer", digo, só para contrariar. "Talvez seria mais fácil se eu me esquecesse e seguisse com a minha vida. Não é mais saudável? Seguir em frente?"

"É o que você quer de verdade?", pergunta Dave.

"Você pode fazer o favor de parar de responder às minhas perguntas com outras perguntas?"

"O que você gostaria que eu dissesse? Não há algumas perguntas vitais que você deve responder sozinha?"

Dave não joga limpo.

Eu me recosto e olho para o relógio de novo. Ai. Trinta e oito minutos.

"Acho que você deveria continuar com o diário. Vamos tentar mais um tempo", diz ele. "O que talvez você precise, para que a escrita se torne mais relevante, é de um destinatário."

"Destinatário?" Isso não me parece muito bom.

"Alguém a quem você possa escrever."

Ah, a coisa só melhora.

Ele vê a minha cara.

"Alexis. Não estou sugerindo que você entregue o diário a alguém. É só para você, eu compreendo. Mas talvez, se usar o diário para expressar algo a alguém específico, vai conseguir tirar alguns dos pesos de seu peito."

Arqueio uma sobrancelha para ele.

"Você quer dizer uma espécie de plateia imaginária, digamos? Tem alguém específico em mente?"

"Bem, vejamos", diz Dave, como se ele ainda não tivesse pensado muito nisso. "Talvez, você possa escrever a uma versão futura de si mesma. Muitas pessoas escrevem diários para seu eu do futuro, acho. Demonstra um tipo de esperança."

"Então, minha plateia seria uma Alexis esperta que passou por toda essa merda e de repente abre esse diário para saber pelo que passou e diz a si mesma: 'Uau, que bom que minha vida não é mais essa'."

"Exatamente."

Gostaria de já ser essa Alexis. Pular para essa parte da minha vida.

Balanço a cabeça. "Mas talvez ela esteja tão confusa quanto eu. Talvez tudo isso tenha me afetado irreparavelmente, e nunca haverá um futuro saudável e normal. Talvez eu só acabe torturando meu futuro eu com todos esses registros dessa droga."

"É o que você acha?", pergunta Dave. "Que você está afetada irreparavelmente?"

Ele demora uns segundos escrevendo algo naquele bloco de anotações amarelo que sempre usa. Isso me deixa nervosa.

Hora de mudar de assunto. "Ou talvez, eu possa escrever a alienígenas ou robôs ou a quem quer que sobre em dez mil anos. Um extraterrestre vai pegar este livro com os dedos cinzentos e pensar, Hum, então essa foi a vida de uma *Homo sapiens* do sexo feminino. Que interessante."

"Sim", diz Dave, como se estivesse me levando totalmente a sério. "Você poderia escrever a alienígenas."

Quem quero enganar? Ninguém vai se importar. Não um eu futuro. E muito menos um alienígena.

Isso é inútil.

"Você poderia escrever a Deus. Muitas pessoas acham isso terapêutico", diz ele.

"Não, não tenho nada a dizer a ele. Na verdade, não acredito em Deus."

Dave escreve mais em seu bloco.

"Pode ser alguma outra pessoa", diz ele. "Alguém com quem você queira conversar. Você poderia escrever como se estivesse conversando com ela. Ainda que essa pessoa nunca leia nada. Ainda que essa pessoa não possa ouvir."

E nesse momento, eu entendo aonde ele quer chegar. À pessoa. "Você está se referindo ao Ty."

"Se você quiser."

"Não quero escrever para ele", digo sem hesitar. Tive minha chance de conversar com meu irmão, quando importava, quando teria significado alguma coisa, e eu desperdicei. "Ele se foi."

"As pessoas que amamos nunca se vão de verdade."

"Sim, você sabe de uma coisa? Você deveria fazer adesivos de carros ou coisa assim. Essa frase é profunda. Tocante."

Ele se recosta no sofá. "Você parece tensa hoje, Alexis. Aconteceu alguma coisa?"

Minha frequência cardíaca aumenta. Uma parte de mim ainda quer contar tudo a ele, perguntar o que eu deveria fazer em relação à carta e falar sobre as vezes em que vi Ty e senti seu cheiro, os sonhos que tenho tido com ele, abrir o jogo, ver o que ele vai dizer, mas meu desejo de me confessar é consideravelmente menor do que o medo que sinto que ele pense que sou louca, e se um profissional da saúde mental achar que estou louca, é porque provavelmente estou.

"Lex?", diz Dave. "No que está pensando?"

"Em nada", digo automaticamente. "Não aconteceu nada."

Trinta e um minutos.

Ele suspira e escreve mais alguma coisa no bloco. "Bem, acho que sua tarefa esta semana poderia ser pensar sobre a quem você pode escrever."

"Um destinatário", digo.

"Isso."

"Ótimo", respondo. É inútil discutir com Dave; ele é incrivelmente calmo. "Vou fazer isso."

Mal posso esperar.

CAPÍTULO 14

Dessa vez, Ty e eu estamos nadando no lago Branched Oak, e a água está fria, verde e profunda. No início, tudo parece como antigamente. Ele diz que vai chegar antes de mim à margem, e começamos a nadar lado a lado. Então, fico consciente de que estou nadando sozinha.

Perdi Ty de vista.

Fico ali, boiando, mexendo braços e pernas, e o procuro. Ele se foi. Não tem nada além de água escura ao meu redor. Chamo por ele. Eu me viro em todas as direções, procurando, e então, de repente, ele aparece do meu lado, espirrando água, rindo.

"Opa", diz ele. "Olha a sua cara. Pensou que eu tinha me afogado, é?"

"Idiota", digo quando meu coração começa a se acalmar. Tive outro sonho, algumas noites atrás, no qual ele morria afogado numa piscina, um corpo sem vida no fundo azulado, que eu tentava pescar usando uma rede de piscina.

"Você sabe que me ama", diz ele.

Amo.

"Ei, o que é aquilo?" Ele olha para um ponto além de mim, para algo na água.

Acho que ele ainda está brincando, mas me viro. Vejo uma nadadeira vindo na nossa direção, talvez a uns seis metros. Depois, três. E então, um. Aí, passa por baixo de nós, e some.

"Ah, não", diz Ty com seriedade. "Eu sabia que não deveríamos ter vindo aqui. Não é seguro."

"Não se preocupe", digo, com aquela lógica esquisita que existe dentro dos sonhos. "Esta água é doce." Como se isso anulasse a presença daquele tubarão inevitável.

Ele se vira na água. "Ali", diz ele, apontando para baixo. "Está vendo?"

Sim. Uma massa enorme e escura tomando forma embaixo de nós, aproximando-se.

Ele está em cima de nós antes que eu consiga recobrar o fôlego.

Ty grita. Ele se debate e afunda. Vejo sangue na água. Meu irmão sobe de novo, com o enorme tubarão branco segurando-o pelo tronco. Tento pegá-lo enquanto o tubarão o chacoalha como nosso cachorro costumava chacoalhar seus brinquedos.

"Ty!", grito. "Tyler! Ty!"

Não consigo agarrá-lo. Ele está escorregadio demais.

Então, tão repentinamente quanto veio, o tubarão se vai. Ty sobe à superfície, puxando o ar. Seu rosto está branco como leite, os lábios vermelhos.

"Lex", diz ele, engasgado.

Eu o viro de costas, seguro seus ombros, e começo a puxá-lo para a margem. O sangue faz uma trilha atrás de nós enquanto nado, muito sangue, demais, mas não paro para pensar nisso.

"Lexie", diz ele de novo, dessa vez como um aviso. "Eu..."

"Não." Nado com mais força, o máximo que consigo, mas a margem não parece estar mais próxima.

"Tenho que... ir", diz ele.

Paro. "Não. Fique comigo, Ty."

"Está doendo", ele sussurra.

"Fique comigo", imploro. "Fique."

Os olhos dele se fecham. A respiração chia em seu peito. E então, para.

"Ty!", grito, e então me sento de repente, enrolada nos lençóis. Mais um sonho.

Minhas mãos tremem. Minha respiração está ofegante. Consigo sentir o frio da água. Ainda sinto o cheiro de sangue.

Bem forte, dessa vez.

Muito forte.

Alguém bate levemente à minha porta, tão leve que fico imaginando se não alucinei o som. Tento acalmar minha respiração para poder ouvir. É difícil.

Mais uma batida. Mais alta. Real.

"Querida?" É a voz de minha mãe atrás da porta. "Você está bem?"

Eu procuro os óculos, parando antes de colocá-los para secar meu rosto. Eu estava chorando? Não poderia estar chorando. Não me lembro.

Ajeito os lençóis antes de responder. "Estou bem, mãe."

A porta se abre. Ela espia ali dentro. "Ouvi um barulho. Parecia que você estava irritada."

Eu me pergunto se ela ouviu quando gritei o nome de Ty.

"Tive um pesadelo, só isso. Estou bem."

Ela entra e se senta à beira de meu colchão. Quando eu era pequena e tinha pesadelos, às vezes, ela se deitava em minha cama comigo e ficava ali pelo resto da noite, o corpo tão quente, macio e seguro que os pesadelos não voltavam. E então, quando meu pai foi embora, durante todo o resto daquele verão horroroso, dormi com ela porque ela não suportava ficar na cama grande deles sozinha, sem ele.

Ela roncava. Alto. Como um porco ferido. Mas quando ela ficava na minha cama quando eu era pequena, uma cama tão pequena que ela tinha que dormir de lado para caber, eu costumava fazer xixi na cama.

As coisas que fazemos pelas pessoas que amamos.

Ela prende uma mecha de cabelo atrás de minha orelha. "Às vezes, eu também sonho com seu irmão."

Ela olha nos meus olhos. Há um doloroso brilho de reconhecimento ali. Ela ouviu quando gritei o nome dele.

"É", sussurro.

Não consigo explicar para ela como os sonhos em que Ty morre fazem com que eu me sinta. Eles são ruins, e parece que estão piorando, mais gráficos, mas não quero deixar de tê-los. De uma maneira bem mórbida, gosto de tê-los. Porque, pelo menos assim, eu consigo ver Ty. Consigo falar com ele, às vezes. Pelo menos, quando estou ali, quando Ty está morrendo de qualquer modo que seja, estou com ele. Estou me agarrando a ele. Estou pedindo para que ele não se vá.

Nesses momentos, consigo fazer alguma coisa por ele que não fiz na vida real. Consigo responder à mensagem. Posso estar presente.

"O Valium ajuda. Quer um?", pergunta ela. "Não sonho quando tomo o remédio."

Por que as pessoas tentam forçar remédios pela minha goela? Balanço a cabeça. "Não foi tão ruim."

Ela hesita.

"Estou bem, de verdade."

"Tudo bem, querida." Ela se inclina para me beijar na têmpora. "Amo você."

Não era justo que eu a culpasse antes. Não pelo Ty. Ela só pode ser culpada por ter amado demais.

"Amo você também", digo.

Ela se levanta e sai, fecha a porta em silêncio, como se tivesse mais alguém em casa a quem ela não quer acordar. Eu me deito.

0. 1. 1. 2. 3. 5. 8. 13. 21. 34. 55. 89. 144.

Mas o sono demora muito a vir, e quando vem, os sonhos ainda estão lá, esperando.

21 DE FEVEREIRO

~~A última vez em que vi Ty~~

22 DE FEVEREIRO

~~Querido Dave,~~

~~Essa história de escrever está me matando. Posso parar? Tenho andado com minha nova amiga, a propósito. Bem, uma velha amiga, tecnicamente. Mas é nova. Saudável, certo? Catártico, não acha? Sou a imagem da boa saúde mental, juro~~

23 DE FEVEREIRO

Caro alienígena do futuro,

Por favor, não considere este diário como representativo da vida comum de uma adolescente humana. Vai atrasar sua pesquisa em anos. Na verdade, o melhor, provavelmente é você simplesmente ignorar tudo o que está escrito aqui.

Além disso, se ainda não o fez, por favor, não aniquile a raça humana. Sabemos ser legais.

Atenciosamente,

Alexis P. Riggs

CAPÍTULO 15

Meu carro não está pegando. Estou no estacionamento do consultório do Dave, depois de mais uma cintilante hora de conversa não produtiva, e agora, para piorar, o Limão está me ferrando. Ele faz isso às vezes — é uma problema elétrico que me custaria mais do que o valor do carro para consertar. Enfio a chave na ignição e a giro, e nada acontece. Faço tudo que costuma funcionar nessa situação. Abro e fecho a porta, bato no painel algumas vezes, puxo o desafogador, giro a chave e tento de novo. Nada acontece.

Espero cinco minutos e tento de novo.

Nada.

É um problema.

Estou do outro lado da Lincoln, a pelo menos trinta e cinco quilômetros de casa. Está escurecendo.

Pego meu telefone e olho para a minha lista de contatos. Não posso ligar para a Beaker — ela está no ensaio da peça *Brigadoon*. Eleanor não tem carro, a mãe dela a leva para todos os lugares. Minha mãe trabalha até as dez.

Merda.

Poderia ligar para o meu pai. Íamos jantar hoje, terça, como sempre, mas ele me mandou uma mensagem mais cedo dizendo que queria remarcar para sábado de manhã.

Olho as horas, são 17h17. Pode ser que ele esteja em casa agora. A casa de Megan fica a poucos quilômetros daqui. Sei que ele não se importaria de vir me buscar.

Suspiro e tento dar partida novamente.

Nada.

Nunca liguei para meu pai, esse é o problema.

Não desde que ele foi embora.

Ele me liga, se precisar marcar alguma coisa. Nós nos encontramos uma vez por semana, e esses encontros, geralmente em restaurantes, duram cerca de uma hora, no máximo. Conversamos sobre o trabalho. Conversamos sobre a escola. Às vezes, ele me dá dinheiro, um sinal de que sente muito por ter ferrado com a minha vida, palavras que sei que nunca ouvirei dele. Aceito o dinheiro. Gosto de dizer que é o imposto do pai ruim. E não me sinto mal com isso, já que a maior parte das economias que meus pais reservaram para a minha faculdade foi comida pelo divórcio.

Temos nossos rituais. Nossas regras não verbalizadas.

Não falamos sobre Megan.

Não falamos sobre Ty.

Não vou à casa de Megan.

Não ligo para meu pai em casa.

Se eu fizesse isso, seria como se eu dissesse que aceito o que ele fez. Estou aceitando a nova vida dele, a que ele construiu sem nós.

Não vou fazer isso.

Ligo para o celular de Sadie, mas ela não atende. Ligo para a casa dela. O telefone chama e chama, e estou prestes a desligar quando ouço uma voz esquisita.

"Oi. Fala."

"Seth?" Pergunto, mas quem mais poderia ser?

"O próprio", diz ele com uma risada sonolenta. "O que posso fazer por você?"

As palavras saem meio enroladas. Eu não pensei que poderia acordá-lo.

"Oi, é a Lex. A Sadie está em casa?"

"Sadie? Não. Você ligou para o celular dela?"

"Sim, Seth. Tentei ligar para o celular dela."

"Bom, então, não sei mais o que dizer a você. Quer deixar um recado?"

"Não." Giro a chave mais uma vez. Nada. Bato o punho no volante. Carro idiota, idiota. "Queria saber se ela podia me dar uma carona para casa. Meu carro... ah, não importa."

"Eu posso te buscar", diz ele. "Onde você está?"

"O quê? De moto?" Já vi Seth no bairro com aquela coisa. Faz tanto barulho que não tem como não notar.

Ele ri.

"Na minha Kawasaki Ninja 300. O nome dela é Georgia."

Certo. Tento imaginar eu me equilibrando atrás do Seth na moto, segurando na cintura dele enquanto atravessamos mais de trinta quilômetros de estradas cheias de gelo.

"Não, obrigada, Seth", eu recuso do modo mais educado que consigo. "Posso pedir para outra pessoa. Só liguei porque pensei que a Sadie quisesse sair."

"Ah, então, eu e a Georgia não somos bons o bastante para você?", diz ele, provocando. "Vamos, Lex. Onde você está?"

"Está tudo bem", digo depressa. "Você provavelmente precisa sair para trabalhar logo, e estou do outro lado da cidade, não quero atrapalhar."

"Lex."

"Tem outra pessoa que pode me buscar", digo de novo. "Não tem problema. Mas obrigada por oferecer. Eu vou adorar andar na... Georgia em outra ocasião. Tá?"

"Tem certeza?"

"Absoluta. Obrigada."

Eu desligo. Tento dar partida.

Nada.

Odeio o Limão.

"Merda", digo a ninguém. "Merda!"

Uma imagem do rosto de Ty me vem, de repente, é uma lembrança de seu rosto frustrado, quando ele estava tentando aprender a dirigir.

"Merda", disse ele. Forçou a marcha, fazendo o carro roncar. "Nunca vou aprender."

"Vai, sim", falei a ele. "Só espero que seja antes de acabar com a minha caixa de câmbio."

O carro morreu.

"Merda!", ele gritou. Ele andava muito mal-humorado ultimamente, mudando de emoção a cada dez minutos. Eu achava que a culpa era dos hormônios. É terrível ser um adolescente.

Coloquei a minha mão sobre a dele na marcha, e por um minuto também fiquei brava, porque era eu que estava ali ensinando a ele, e não o meu pai. Deveria ter sido meu pai.

"Olha", falei pra ele. "Tudo bem. Respira."

Ele se recostou no banco do motorista, soltou o ar pelo nariz, e esfregou os olhos vermelhos. Ele havia começado a usar lentes de contato algumas semanas antes. Eu ainda estava tentando me acostumar a vê-lo sem óculos.

"Eu sou péssimo", disse ele. "Melhor eu pegar ônibus."

"Você é péssimo mesmo", concordei. "Mas sabe de uma coisa? Quase todo mundo vai muito mal no começo, e todo mundo aprende a dirigir, mais cedo ou mais tarde, assim como todo mundo aprende a andar. Passo a passo. Pise na embreagem." Estiquei o braço e virei a chave na ignição, e dessa vez, mais de um ano antes, o Limão pegou.

"Você consegue", disse a ele. "Não é tão difícil."

Ele assentiu. Sorriu brevemente. "Obrigado."

E então, ele dirigiu. Não muito bem, não daquela vez, mas ele nos levou de um lugar a outro.

Pisco ao lembrar.

Viro a chave, mas o motor não faz nenhum barulho. Talvez a bateria esteja arriada. Talvez a porcaria do meu carro tenha fundido, finalmente.

Estou ferrada.

Claro, tem outra pessoa a quem poderia ligar. Eu não estava mentindo quando disse isso a Seth.

Alguém que certamente viria me buscar.

Alguém que não seja meu pai.

Olho para o telefone.

Seria esquisito. Embaraçoso. Ridículo, até. Mas que outra opção eu tenho?

Engulo em seco.

"Posso fazer isso", sussurro, e então, aperto enviar. "Não é nada demais."

Vinte minutos depois, o carrinho de Steven — um Corolla azul que ele divide com sua irmã mais velha, Sarah, estaciona ao lado do Limão. O freio grita quando ele para. Ele desce o vidro.

"Quer que eu tente mexer no motor?", pergunta ele.

"Não se incomode." Quero que ele tenha o mínimo de trabalho possível. "Só preciso chegar em casa."

Ele se inclina para destravar a porta do passageiro e tira um monte de livros e de papéis do banco para que eu possa me sentar. Ele espera enquanto coloco o cinto, então pigarreia e sai do estacionamento.

Seguimos para o norte na O Street. Está bem escuro agora, e uma neve fraca está caindo, cobrindo os postes. Conversamos um pouco sobre amenidades: o clima (frio, como sempre), sobre a professora Mahoney (ótima, como sempre) e sobre planos para a faculdade (ainda estamos esperando nossas cartas de admissão). Então, chegamos ao cemitério Wyuka, com a cerca de ferro preto estendendo-se à beira da estrada, pelos túmulos, por árvores velhas e por mausoléus que aparecem por trás dela.

Steven e eu paramos de falar quando passamos. Ele pigarreia de novo, com a expressão séria de repente.

"Lex...", ele começa.

Digo: "Eu sei que não deveria ter ligado para você, mas não havia mais ninguém. Desculpa. Não vai acontecer de novo."

"Claro que você deveria ter me ligado", diz ele. "Ainda somos amigos, não somos? Pensei que ainda éramos amigos."

"Não sei", admito. Se a definição da palavra *amigo* é alguém com quem você se sente à vontade, alguém com quem é bom estar, então, Steven e eu definitivamente não somos amigos.

"Gostaríamos que fôssemos amigos, Lex", diz ele.

Mesmo vindo dele, isso parece mentira.

"Quer comer alguma coisa?", pergunta ele quando entramos na 27th. "Tem o Imperial Palace mais à frente."

Meu restaurante chinês preferido.

Foi onde jantamos naquela noite. Será que Steven lembra?

"Não", digo depressa, antes de ele poder entrar no estacionamento. "Tem jantar esperando por mim em casa." Mentira, claro. "Além disso, tenho um monte de lição de casa para fazer", eu completo, para reforçar.

Ele não argumenta. Ficamos em silêncio por um tempo, passamos pelo restaurante, por uma casa de jogo a qual costumávamos ir, passamos pela floricultura onde ele comprou o buquê para o baile e onde compramos as flores do funeral de Ty. Está tão silencioso que parece que minha cabeça vai explodir.

Steven leva a mão ao botão do rádio, mas para antes de ligá-lo. "Música?"

Ah, Deus, sim. Música.

"Sim, por favor."

Ouvimos o cello de Yo-Yo Ma tocando a "Suite N° 1" de Bach em sol maior. Fecho os olhos e deixo as notas passarem por mim. Foi uma ideia ruim, penso pela milésima vez. Mas pelo menos, já percorremos mais da metade do caminho para casa.

"Então", diz Steven, quando parece que vou conseguir sobreviver a essa carona. "Você ainda não liga para seu pai, não é?"

Abro os olhos. Ele está olhando para a estrada, e a luz dos faróis na outra pista da estrada passam em linhas pelo rosto dele, mas parece que ele está olhando para mim.

"Não, não ligo para ele. Nada mudou nesse aspecto."

"Que pena. Pensei que talvez, com a história de Ty, vocês dois pudessem se reaproximar" diz ele.

"Não quero me reaproximar do meu pai", digo.

Paramos num sinal vermelho. Steven olha para mim. Subitamente, Bach já não é suficiente para abafar o silêncio.

"Por que não?", pergunta ele.

"Se meu pai não tivesse nos abandonado, Ty ainda estaria vivo." Fico surpresa quando digo isso. Não sabia que pensava assim — não em termos tão simples, pelo menos —, só percebo quando me ouço dizer. Mas acredito no que disse.

"Você não tem como saber", diz ele.

"Não preciso que você seja meu terapeuta, Steven", digo, minha raiva repentina se sobrepondo abençoadamente ao que mais eu possa estar sentindo. "Já tenho um."

"Então, o que você precisa que eu seja?", pergunta ele, e me olha com aqueles olhos castanhos bem-intencionados. "Diga o que você precisa, Lex, e eu farei. Eu serei o que você quiser."

Desvio o olhar. "Está verde."

"O quê?"

"O sinal."

"Ah." Ele pisa no acelerador. Então, estende o braço e desliga o rádio. Suspira. "Queria que você conversasse comigo. Conte o que está acontecendo. Sei que não estamos mais juntos, e eu respeito sua vontade em relação a isso, mas isso não quer dizer que deixei de me importar com você. Eu..."

"Vou dizer do que não preciso", interrompo. "Não preciso de poemas de amor. Não preciso que você ligue para a minha casa para saber como estou. Não preciso ter a sensação de que você está sempre ali, fungando em meu cangote. É disso que não preciso."

Ele parece confuso. "O quê?"

"Não quero falar sobre isso. Preciso de uma carona para casa. Tudo bem?"

Sua mandíbula se contrai. "Tudo bem."

Percorremos o resto do caminho — dez longos minutos — sem dizer mais nada.

Saio antes de ele parar totalmente na frente da minha casa.

"Obrigada pela carona."

Vou embora antes que ele possa responder. Entro pela primeira porta que vejo: a porta lateral para a garagem. Mas não fecho a porta totalmente. Eu a deixo aberta e observo Steven dentro do carro por um tempo, olhos fechados, mãos segurando o volante.

Estou machucando ele. Ainda.

Eu estava certa em hesitar quando Steven me chamou pra sair. Claro que estava certa. Era óbvio que íamos terminar, como todos os romances terminam. E agora, as coisas estão esquisitas com nossos amigos. E estamos machucando um ao outro.

Eu estava certa.

Ele abre os olhos e afasta o carro e parte depressa, espirrando neve e pedrinhas.

Fecho a porta.

E então, percebo que estou na garagem.

Olho para o ponto.

Onde meu irmão morreu.

Eles limparam depois, uma empresa faz isso. Não tem mais sangue aqui, não tem marca escura no lugar, mas tem um rachado no cimento. Não me lembro se já estava ali antes, ou se apareceu com a bala depois que passou por ali. E isso faz com que eu comece a pensar em ângulos, trajetória e velocidade, e não quero pensar nisso.

Olho ao redor para as últimas coisas que Ty viu: os rastelos e pás enferrujadas encostados na parede, o cortador de grama cheio de grama, nosso aspirador de neve quebrado, o velho carrinho de mão com pneu murcho, o saco de ração de cachorro que ainda está ali, apesar de nosso cachorro ter morrido um ano atrás. O cheiro é de poeira, óleo de motor e plantas apodrecendo.

É um lugar deprimente para morrer. Escuro, frio e assustador.

Imagino o tiro, como ele deve ter enchido o lugar com o barulho, como deve tê-lo ensurdecido nos poucos segundos que ele pôde ouvir. Imagino a pólvora, o cheiro subindo no ar. O cheiro de sangue. O frio do cimento contra o rosto dele quando sua visão desapareceu.

Ele deve ter se sentido muito sozinho aqui.

Vou para a cozinha. Fico alguns minutos olhando dentro da geladeira, que parece um deserto, de tão vazia, mas tudo bem, porque não estou mais com fome. Pego uma garrafa de Coca Diet que não pode faltar para a minha mãe — que tenho tentado fazer com que ela pare de beber por causa dos produtos químicos contidos ali —, e bebo. O gás faz meu nariz arder.

Estou quase terminando quando acredito ver, pelo canto do olho, uma figura no reflexo da janela da cozinha. Um flash. Ty.

Mas quando abaixo a garrafa, quando eu me viro, ele não está mais ali.

Claro.

Jogo a garrafa no cesto de reciclagem e encosto as costas na parede. Dali, consigo ver o topo da escada. A moldura vazia da foto de formatura de meu pai brilha para mim, como se quisesse chamar minha atenção.

Ah, sim, eu penso. O mistério.

Como Sherlock Holmes resolveria esse caso?

Bem, primeiro poderia ser uma boa ideia checar para ver se há outras fotos faltando. Ou se a foto do dia da caça e a da formatura de meu pai são as únicas duas. Seria um começo.

Penso rapidamente nos lugares onde há fotos. Então, confiro o consolo sobre a lareira na sala de estar, mas não tem nada de anormal ali. Tento o escritório do papai, onde ainda há uma foto emoldurada dele e de minha mãe no aniversário de quinze anos de casamento. Meu pai não a levou quando foi embora. Minha mãe nunca a tirou dali. Ainda está exposta, um exemplo empoeirado dos pais que eu tinha. Tento o banheiro de hóspedes, onde, muitos anos atrás, minha mãe colocou fotos emolduradas de Ty e de mim tomando banho juntos quando éramos pequenos, com todas as partes íntimas cobertas com espuma, mas humilhantes, mesmo assim. Todas essas fotos ainda estão no lugar. Além das fotos na escada, não consigo pensar em nenhum outro lugar da casa onde posso encontrá-las.

Não tem mais nada faltando. Volte à primeira casa.

Está claro que não sou nenhuma Sherlock Holmes.

Mas quem disse que precisa ser foto emoldurada?, penso de repente. Isso faz com que eu me dirija a uma determinada prateleira na estante na sala do porão, onde tem uma série de álbuns de fotos. O casamento dos meus pais. A lua de mel. Férias em família. E então, nossos livros de bebê, meu e do Ty.

O meu está cheio e bem conservado. Minha mãe preencheu cuidadosamente a árvore genealógica e todos os detalhes a respeito de meu nascimento, como o fato de eu ter nascido às 21h46 depois de onze horas de trabalho de parto, e de ter conseguido as notas máximas no teste de Apgar, e de eu ter passado os três primeiros meses de vida chorando aproximadamente três horas e meia todos os dias, sem um motivo aparente, o que os médicos entendem como cólica. Ela anotou as datas e os horários de todas as primeiras conquistas: meu primeiro banho, meu primeiro sorriso, meus primeiros passos e as primeiras palavras (*Pa-pa*, depois *au-au*, depois *Ma-ma*, o que ofendeu minha mãe totalmente), meus primeiros dentes, meu primeiro corte de cabelo, minha primeira amiga, onde está escrito *Sadie McIntyre* com a letra cursiva perfeita de minha mãe. Como se eu quisesse realmente saber todas essas coisas.

O álbum de Ty é bem mais fino. Quando ele nasceu, minha mãe já andava bem ocupada comigo e não tinha tempo para registrar todos os momentos da vida dele. O segundo filho sempre acaba prejudicado no departamento das fotos. Ele teve sorte, imagino, por ter fotos dele, pelo menos.

Não é fácil fazer isso, mas as vejo.

Ty, gordinho e roxo, dormindo.

Ty como um menininho lindo e gorducho.

Ty em um acampamento, usando o boné do papai, bebendo uma lata de Fanta Uva com um canudo.

Ty acariciando Sunny.

Ty na cama, com lençóis do Elmo, com as mãos cheias de covinhas unidas e os olhos fechados, rezando.

Agora, eu me deito para dormir.

Pulo as fotos de Ty comigo, porque sinto um aperto no peito ao olhar para elas, tanta evidência cuidadosamente arquivada do que perdemos.

A primeira palavra dele foi *Ma-ma*, por acaso. Puxa-saco.

Não demoro muito para perceber que também há fotos faltando nesse livro também, não só espaços que minha mãe esteve ocupada demais para preencher, mas espaços vazios com as marcas das fitas adesiva dupla-face ainda ali. Porém, diferentemente das fotos emolduradas desaparecidas, não memorizei as fotos de seu livro de bebê. Não sei o que sumiu. Só consigo tentar adivinhar aqui e ali e conto os espaços vazios.

Oito fotos, no total. E assim, temos um total de dez fotos desaparecidas.

Ainda não estou perto de entender o que está acontecendo. Nem por quê.

Ouço passos no andar de cima. Uma parte de mim congela por cerca de três segundos, até reconhecer o som das chaves da minha mãe. Ela segue um ritual quando chega em casa: abre o armário ao lado da porta de entrada e pendura o casaco. Vai até a cozinha e deixa as correspondências na bandeja sobre o balcão. Abre um dos armários e guarda a bolsa e as chaves. Faz uma xícara de café instantâneo — ou, como tem feito recentemente, bebe uma taça de vinho.

Estou começando a me preocupar com o fígado dela.

Olho para o relógio no decodificador da TV a cabo que está marcando 18h07.

Minha mãe não deveria estar em casa ainda.

Subo a escada de dois em dois degraus. Minha mãe se assusta quando me vê.

"Oi", digo. "Saiu mais cedo?"

"Como foi seu dia?", pergunta ela, fugindo da minha pergunta.

Ah, mãe, eu penso. Incrível pra caramba.

"O Limão não pegou", digo. "Não sei se ele vai voltar, dessa vez. Ainda está no estacionamento do consultório do Dave."

"Ah, não!", minha mãe exclama. "Como voltou para casa?"

"Precisei pegar uma carona com o Steven."

"Ah." E esse "ah" deve ser o mais carregado "ah" que alguém já disse.

"É", afirmo. Cidade esquisita.

A expressão dela fica mais suave. Minha mãe compreende rompimentos. Ela ri.

"Esse seu carro é azedo como um limão, mesmo, hein?"

Concordo.

"Se tivéssemos...", ela começa, e então para.

Se tivéssemos dinheiro. Para comprar um carro novo.

Tento não pensar sobre a nossa situação financeira, porque, se fizer isso, vai ficar cada vez mais claro que o divórcio dos meus pais foi o fator principal de nossos problemas atuais, e não posso fazer nada com essa informação, além de ficar muito brava. Mas presto atenção a números: sei que a morte de Ty custou $10.995: só o caixão foi $2.300, mais todas as taxas da funerária (embalsamar, guardar o corpo, aluguel do espaço para o velório etc., que acabou em cerca de $3.895), mais o que eles cobraram pela retirada do cadáver e pela limpeza ($400), mais as flores ($200), mais o túmulo no Wyuka ($1.300) e o custo do enterro ($1.000), e por fim, a lápide, que custou exatos $2.000).

Minha mãe é enfermeira, mas ela está no emprego há menos de um ano, por isso, recebe $20,25 por hora. Ela tinha seguro de vida para mim e para Ty, mas como a morte de Ty foi suicídio, a seguradora disse que a apólice deixava de valer. Meu pai pagou metade dos custos, claro, mas ele não está nadando em dinheiro, tampouco, já que teve que pagar advogados e despesas de cartório, mais o dinheiro que teve que desembolsar para pagar o curso de enfermagem de minha mãe depois que foi embora.

Resumindo, estamos duros.

Deixe a Lexie dirigir um carro caindo aos pedaços.

"Não preciso de carro", digo a ela. "Quando eu estiver no MIT, ano que vem, vou pegar o metrô. Cambridge tem transporte público de primeira, o que é mais seguro, estatisticamente falando, do que dirigir um carro."

Ela sorri com tristeza e acaricia meus cabelos. Não sei se ela acredita que entrarei no MIT, mas ela age como se acreditasse. Ela concorda.

"Ótimo, assim, será uma coisa a menos com que se preocupar", diz ela. "Agora, vamos pensar no que fazer com o Limão. Depois, podemos jantar."

Ironicamente, quando chegamos ao estacionamento, o Limão pega. Sem engasgo, sem ronco, sem nada. Simplesmente pega.

"Não pegou, né?" Minha mãe diz isso de onde está, na vaga ao lado. "Tem certeza de que foi o que aconteceu?" Ela olha para mim como se talvez essa história de Steven me dar carona pudesse ser coisa armada por mim. Para passar um tempo com ele. Porque, claro, eu ainda devo gostar dele. Porque ele é um cara incrível.

Talvez minha mãe não entenda nada de rompimentos.

"Juro. O carro gosta de me zoar", digo. "Temperamental."

Minha mãe assente e então, passamos aos planos do jantar. "O que acha de irmos ao Imperial Palace?", sugere. "Você adora aquele lugar."

"Mais ou menos." Dou de ombros. "É razoável."

Ela aceita o que digo. "Certo. Acho que podemos ir a um lugar mais do que razoável."

"O que acha do Spaghetti Works? Faz tempo que não vamos lá." Porque é muito caro. Não absurdamente caro, mas caro demais para nós. "Soube que eles têm um espaguete especial de seis dólares. Para comer à vontade."

"Ótimo", diz ela. "Vai cair bem uma taça de vinho tinto agora."

CAPÍTULO 16

O tempo passa. É a regra. Independentemente do que aconteça, por mais que pareça que tudo em sua vida está congelado em um determinado momento, o tempo segue em frente. Depois que meu irmão morreu, o tempo passou devagar, e eu me arrastei para fazer todas as atividades obrigatórias que ainda tinha que realizar: estudar, comer, dormir, escovar os dentes, secar os cabelos, fingir que me importava. Isso ou o tempo desaparecia: eu me via do outro lado do Natal sem me lembrar de nada além de um borrão ambíguo com cheiro de pinheiro. Uma prova final de cálculo, feita. Conversas das quais não me lembro.

Agora, de repente, percebo que é dia 3 de março. Um grande dia. Um dia pelo qual eu estava esperando: o início do prazo dado pelo MIT para enviar as respostas dos processos de admissão. Depois da aula, vou até a caixa de correio, e ali, enfiado nas sombras, grande e lindo, está um envelope recheado.

Tenho tentado não pensar muito no MIT, evitando ficar obcecada como algumas pessoas ficam e evitando criar expectativas muito irreais — existem outras universidades, afinal, outras instituições muito boas de ensino superior. Mas o MIT é *a* instituição. E no fundo, eu esperava isso. Torci por isso. Sonhei.

Não me dou o trabalho de entrar. Abro a carta e a leio de pé, ao lado da caixa de correspondências.

Cara Alexis,

Em nome do Comitê de Admissão, tenho o prazer de oferecer a você uma vaga no MIT. *Você se destacou como uma das alunas mais talentosas e promissoras entre os candidatos da história do Instituto. Seu compromisso com a excelência pessoal e com metas e princípios nos convenceram de que você contribuirá com nossa comunidade e se desenvolverá dentro de nosso ambiente acadêmico. Acreditamos que você e o* MIT *são uma ótima combinação.*

Engulo o nó em minha garganta e passo os olhos pelos detalhes: tenho até 2 de maio para avisar se aceito a oferta, e eles me convidam para participar de algo chamado Fim de Semana de Reconhecimento em abril para ver como seria a vida no campus, que um aluno do MIT vai me ligar nas próximas semanas, e que querem que eu analise os detalhes do meu pacote de auxílio financeiro. Viro a página e prendo a respiração: mais de quarenta e três mil dólares em bolsas de estudo.

Continuo lendo:

E agora, as letras miúdas: devo lembrar que essa oferta de admissão depende de você completar o ano escolar com notas excelentes. Aproveite o restante de seu último ano de ensino médio, mas, por favor, mantenha as boas notas.

Espero que você concorde que o MIT *é o lugar perfeito para você se preparar para seu futuro. Como membro de nossa comunidade, você estará entre construtores, acadêmicos, empreendedores e humanistas. Juntos, vocês farão a diferença em um mundo que precisa de vocês desesperadamente.*

Parabéns, e mais uma vez, bem-vinda ao MIT! *Agora, pare de ler e vá comemorar.*

Isso está acontecendo.

É o que sempre quis desde que compreendi o que era faculdade: sair de Nebraska, estudar matemática com os melhores professores do país, aprimorar minhas ideias com as mentes mais brilhantes. Tornar-me alguém de valor. Não quero ser rica nem famosa, mas quero contribuir com algo significante à história do pensamento humano.

O teorema de Riggs.

É a minha imortalidade, minha ideia de céu. Algo para ser lembrado depois de minha morte.

Quando entro em casa, fico surpresa ao perceber que agora, com essa carta finalmente em mãos, não estou tão animada. Não como pensei que ficaria.

Vou para o MIT. Certo. Sim. É o que eu queria. Sim. É, sem dúvida, a coisa mais incrível que já aconteceu comigo. Sim. Sim.

No entanto, isso vai significar deixar minha mãe sozinha nesta casa.

Eu me sento no sofá da sala de estar e leio a carta de novo. Eu me forço a imaginar: eu de pé diante de um quadro-negro no MIT, falando com autoridade sobre um problema, eu, encolhida em uma cama de solteiro, num quarto pequeno, mas meu, lendo a respeito da mecânica quântica, caminhando por uma calçada ladeada de árvores, conversando com outros alunos, com um monte de livros pesados embaixo do braço.

É bom pensar no futuro como algo que não vai ser totalmente péssimo.

Porém, as coisas estão diferentes agora em relação ao que eram quando me candidatei às vagas nas universidades.

Cinco de março. Não contei aos meus pais. Nem a Dave, na nossa sessão de ontem. Nem aos meus amigos. Não sei como puxar o assunto na escola. Acho que deveria ser algo simples como *Adivinha? Entrei no MIT. UHU!* Mas sempre que essa pausa acontece, quando eu poderia contar, eu hesito.

Se eu contar às pessoas, elas vão esperar uma reação superfeliz da minha parte. E não sou Beaker; não sou uma grande atriz. Estou feliz com a notícia, sim. Só não sei se consigo ficar feliz nesse estágio de minha vida. Não em público. Não do jeito que todo mundo vai esperar.

Ainda assim, levo a carta de admissão comigo, junto com a carta de Ashley no compartimento da frente de meu caderno de cinco matérias, e de vez em quando, abro o caderno e fico olhando para o envelope, e penso em todas as promessas reunidas num só lugar, em toda a esperança.

Talvez seja isso o que está me impedindo de contar às pessoas: a esperança.

Não estou mais acostumada com a esperança.

É mais difícil guardar a notícia do MIT só para mim durante a aula de cálculo. Estamos aprendendo a calcular volumes por meio de funções integrais, e Steven está na frente do quadro escrevendo aquelas equações lindas, e os números dele são muito mais claros do que os meus e muito mais cuidadosos, por isso a professora Mahoney o chamou para ir ao quadro, para que ele pudesse nos mostrar a resposta como um pintor pode criar um quadro parecido com isto:

$$V_{C\,one} = \pi \int_0^2 \left(f(y)\right)^2 dy$$

$$V_{C\,one} = \pi \int_0^2 \left(\tfrac{3}{2}y\right)^2 dy = \pi \int_0^2 \left(\tfrac{9}{4}y^2\right) dy$$

$$\pi \int_0^2 \left(\tfrac{9}{4}y^2\right) dy = \pi \left(\left(\tfrac{3}{4}\right)y^3 \Big|_0^2\right) = 6\pi$$

"Então", diz a professora Mahoney quando ele já está quase terminando. "Digamos que Steven é um vidreiro criando um vaso. Ele poderia usar esse método para entender as formas diferentes que está fazendo e a quantidade de água que caberia no vaso."

"Sim, Steven", diz El. "Você é um vidreiro."

Ele sorri e ergue um ombro. "É um trabalho."

"De que tipo de vaso estamos falando?", pergunta Beaker. "Qual é a cor do vidro? Sempre gostei de vidro azul. Pode fazer um vaso azul para nós, Steven?"

"Beleza", diz ele, e vira as costas para o quadro. "Vaso azul a caminho."

A sala ri, e sabemos que é meio bobo, mas sempre gostei de modo com que a professora Mahoney tenta nos mostrar as aplicações práticas para as coisas que aprendemos, para que não seja só matemática pura. Ela quer que vejamos a beleza das equações, quer que vejamos como são incríveis, mas também quer que sejam reais para nós. Sempre me encanta perceber, nesses momentos, que os números expliquem algo tangível e verdadeiro sobre a vida. Os números dão sentido às coisas. Eles dão ordem a um mundo desordenado.

Quero agradecer à professora Mahoney. Por ter me dado isso. Por tentar deixar tudo divertido e não só "organizado", um conhecimento desnecessário.

Quero dizer *Professora Mahoney, entrei no MIT*.

Então, quero contar a Beaker. E a El. Depois de tanto que sonhamos. O MIT é um lugar de verdade, e vou para lá. Eu vou para lá.

Quero contar a Steven.

Mas não encontro palavras.

As palavras nunca foram meu forte.

CAPÍTULO 17

Quando chego em casa, vejo o carro da minha mãe estacionado. Já é a segunda vez que ela está em casa quando deveria estar trabalhando. Entro e chamo por ela, mas minha mãe não responde. Uma parte de mim entra em pânico e vou correndo para o quarto dela, prendendo a respiração até poder confirmar que ela não está jogada na cama com o braço para fora do colchão e um frasco de comprimidos espalhados no carpete.

Fico me perguntando de onde tirei essa imagem, essa cena de overdose fatal que sempre vemos nos filmes? Por que minha mente vai diretamente para a pior possibilidade?

Porque aconteceu, respondo a mim mesma. A pior possibilidade já aconteceu uma vez. Poderia acontecer de novo.

"Mãe?", grito.

Ela não responde. Procuro no banheiro, no escritório e na cozinha e não a encontro, e isso faz a adrenalina voltar a correr.

Ela pode ter saído com uma amiga, penso. Então, encontro a bolsa dela no balcão da cozinha, com o telefone dentro. O casaco está jogado num banco da cozinha. Tudo aqui, mas nada no lugar onde deveria estar.

"Mãe!", grito. "Mãe!"

Fico parada por um minuto, prendendo a respiração, ouvindo. Então ouço.

Música. Música muito baixa.

Vindo do andar de baixo.

Encontro minha mãe no quarto do Ty. Led Zeppelin está tocando no rádio-relógio dele: "Stairway to Heaven", uma canção que ele, Patrick e Damian costumavam tocar sem parar no ensino fundamental, uma vez atrás da outra, até que eu e minha mãe podíamos cantá-la dormindo. Minha mãe está de pé de costas para mim, com as mãos na parede do outro lado, pressionando um pôster de Kevin-Durant-dando-uma-enterrada.

Meu coração para. Ela está tirando as coisas do Ty.

Teria que acontecer em algum momento, acho.

"Oi", digo. "Fiquei procurando você em todos os lugares. Você ouviu quando chamei?"

Ela balança a cabeça. Seus ombros estreitos tremem. Ela está chorando de novo.

"Você está bem?", pergunto.

"Já estive melhor." Ela respira fundo e então, alisa o pôster, prendendo uma ponta com uma tachinha dourada.

Ela o está colocando de volta, percebo. Não está tirando.

Observo o quarto e vejo uma caixa grande de papelão perto da cama onde há mais coisas de Ty: sua jaqueta de basquete, um frasco de moedas de cinquenta centavos que ele conseguiu com a Fada do Dente, uma gravata que às vezes ele usava para ir à igreja, um cinto, seus cartões de beisebol.

"*There's a lady who's sure all that glitters is gold, and she's buying a stairway to heaven*", canta Robert Plant.

O cheiro da colônia é tão forte que sinto vontade de tossir.

"Mãe, o que está acontecendo?", pergunto.

Ela seca o rosto. Então, estende o braço e abaixa a música.

"Avisei que estava doente." Ela vai até a caixa e pega outro pôster (*Se Beber, Não Case, Parte II*) e volta a alinhá-lo no lugar de antes na parede. "Pode me ajudar?"

Eu movo meus pés e seguro o papel para que ela possa prendê-lo cuidadosamente de novo.

"Está redecorando?", pergunto.

"Gayle esteve aqui. Ela trouxe isso." Minha mãe indica a caixa. "Ela acha... que está na hora... de eu guardar..." Ela abaixa a cabeça, puxa o ar quando as lágrimas caem no carpete. "As coisas do Tyler. Ela disse que isso me ajudaria a... superar."

Mordo o lábio para não explodir bradando palavras furiosas a Gayle. Como ela se atreve? Como ousa vir aqui e decidir o que é melhor para todo mundo?

"Gayle acha que eu devo vender a casa", minha mãe continua. "Quer que eu me mude para Lincoln, mais perto do hospital para que não tenha que dirigir tanto até o trabalho. Ela acha que eu deveria comprar uma casa menor, já que o Tyler morreu e você vai para a faculdade, e ficarei sozinha. Ela também me ofereceu uma nova vaga que abriu na unidade de tratamento intensivo neonatal — para trabalhar com bebês em vez de ter que lidar com todas as pessoas que não param de morrer nas minhas mãos na ala cirúrgica."

"Parece que a Gayle pensou em tudo." Eu me sento na beira da cama do Ty.

Minha mãe enfia a mão no bolso e pega um lenço todo amassado. Assoa o nariz e volta para a caixa, de onde tira uma luva velha de beisebol, de quando o Ty participava da Little League.

"Onde ficava isto?", sussurra ela. Ela procura ao redor. "Não lembro."

"No canto superior direito da estante de livros", respondo automaticamente.

Ela assente. "Isso mesmo. Claro. Você sempre teve uma memória perfeita. Memória fotográfica."

Ela não se mexe, não vai até a estante para devolver a luva a seu lugar. Fica ali, parada, passando os dedos pela superfície lisa de couro.

"Eu me ofereci para ser técnica do time naquele ano, lembra?"

Sim.

"Ganhei aquele livro *Como Ser Técnica da Equipe de Beisebol: Guia para os Pais*. Eu não sabia nada de beisebol."

"Você aprendeu."

"Tyler ficou horrorizado quando me viu na frente de todo mundo com aquele livro."

"Ele superou."

Ela olha para a luva. "Eu tentei", diz ela depois de um minuto.

"Eu sei."

"Não, o que quero dizer é que tentei fazer o que Gayle disse. Tentei tirar tudo, guardar. Até pensei em ligar para os amigos dele e perguntar se eles gostariam de ficar com alguma coisa. Mas..." Ela respira estremecida. "Não consigo. Não consigo me desfazer das coisas."

Ela começa a chorar muito agora, com soluços profundos e fortes. Eu me levanto para abraçá-la.

"Não consigo." Ela chora no meu ombro. "Não consigo."

O buraco se abre no meu peito e eu me agarro a ela, e é como se a dor passasse de uma para a outra, até que ela fica relaxada nos meus braços.

Eu a levo para se sentar na cama.

"Tenho ótimas notícias", digo baixinho. "Boas notícias." Porque nós duas precisamos de boas notícias agora.

Ela olha para mim, surpresa, com o rosto marcado pelas lágrimas. "O que é?"

"Entrei no MIT."

O rosto dela se abre como uma flor ao sol. Ela se afasta e olha para mim por vários instantes, sem falar, só me encara com uma expressão que diz que talvez exista um Deus, afinal. Que Ele ouviu suas preces.

"Estou feliz", sussurra quando recobra sua capacidade de falar. "Fico muito feliz, Lexie."

Tento sorrir. "Eu também."

"Agora, você pode ir", diz ela.

"Posso ir?" Não entendo.

Ela me segura pelos ombros e me balança com delicadeza.

"Pode construir uma vida nova para você. É o que eu quero, que você saia deste lugar. Quero que você vá para Massachusetts e nunca olhe para trás."

Ela diz isso como se fôssemos as últimas pessoas na fila para um barco salva-vidas que está nos resgatando de um navio naufragado, mandando que eu a deixe. Mandando que eu a deixe afundar.

"Não precisa ser assim", digo. "Você também pode construir uma vida nova para si mesma."

Ela me solta e se vira. "Não, minha vida acabou."

Fico chocada ao ouvi-la dizer isso assim. Ela sempre foi otimista. Mesmo quando meu pai foi embora, quando ela se recuperou do choque inicial, sempre dizia: "Ele vai voltar à razão. Ele vai voltar. Até lá, viveremos da melhor maneira possível. Não é o fim do mundo". Apesar de estar claro que era o fim, sim. O fim do nosso mundo, pelo menos.

E agora, ela diz que sua vida acabou.

"Mãe..." Nem sei por onde começar.

Ela não está mais olhando para mim; está olhando no espelho com o Post-it e as palavras *muito vazio*.

"Você não está morta", digo, com a voz mais forte do que pretendia. "Você está viva. É difícil agora, mas... você vai melhorar. Ainda vai poder ser feliz, um dia."

Ela vai até a estante e recoloca a luva de beisebol no lugar em que estava.

"Não, querida", diz ela com seu tom de mãe oficial, como se eu tivesse dez anos de novo e ela estivesse me contando fatos da vida. "Nunca serei feliz. Como poderia, sem ele aqui? Depois de ter fracassado com ele desse jeito? Não. Não. Não vou me recuperar disso. Minha vida acabou", diz ela. "Se você não existisse, eu..." Ela não termina.

"Se eu não existisse, o que você faria?"

Ela balança a cabeça. "Nada." Tenta sorrir para mim. "Não se preocupe comigo, Lexie. Vou ficar bem. Não vou ser feliz — não posso —, mas vou ficar bem."

Observo em silêncio enquanto ela continua a tirar coisas da caixa, e a ajudo a encontrar o lugar de um objeto, se ela não se lembra. Então, só sobra uma coisa a fazer: o quadro com colagens que Ty estava preenchendo antes de morrer, aquele com as fotos dos amigos e da família.

Ele não tem um lugar. Depois do enterro, alguém o colocou atrás da porta do quarto dele, e ficou ali desde então.

Minha mãe o coloca na cama e olha para ele.

"Não sei o que fazer com isto. Poderia pegar as fotos e mandá-las para as pessoas que estão nelas, mas não consigo me lembrar dos nomes. Não é idiota? Sinceramente, não sei quem é a maioria das pessoas." Ela aponta uma foto no canto. "Eu me lembro de Damian e Patrick. *Os três amigos*, eu os chamava. E me lembro dos garotos com quem ele brincava quando estava no ensino fundamental. Mas os amigos dele agora... eu estava na escola de enfermagem quando eles apareceram. Não prestei tanta atenção quanto deveria. Não os conheço. Que tipo de mãe eu sou, para não conhecer os amigos dele?"

"Está tudo bem, mãe."

Ela balança a cabeça. Ficamos por uns minutos olhando para as fotos. Uma delas mostra a minha mãe dando banho em Ty quando ele era um bebê. Parece esquisito que ele quisesse que alguém visse essa foto, mas minha mãe está tão bonita nela. Está com rolinhos nos cabelos e vestindo uma camisa xadrez com as mangas enroladas, uma das mãos apoiando a cabeça redonda de Ty, a outra, passando um paninho em seu corpo. Ela está olhando para a câmera com um sorriso discreto, tímida por estar sendo fotografada tão desarrumada, e parece muito jovem e vibrante e, ao mesmo tempo, maternal e meiga. Ela parece ser uma pessoa diferente da mulher que está ao meu lado agora.

Em outro canto, vejo uma foto que minha mãe tirou de Ty e de mim na noite da formatura, eu com meu vestido verde, o Ty com seu smoking e a testa perfeitamente coberta com maquiagem. Ele queria que as pessoas vissem essa foto também. Nós dois juntos. Ele me abraçando. Isso é alguma coisa. Não é uma explicação nem um adeus, mas é alguma coisa.

E de repente, percebo: as fotografias que estão faltando. É onde Ty deve ter colocado as fotografias que sumiram.

Observo a colagem de novo, mas não tem foto do Ty e do meu pai caçando. Nenhuma foto do meu pai na formatura. Nenhuma foto do meu pai.

Como se conseguisse ler minha mente, minha mãe aponta o único espaço vazio na colagem, que agora parece vazio de propósito. Eu o notei no dia do enterro, mas não pensei muito sobre ele. Agora, no entanto, minha mãe olha para ele com uma expressão de tristeza.

"Seu pai deveria estar aqui", diz ela. "Foi cruel da parte de Tyler deixá-lo de fora."

Cruel não é uma palavra que eu usaria para descrever Ty.

"O papai provavelmente nem notou", digo.

"Ele notou." Minha mãe toca o vidro com o dedo. "Eu o observei naquele dia, no fundo da igreja, longe de nós, porque queria ficar do lado..." Ela contrai os lábios. "Mas perto do fim, quando as pessoas estavam se dispersando, ele veio ver isto. Foi de foto em foto, procurando. E não se viu aqui."

"Talvez o papai não mereça estar aí", digo.

Ela suspira. "Talvez não. Mas você deveria ter visto a cara dele quando notou que não tinha sido incluído. Pareceu muito magoado, como eu nunca tinha visto. Então, ele enfiou as mãos nos bolsos e se afastou. Foi cruel. Não pensei que Tyler se vingaria desse jeito."

"Ty estava bravo", digo. "Ele tinha o direito de..."

Minha mãe levanta a mão para me impedir de continuar. "Eu sei. Só gostaria que ele não tivesse acabado as coisas desse jeito."

Mordo o lábio inferior, pensando. Olho para a colagem de novo, e então, de repente, noto que bem no meio, em um lugar de destaque, tem uma foto de Ashley Davenport. Não a foto da formatura dos dois, mas uma em preto e branco, tirada por alguém que obviamente estava tentando dar a ela um ar artístico. Mostra Ashley e duas outras líderes de torcida no que deveria ter sido segundos depois de a equipe de basquete fazer uma cesta, com seus uniformes, sorrindo e pulando para a multidão no fundo, os olhos brilhando, tão cheias de vida na foto que quase ouço seus gritos.

Minha mãe vê para onde estou olhando. "Elas estão tão lindas, não estão?", diz ela. "Meninas adolescentes estão no ápice da beleza, como flores assim que desabrocham."

Inclino a cabeça para ela. "Eu também? Sou uma flor?"

Ela tenta sorrir. "Você é uma flor."

"Você conhecia essa garota?", pergunto, tocando o vidro sobre a foto da líder de torcida.

"Era a namorada de Tyler", diz ela. "Ashley. Ele a trouxe aqui para jantar, uma vez."

Fico boquiaberta.

"Verdade? Onde eu estava?"

"Numa competição do Clube de Matemática, se não me engano." Ela suspira, lembrando. "Comemos um assado que fiz. Ela trouxe uma torta de maçã que ela mesma assou. Aquela menina era totalmente adorável. Dava para perceber. Uma boa menina. Doce. O tipo certo de garota para Tyler."

Ela desvia o olhar.

"Você sabe por que eles terminaram?", pergunto.

Ela balança a cabeça, negando.

"Ele não me contou."

"Pensei que ela tivesse terminado com ele, mas..."

Volto a olhar para a foto. "Acho que ele não estava tão bravo com ela, se colocou a foto aqui."

"Não sei se haveria como ficar bravo de verdade com uma garota como aquela", diz minha mãe.

Nossa!, eu penso. Ela estava imaginando netos e tudo, pelo que parece.

Minha mãe contrai os lábios, como se toda a conversa sobre as perspectivas românticas de Ty fosse dolorosa demais para ela. Pega a colagem e a coloca atrás da porta, e então analisa o quarto de Ty por um bom tempo. Suspira, pega um lenço do bolso e assoa o nariz.

"Vamos", diz ela. "Já acabamos aqui."

Ela apaga a luz.

5 DE MARÇO

Não sei por quê, talvez porque eu adore me torturar, mas não paro de me lembrar do primeiro dia em que Steven e eu ficamos juntos, oficialmente. Não da livraria, ou do encontro em si, nem mesmo do beijo que veio depois, apesar de pensar nessas coisas com bastante frequência, já que minha memória tem sua própria playlist em loop contínuo, mas fico lembrando de uma conversa que tive mais tarde sobre o Steven. Com o Ty.

Depois que Steven me deixou em casa, entrei pisando nas nuvens, feliz da vida com tudo o que havia acontecido nas últimas horas. Minha mãe estava trabalhando, então não tinha como conversar com ela. Encontrei meu irmão no porão, jogando boliche no Wii.

"Onde você esteve o dia todo?", perguntou ele quando me viu descendo a escada, levando o braço para trás antes de lançar a bola virtual na canaleta. Ele resmungou.

"Por aí. Vi um filme no SouthPointe", respondi. "Nossa, você não consegue ser bom nem no boliche virtual."

"Cala a boca", disse Ty com bom humor, e desligou e ligou o Wii de novo para que nós dois pudéssemos jogar. "Quem perder compra McDonald's pra quem ganhar."

Ele acabou comigo no jogo.

"Como foi o filme?", perguntou ele depois de um tempo.

"Bom. Meio pesado nos efeitos visuais, enredo fraco", respondi. Eu pretendia dizer só isso, mas quis contar a ele. Queria contar parte daquele dia maravilhoso da minha vida. Então, falei: "Fui com o Steven".

Ty não desviou os olhos da tela da TV. "O cara do seu clube de matemática ou coisa assim?"

"Steven Blake, isso."

"Do que você o chamava? Ele tinha um apelido nerd, não?"

"Ah", falei, rindo por ele lembrar. No ensino fundamental, todo mundo tinha apelidos. O meu era Luthor, por causa de Lex Luthor, do Superman — a maior mente criminosa do mundo. O de Eleanor era Roosevelt, que ela detestou e brigou para mudar para Rigby, por causa da música dos Beatles, mas nunca conseguiu. Beaker foi a única que continuou depois da oitava série. E o do Steven era...

"Hawking", disse a Ty.

"Por causa do cara das estrelas."

"Por causa do astrofísico e cosmologista mundialmente famoso, que estuda as origens e a estrutura do universo." Meu Deus. Cara das estrelas.

"Isso!" Ty fez um strike perfeito. Eu estava começando a suspeitar que ele estava querendo um lanche do McDonald's. "Então, vocês tiveram um encontro. Como foi?"

"Não era para ser um encontro, mas acabou sendo. Foi bom, muito bom, na verdade." Peguei meu controle e imediatamente mandei a bola para a canaleta. "Bosta."

"Eu gosto desse tal de Hawking", disse Ty quando consegui derrubar uns poucos pinos na minha jogada seguinte. "Claro, se ele te magoar, vou ter que dar na cara dele. Obrigação de irmão, sabe como é."

"Obrigada." Sorri e assenti e não disse mais nada relacionado a Steven naquela noite. Nós jogamos e eu perdi. Tenho a impressão de que fomos ao McDonald's, mas acho que bloqueei essa parte.

Foi a última vez em que concordei em jogar videogame com meu irmão.

Também foi a última vez em que tivemos algo que lembrava uma conversa "de verdade" a respeito de nossas vidas pessoais. Quando ele disse que aprovava meu namoro com Steven.

Gostaria de ter contado mais coisas a ele. Poderia ter falado sobre Steven — mas não sobre o beijo, porque nenhum irmão quer saber dos amassos da própria irmã. Poderia contar a ele que Steven tinha sido muito corajoso por ter me pedido em namoro daquele modo, por ter sido um cavalheiro pelo resto do tempo e eu, apesar de minha atitude meio pós-modernista, gostei daquilo. Poderia ter contado a ele sobre a margarida de papel ou sobre as coisas de que gostava no Steven; o modo com que ele me fazia rir, o modo com que me contagiava com seu entusiasmo, com seu ânimo, e como fazia com que eu me sentisse bonita, quando ninguém nunca tinha conseguido fazer isso, o que não deveria ser muito importante, mas era.

Eu poderia ter contado isso a Ty. Se tivesse contado, talvez ele teria se sentido confortável fazendo a mesma coisa. Talvez tivesse baixado a guarda naquele dia de neve quando conversamos sobre Ashley e o rompimento, em vez de insistir que não era nada, que nada havia acontecido, que tudo estava bem. Talvez ele tivesse me dado os detalhes de que preciso para entender o que aconteceu entre eles, os fatos que eu usaria para decidir o que fazer com essa carta.

Porque ele não odiava a Ashley. Ela pode ter machucado meu irmão, mas ainda assim, ele colocou a foto dela na colagem.

O que significava que ele ainda a considerava uma amiga.

CAPÍTULO 18

Na quinta-feira, crio um desnorteamento geral entre nossos respectivos amigos pedindo a Sadie que almoce comigo. Escolho uma mesa para nós no refeitório, de onde posso ficar de olho em Ashley Davenport. A carta está enfiada embaixo da bandeja, em cima da qual, minha comida permanece intocada. Estou ocupada demais para comer. Estou observando a garota que era tão importante a ponto do meu irmão escrever uma carta para ela antes de morrer. Estou planejando fazer alguma coisa.

Ainda bem que os alunos do último ano e do segundo ano, por pura coincidência, têm o mesmo horário de almoço. Até agora, aprendi mais sobre Ashley aqui no refeitório do que no ginásio. Por exemplo: ela acena a quase todo mundo que passa em direção à fila do almoço (ela é simpática), e as pessoas acenam de volta (ela é popular). Ela come todos os pedaços de cenoura de sua salada (está tentando emagrecer?) com os dedos (não tem bons modos à mesa?), e ela ri muito (tem dentes bonitos).

Parece ser uma garota legal. Uma garota adorável, com minha mãe disse. Totalmente.

Da minha mesa de costume, a Mesa Nerd, como gostamos de chamá-la, Beaker me observa. Ela olha com preocupação para mim e para Sadie, como se não conseguisse acreditar nessa reviravolta: eu e a ladra de lojas. O que está acontecendo? Ela pode ser forçada a encenar um tipo de intervenção.

Ao lado dela, El olha para mim e sorri, um sorriso que não sei interpretar. Não sei o que pensar ao vê-la sorrindo para mim. Talvez agora seja mais fácil para ela gostar de mim de longe?

E então, claro, Steven. Ele está lendo, com o corpo alto encolhido de modo esquisito na cadeira de metal do refeitório, a cara enfiada num livro. Ele empurra os óculos para cima no nariz e prende o lábio inferior entre os dentes, algo que faz quando está imerso em ideias profundas. Ele apoia a cabeça no punho, e então faz alguma anotações nas margens.

Adoro o fato de ele escrever em livros.

"Ei", Sadie sussurra para mim com alguma urgência. "Aí está a sua chance."

Olho para ela. "O quê?"

Ela meneia a cabeça na direção de Ashley.

Eu me viro. Como esperava, as amigas de Ashley estão se levantando. Elas dizem "a gente se vê no treino" e "beijo" e saem. Ashley continua comendo as fatias de cenoura sozinha.

Parece que o universo está me dando essa oportunidade. Se eu acreditasse nesse tipo de coisa.

Ashley enfia a mão na mochila que está a seus pés e pega um livro. *Persuasão*, de Jane Austen.

Sim. Ela lê os clássicos. Essa garota é boa demais para ser verdade.

Está na hora. Pego a carta e me levanto. De repente, meu coração é uma banda de rock. *Tum tum tum.*

"Você consegue", sussurra Sadie.

Eu consigo. Posso dar vinte passos pelo refeitório e entregar uma carta a uma garota.

Posso dizer: *Oi, Ty deixou isto para você. Então... aqui está.*

Posso entregar a carta a ela, virar e voltar.

Para não ver o rosto dela quando ela ler a carta.

Ou talvez ela não a leia aqui, com tantas pessoas ao redor. Talvez ela vá à biblioteca e encontre um canto vazio atrás das pilhas de livros. É o que eu faria. Ou talvez ela espere até chegar em casa.

Talvez eu devesse ser mais discreta. Estamos no meio de um refeitório lotado. As pessoas vão notar. As pessoas vão ouvir.

Eu poderia dizer *Oi, posso falar com você?*, e levá-la a um canto vazio da biblioteca, e lá, poderia entregar a carta.

Se ela me acompanhasse.

Mas as pessoas também vão notar isso, e podem fazer perguntas a ela.

Eu poderia enviar a carta pelo correio.

Mas, talvez, a mãe dela visse a carta primeiro, e a lesse, e talvez haja informações íntimas nela. Ty teria enviado a carta pelos correios, se quisesse. Talvez o pai dela também a lesse e talvez ela e Ty transaram e ele escreveu sobre isso, e essa situação acabaria com o relacionamento dela com o pai para sempre.

Tudo isso passa pela minha mente, e mais, mais perguntas, mais besteiras, mais variáveis.

Estou a dez passos dela agora. Faltam dez.

Alguém diz o nome de Ashley. Ela olha para a frente e deixa o livro sobre a mesa, e sorri, um sorriso animado, feliz. Ela se levanta e se joga nos braços de um cara.

E não é qualquer cara. É Grayson.

Um dos amigos do meu irmão.

"Eu estava pensando em você", diz Ashley.

Eles se beijam. Não um beijo longo, nada apaixonado, chamativo ou de língua, mas um selinho que indica *Estamos juntos. Nós nos beijamos o tempo todo, e não tem nada de mais nisso.*

Parei de andar. Estou parada a cinco passos dela, observando os dois se beijarem. Eles se afastam e Grayson diz algo que não compreendo com sua voz grave e rouca, e então, olha para mim por cima do ombro de Ashley.

Está claro que ele me reconhece. A expressão dele se torna pesarosa, mas está misturada com alguma coisa que não reconheço, como se me ver fosse algo desagradável para ele. A mesma cara do dia em que ele e Fauxhawk levaram aquela caixa para a nossa casa, três dias depois do meu irmão morrer, quando a escola pegou todas as evidências que restavam de Tyler James Riggs e as mandou deixar na nossa porta.

Tiraram o nome dele da lista de chamada. Até eliminaram os registros escolares dele do resto do ano, como se pudessem apagar a existência de Tyler de uma vez.

Aposto que eles não fizeram isso com Hailey McKennett, que perdeu a batalha contra a fibrose cística há dois anos, nem com Sammie Sullivan, que morreu devido a complicações causadas pela pneumonia, nem com Jacob Wright, que morreu em um acidente de carro ao voltar dirigindo para casa, bêbado, depois de uma festa no lago Branched Oak, no verão passado. Jacob ganhou uma árvore plantada para ele na frente da escola, com uma placa sob ela pela qual passo todos os dias, na qual se lê SENTIREMOS SAUDADES, J. Sammie ganhou um minuto de silêncio durante a primeira aula daquele ano e uma página inteira do anuário escolar dedicada à sua memória. Eles disseram o nome de Hailey na formatura.

Mas Ty teve seu armário esvaziado e as coisas foram devolvidas à minha mãe, antes mesmo de nós o enterrarmos.

Porque foi suicídio.

Porque eles não querem dar a impressão de que aceitam isso.

Ashley vê a expressão de Grayson e se vira para ver para onde ele está olhando. Ela me vê ali, parada. De repente, um monte de emoções passa por seu rosto: confusão, pena, vergonha por beijar Grayson e, sim, uma emoção com a qual estou quase familiarizada atualmente, aparecendo em seus olhos de azul profundo.

Culpa.

Reconheço a culpa.

Faço um giro rápido de 180°. Deixo minha bandeja na mesa e caminho tensa por Sadie e sua cara de dúvida, passo por meus outros amigos, que também estão olhando para mim, e saio do refeitório. Vou para o meu armário, coloco a carta em seu lugar, no caderno de cinco matérias na prateleira de cima e bato a porta.

Estou com raiva.

Penso no rosto de minha mãe quando ela pegou a caixa das mãos de Grayson depois que ele tocou a campainha, o sorriso que ela tentou abrir, para agradecer, antes de levá-la à mesa da cozinha, abri-la e começar a chorar de novo ao pegar o tênis de Ty e seu desodorante e o pequeno espelho magnético para o qual ele costumava sorrir todos os dias.

Imbecis. Todos eles. Imbecis.

E Ashley estava beijando Grayson. O amigo imbecil do meu irmão. O cara, se o nariz levemente torto for indício suficiente, que Ty socou no dia em que foi suspenso.

Por causa da Ashley. Ty bateu nele por causa da Ashley.

Tenho que considerar a possibilidade de Ashley Davenport, aquela garota totalmente adorável, o tipo certo de garota, a mais legal, ser a mais imbecil de todos eles.

"Ainda tem um fragmentador de papel no escritório do papai?", pergunto à minha mãe quando chego em casa.

Ela franze o rosto. "Sim. Por quê?"

"Recebi uma proposta de cartão de crédito pelo correio", explico tranquilamente. "Poderia jogá-la no lixo, mas então, me lembrei que você e o papai sempre picam esse tipo de coisa."

Está ficando mais fácil mentir para a minha mãe.

"Ah", diz ela. "Sim, parece uma boa ideia."

Ainda com a raiva que não consegui deixar na escola, atravesso o corredor até o antigo escritório do meu pai. A porta desse cômodo costuma ficar fechada, como se minha mãe não suportasse a ausência dele. Quando ele morava conosco, deixava a porta aberta, para que pudesse nos ver quando passávamos. "Oi, docinho", ele dizia quando me via. E eu ficava uns minutos na porta "batendo papo com meu velho", como ele dizia, contando a ele sobre meu dia na escola ou sobre o livro que estava lendo, ou sobre a raiz quadrada de algum número que eu havia memorizado.

Não paro para olhar ao redor quando entro no escritório. Vou direto à fragmentadora. Eu a aciono.

Pego a carta.

Quero destruí-la. Quero que essa porcaria toda termine, o negócio não resolvido de Ty, a presença dele, real ou não, existente nesta casa, o problema dele, *dele*, não meu. Quero ir para a faculdade e deixar essa parte da minha vida para trás. Começar de novo. Ser outra pessoa que não seja a-menina--cujo-irmão-morreu. Acho que mereço isso.

Não quero mais pensar em Ty.

Eu enfio o dedo numa beirada do envelope que está enrolada, e a cola ali está se soltando. Já mexi demais nesse envelope e o papel está meio amassado.

Seria muito fácil abri-lo e descobrir tudo.

Quero ver a explicação dele. Nas palavras dele, quero que ele me conte o porquê.

Sinto o cheiro da colônia do meu irmão.

"O que foi? Você quer que eu a entregue a ela?", pergunto.

Não recebo resposta.

Então, faço a pergunta que está na minha mente todo esse tempo. Apesar de ele provavelmente nem estar aqui.

"Por que ela? Por que Ashley? Por que você escreveria uma carta a ela, e não para mim? Você não tinha nada que valesse a pena dizer pra mim?"

Nenhuma resposta. Mas o silêncio parece uma resposta.

Engulo em seco.

Penso na mensagem de texto.

"Eu me recuso a me sentir culpada por algo que você fez", digo, mas não estou sendo sincera.

Eu me sinto culpada, sim.

Todos os dias.

Desligo a fragmentadora. "Vou para o MIT", sussurro para o escritório vazio.

Ele teria sentido orgulho de mim, se estivesse vivo. Teria entendido a importância disso.

CAPÍTULO 19

Sexta-feira. Já estou no limite quando chego na escola. Não queimei a carta, nem a fragmentei, nem a joguei fora, mas me senti tentada a fazer tudo isso para não ter que me envolver nesse lance de Ashley/Ty/Grayson. Ela está comigo, ainda no meio das folhas do meu caderno. Não posso deixá-la em casa porque outra pessoa — leia-se: minha mãe — vai encontrá-la. Não posso permitir que ninguém a encontre. Por enquanto, ela pertence a mim.

Estou com fome. Vou até a máquina de salgadinhos e pego uma nota amassada de um dólar. Não comi nada ainda (ou melhor, minha mãe não acordou para preparar o café da manhã, e eu não tive ânimo para colocar cereal na tigela). Insiro a nota. A máquina a devolve. Eu a insiro de novo. Ela a devolve.

É pior do que com meu carro. "Vamos", digo. "Eu preciso de sustento."

Não que haja alguma coisa boa na máquina para comer. Frutas secas. Barrinhas de cereal. Pretzels de massa integral. Salgadinhos orgânicos de algas marinhas sem glúten. Estamos em Nebraska, pelo amor de Deus, terra da carne, da batata, do milho, milho e milho como os cinco grupos alimentares básicos.

De repente, sou surpreendida pela lembrança de Ty de pé exatamente nesse ponto, batendo exatamente nessa máquina até que um saco de damasco seco apareceu na abertura. Ele o pegou. Fez cara feia.

"Não me importo com o que diz a primeira-dama", ele reclamou alto o suficiente para que as pessoas que estavam ao redor assentissem concordando. "Isto não é um doce. Preciso das minhas tranqueiras, cara. Como um rapaz em processo de crescimento pode sobreviver com todas essas coisas saudáveis? Certo?"

Ele está certo.

Sinto a garganta apertar. Sinto saudade sinto saudade sinto saudade. O buraco em meu peito explode. Não consigo respirar não consigo respirar. Pessoas estão atrás de mim, esperando para usar a máquina, então não tenho tempo para deixar o buraco passar sozinho. Eu dou um passo para o lado e forço minhas pernas a se mexerem, a descerem o corredor em direção ao banheiro, entro, praticamente corro até o último compartimento, sento em cima da tampa do vaso sanitário, abaixo a cabeça em direção aos joelhos, puxo o ar, puxo o ar e penso que talvez o remédio que Dave sugeriu não seja uma ideia tão ruim assim.

Está bem claro que não estou bem.

Quando o buraco se preenche de novo, estou dolorida, como se estivesse ficando doente ou algo assim. Dou descarga como se estivesse ali por um bom motivo. Saio, tiro os óculo e jogo um pouco de água no rosto. As garotas que estão do meu lado não dizem nada; só voltam a lavar as mãos meticulosamente.

Eu me inclino em direção ao espelho e examino meu reflexo com atenção. Vejo olheiras escuras, lábios rachados e sem cor. Afasto uma mecha de cabelos que cai sobre a minha testa, mas então, ela se gruda em um ponto diferente. As partes brancas dos meus olhos parecem mapas de estradas, avermelhadas e cheias de veias e as pálpebras estão inchadas, como se eu estivesse chorando, apesar de não ter chorado.

Estou um caco.

Essa coisa toda tem me prejudicado, penso. Sou uma tábua exposta à chuva, é impossível me desempenar. Agora sou assim, retorcida.

A garota cujo irmão morreu.

Mas há o fato divertido de eu estar enlouquecendo. Estou aqui na escola pirando por causa de uma carta idiota que meu irmão falecido escreveu para a ex — por quê, exatamente?

Porque uma parte de mim acha que Ty ainda está por aqui. Porque eu acho que o fato de aquela gaveta estar aberta naquela noite e de aquela carta estar naquela gaveta significa que ele quer que eu a entregue. Porque por mais que eu tente ser racional, uma parte de mim quer que eu acredite que estou vendo um maldito fantasma.

Isso, por algum motivo, me faz rir. O som é agudo e ecoa na parede de azulejos brancos do banheiro.

Hilário.

Uma das garotas ao meu lado dá o fora — simplesmente sai pela porta. Mas a outra garota espera até eu me recuperar. Ela me dá uma toalha de papel para que eu seque meu rosto. E quando volto a colocar os óculos, percebo que é Ashley Davenport.

Ótimo.

"Oi", diz ela. "Vi você entrar aqui e queria conversar com você, então..."

Então, ela testemunhou meu acesso. Ainda melhor.

Está usando um casaco de lã cor-de-rosa por cima de um top branco de lantejoulas, com um batom prateado brilhando em seus lábios de Cupido. Um colar envolve seu pescoço e ele tem um pingente em formato de coração que descansa exatamente na parte funda de sua garganta. Ela é linda. O que mais me chama atenção é que ela parece... *saudável,* é a palavra que me vem à mente. Não só com as pernas atléticas e os cabelos ruivos reluzentes, olhos claros e pele de porcelana. É mais do que isso. Ela tem todos os sinais de uma pessoa a quem a vida deixou quase totalmente inteira. Aposto que os pais dela ainda estão juntos, ainda andam de mãos dadas e se beijam. Aposto que ela ajuda em alguma instituição de caridade. Aposto que o máximo pelo que chorou na vida foi pelo cachorro que ela tinha desde criança, quando ele morreu por estar velhinho.

Ela não é uma imbecil, penso. É uma garota legal.

Mas isso não muda como me sinto.

"Não tenho nada a falar", digo. "Não com você."

Ela pousa a mão no meu braço. Delicada, mas insistentemente. "Espere. Sei que você viu a mim e ao Grayson no refeitório ontem. Você parece chateada, então pensei que pode ter pensado..."

"Que eu possa ter pensado o quê?", pergunto de modo desafiador. "Que você traiu meu irmão?"

Ela arregala os olhos. "Mas eu não traí o Ty. Nunca faria isso. Ele terminou comigo, não o contrário. Eu nunca teria traído o Ty. Eu..."

"Mas e a briga? Quando Ty bateu em Grayson? Por que ele faria isso?"

Ela abaixa a cabeça. "Eu fiquei... triste quando o Ty terminou comigo. Ele nem me disse o motivo. Só me procurou naquela manhã e disse que as coisas não estavam dando certo entre nós. Disse que sentia muito, e então, se afastou. Fiquei chocada. Pensei que éramos... chorei. Fiquei triste. As pessoas acharam que ele estava sendo babaca. E no dia seguinte, o Grayson disse algo grosseiro ao Ty sobre a situação, e..."

"O Ty bateu nele", completo.

Ela aperta meu braço. "Eu não era a fim do Grayson naquela época. Começamos a namorar há uma semana. Eu juro."

Não sei o que dizer.

Os lábios dela começam a tremer. Uma lágrima brilha no canto de seu olho.

Eu gostaria de conseguir chorar com tanto facilidade.

"Seu irmão era um cara incrível", ela continua. "Todo mundo gostava dele. As pessoas só ficaram bravas com ele por minha causa, mas elas teriam superado... não sei por que ele..." Ela para, claro que para, mas então, olha para mim como se eu fosse contar a ela por que Ty fez o que fez, por que alguém como meu irmão, de quem todo mundo gostava, que era bonito, engraçado e popular, achava que sua vida era tão terrível a ponto de decidir acabar com ela.

Porque sou a irmã dele. Eu deveria saber o motivo.

"Eu deveria ter notado que ele estava... eu não sabia..." Ela solta meu braço e contrai os lábios, como se estivesse prestes a chorar de verdade. "Sinto muito, muito mesmo, Lex."

"Preciso ir." Eu me afasto de Ashley, e então saio do banheiro e entro no corredor barulhento e cheio. Caminho no piloto automático de volta ao meu armário. Eu me recosto nele, observando todo mundo passar, prontos para ir para a aula, prontos para começar o dia.

Inclino a cabeça até ela tocar o metal frio do armário, e fecho os olhos.

Ela não terminou com ele. Ela não o traiu.

Não é culpa dela.

Ela nem sabe por que ele terminou com ela. E isso torna Ty um imbecil nessa situação.

Meus olhos se abrem. Abro o zíper da mochila, pego o caderno de cinco matérias, e retiro a carta dali. Não me dou tempo de pensar no que estou fazendo. Não planejo nada.

Simplesmente vou até a sala 121B.

Espero do lado de fora enquanto os alunos entram.

"Oi, Lex", diz Damian, aproximando-se de mim. Ele balança levemente a cabeça para afastar os cabelos dos olhos. Sorri. Enrola. "Bom ver você por aqui."

"É."

"Você terminou de ler *Coração das Trevas*?"

Eu meneio a cabeça distraidamente. "Ah, o horror."

Ele ri. "O horror. O que você está fazendo aqui? Não que eu esteja reclamando. Mas não está um pouco velha para esta aula?"

"Uma tarefa", digo. "Estou cumprindo uma tarefa. Olha, é bom ver você, Damian, mas acho que..." Faço um gesto em direção à sala de aula. "Não quero fazer com que se atrase."

"Bom ver você também", diz ele, sorrindo seu sorriso que parece doloroso de novo, e então, vai se sentar.

Ashley aparece quando o sinal toca. Dessa vez, ela não se assusta quando me vê. Só diminui o passo, repentinamente sem saber como agir. E então, ela para.

"Oi", diz.

"Oi", respondo. "Desculpa por ter saído daquele jeito. Eu fico emocionada com... tudo."

Ela morde o lábio. Por algum motivo, parece assustada. Talvez possa sentir o que está vindo.

"Eu estava errada antes", digo depressa, e antes que perca a coragem, puxo a carta de dentro do bolso do meu casaco e a estendo a ela. Ela treme entre nós. "Isto é para você. Do Ty."

Se é possível que o rosto dela fique ainda mais branco, ele fica. Até mesmo os lábios dela ficam sem cor. Ela não pega a carta.

"Pegue", digo, indicando a carta. "Ele quer... ele queria que você a lesse."

Ela a pega.

Eu me sinto mais leve assim que o envelope sai da minha mão.

Ashley olha para ele, observando os garranchos de Ty formando o nome dela.

"Eu não li", sinto que devo dizer a ela. "Não sei o que está escrito, mas é para você."

Não consigo pensar em mais nada a dizer, e nós duas estamos atrasadas para a aula, então sussurro: "Sinto muito", apesar de não saber pelo que estou pedindo desculpa, por Ty ou por mim, e então, me afasto.

Espero que seja a coisa certa a se fazer. Parece ser a coisa certa. Provavelmente. Talvez.

Mas pelo menos, agora acabou. Está feito.

9 DE MARÇO

Meus pais costumavam me contar uma história, várias vezes, ano após ano, a respeito da primeira vez em que vi Ty.

De acordo com a lenda familiar, eu estava brincando no parquinho perto de casa quando aconteceu. Eu estava no balanço, sendo empurrada pela minha avó, que estava cuidando de mim enquanto minha mãe estava no hospital. Quando meus pais apareceram, caminhando lentamente pelo gramado em nossa direção. A vovó me tirou do balanço, me colocou no chão, me empurrou levemente e disse "Vá conhecer seu irmão".

Corri até meus pais.

Eles tinham me preparado para aquilo, claro, passaram meses falando sobre um novo bebê e que eu seria uma boa irmã mais velha, e eu tocava a barriga de minha mãe, cantava para ela, e eles liam livros dizendo que precisamos fazer silêncio quando o bebê está dormindo e que temos que nos sentar para segurar o bebê e nunca enfiar o dedo no olho dele. Eles me mostraram o quarto recém-pintado do bebê e me passaram para uma "cama de menina grande", para que ele pudesse ficar com meu berço. Até compraram para mim uma camiseta com as palavras IRMÃ MAIS VELHA com letras prateadas brilhantes na frente. Eu a estava usando naquele dia. Assim eles disseram.

Foi emocionante. Emocionante demais, provavelmente.

Quando os alcancei, meu pai se ajoelhou e mostrou o montinho envolto num cobertor azul em seus braços: uma pessoinha esquisita com um rosto arredondado e arroxeado, pálpebras tão inchadas que era difícil saber qual era a cor dos olhos, e uma cabeça com apenas alguns fios de cabelo castanho.

Ele não era o bebê mais lindo, meu irmão.

Eu olhei para ele.

Ele olhou para mim.

Então, ele ficou vesgo.

"Ele não é bonito", foi o que eu disse, e essa frase ficou famosa, eu estava bem desapontada. "Pensei que seria bonito."

Parece que eu sempre fui sincera demais.

Mas então, pousei a mão no topo de sua cabeça quase careca. "Oi, irmão", falei, para me apresentar.

"Tyler", minha mãe disse. "O nome dele é Tyler."

"Ty", confirmei. "Posso segurá-lo?"

Eu me sentei com as pernas cruzadas bem ali na grama, e meu pai colocou o Ty cuidadosamente em meu colo. Olhei para a minha mãe e sorri.

"Ele é meu", anunciei. "Meu bebê. Meu."

Sim, assim é a história. Dois minutos depois de conhecer meu irmão, anunciei que ele era minha propriedade. Ele podia não ser bonito, mas era meu irmão. Meu.

Sei que quase todo mundo tem uma história assim. Não é única. Eu li em algum lugar que aproximadamente 80% dos norte-americanos têm pelo menos um irmão ou uma irmã. Há uma fórmula previsível nessas histórias: o irmão mais velho conhece o mais novo. O mais velho diz algo bonitinho (ou grosseiro, ou engraçado, mas sempre bonitinho), e todo mundo ri, e o irmão mais velho acaba se acostumando com a ideia de que ele não é mais o centro do mundo.

Há um motivo pelo qual contamos essas histórias sem parar — porque elas nos definem.

A primeira vez em que me tornei uma irmã.

A primeira vez em que ficamos juntos como uma família.

Agora, eu tento me lembrar daquele dia além da história que me contam. Tento sentir o vento em meu rosto enquanto corro pelo parquinho. Meu coração acelerado. Meu pai sorrindo ao se abaixar. O calor da cabeça de Ty sob meus dedos. O cheiro de talco de bebê e de rosas do jardim. A grama pinicando meus joelhos.

Mas não sei se essas coisas são reais ou se são só um monte de detalhes que imagino para preencher os espaços do conto de fadas de meus pais, que eles já contaram tantas vezes que começou a parecer uma lembrança. Eu tinha 2 anos quando o Ty nasceu.

Mas de uma coisa eu me lembro:

Ele chorou. Acho que ele chorava todas as noites, de verdade, mas eu me recordo de uma noite em especial. Acordei com ele chorando, um choro agudo que tomou a casa. Saí da cama e andei de meias até o quarto dele, subi nas grades do berço e me deitei ao lado dele.

Ele parou de chorar para olhar para mim.

Puxei o cobertor dele para cobrir seu corpo de novo. Ele o afastou com os pés. Estava frio.

"Não se preocupe", falei. "Vou cuidar de você."

Ficamos desse jeito não sei por quanto tempo, olhando um para o outro.

Então, meu pai chegou, sorrindo para nós dois, com a mão em minha cabeça, e disse: "Ah, veja vocês dois, quietinhos e confortáveis. Você o acalmou direitinho. Muito bem, docinho. Muito bem."

E eu me lembro de ter sentido orgulho. Eu tinha corrigido as coisas que estavam erradas.

CAPÍTULO 20

Na segunda-feira, Sadie aparece na minha casa antes da aula. Exatamente como quando tínhamos oito anos, quando ela me esperava nos degraus e batia na porta de vidro de correr, dizendo *A Lexie pode brincar?* Até minha mãe ouvi-la e deixá-la entrar.

"Lex!" Minha mãe me chama pelo corredor. "Você tem visita."

Saio correndo.

"Pensa rápido." Sadie joga um doce pra mim, de cereja, o meu preferido — ela ainda se lembra do meu preferido. "O café da manhã está servido", diz ela.

Olho para a minha mãe para ver se ela está ofendida com a ideia de que Sadie aparentemente acha que ela precisa me alimentar, mas minha mãe está encostada na porta da cozinha com um sorriso de nostalgia.

"Pensei que podíamos esperar juntas pelo ônibus", diz Sadie com animação, apesar de eu saber que ela não costuma pegar o ônibus. "Duas bundas congeladas são melhores do que uma, é o que sempre digo."

"Verdade", digo.

Minha mãe ri daquele jeito silencioso que ela tem agora de só soprar o ar pelo nariz.

"É bom vê-la de novo, Sadie. Como você está?"

"Estou ótima, obrigada", responde Sadie. "O que você tem feito?"

É uma pergunta esquisita atualmente, mas melhor do que "Como vai?", que nunca conseguimos responder com sinceridade, e Sadie pergunta de um modo totalmente casual. Minha mãe não deixa de sorrir.

"A Lex entrou no MIT, ela contou para você?"

Sadie olha para mim. Sem expressão.

"Massachusetts Institute of Technology", explico, com o rosto corado.

Minha mãe completa: "É a melhor universidade de matemática do país".

Sadie assobia baixinho. "Parabéns, Lex. Uau."

Encaro meus tênis. "Obrigada."

"Ela vai fazer coisas incríveis", diz minha mãe.

Sadie concorda. "Sem dúvida."

Isso está passando dos limites. "Vamos." Pego minha mochila com uma mão e seguro meu doce com a outra, e sigo em direção à porta. "Precisamos ir se não quisermos perder o ônibus."

"Tenham um bom dia na escola", diz minha mãe quando Sadie me segue.

Como se tivéssemos oito anos de novo.

"Sua mãe não mudou muito", Sadie comenta enquanto estamos no ponto de ônibus.

É engraçado ela dizer isso.

Minha mãe mudou muito desde que Sadie e eu éramos melhores amigas.

Eu mudei muito.

Porém, de vez em quando, é como se tivéssemos permissão para agir como antes. Um retorno. Ainda que apenas por um momento.

"Dei a carta a Ashley", confesso a Sadie quando estamos sentadas no banco da frente do ônibus, com o aquecedor ligado soprando ar quente em nossos joelhos.

"Nossa!", diz Sadie. "O que fez você decidir fazer isso, finalmente? Da última vez em que..."

"Conversei com ela", digo antes de ela contar a sua própria versão da cena Ashley beijando Grayson. "Ashley me contou o lado dela. Ty terminou o namoro, não o contrário. Parece que ele nem sequer deu motivo. Então, acho que a carta pode dar uma explicação."

"Você ainda não a leu."

Balanço a cabeça, negando.

"Caramba", diz Sadie. "Você tem um autocontrole de ferro."

Ficamos em silêncio por um tempo. Sadie pluga os fones de ouvido em seu telefone e eu faço a mesma coisa com o meu. A música escolhida por ela é rap, pelo que dá para perceber. A minha é Rachmaninoff. Atravessamos os campos de milho sem fim. Então, Sadie tira um dos fones e se vira para mim.

"Então, Massachusetts", diz ela. "É bem longe."

"É, sim."

"Mas é uma boa notícia, né?"

"Sim. Mas vai ser difícil deixar a minha mãe."

"Ela não vai com você?"

Olho para ela contrariada. "Ninguém leva os pais para a faculdade, Sadie. Seria esquisito."

Ela abre um sorrisinho. "Cuido dela, se você quiser."

"O que você vai fazer depois da formatura?"

Ela dá de ombros. "Arrumar um emprego."

"Não vai fazer faculdade?"

"Estudar não é bem a minha praia." Ela faz uma careta como se a ideia de ir para a faculdade fosse dolorosa fisicamente.

"Mas você é inteligente, Sadie", digo.

Ela parece chocada.

"É, sim", insisto. "Você deveria fazer faculdade."

Ela se recosta, surpresa e animada, e olha pela janela por um tempo.

"Não sou tão inteligente quanto você", diz ela.

"Bom, ninguém é tão inteligente quanto eu", digo, levantando as mãos. "Óbvio."

Ela sorri. "Certo. Você é inteligente nível MIT."

"Sou nível MIT", concordo, e é legal que mais alguém saiba.

Voltamos a ouvir música por um tempo. Sadie balança a cabeça. Fecho os olhos e tento me envolver no "Concerto para Piano nº 2".

Sadie dá um tapinha em meu braço. Tiro o fone de ouvido.

"Você foi corajosa por dar a carta a Ashley." Os olhos azuis delineados dela, tão próximos dos meus, são sinceros, me admiram. "Você teve que ser corajosa pra fazer isso."

"Demorou uma vida até eu conseguir fazer alguma coisa com ela", digo.

"Sim, mas você fez alguma coisa."

Verdade.

"E agora, Ty pode seguir em frente", diz ela, falando mais baixo ao dizer o nome dele para que as pessoas não ouçam. "Ele pode ficar em paz agora."

Não sei se devo acreditar nela. Mas espero que ela esteja certa.

"É", respondo. "Talvez agora as coisas comecem a voltar ao normal."

Quando chegamos à escola, dá para perceber imediatamente que tem alguma coisa errada. Está silenciosa demais. Há grupos de alunos reunidos, sussurrando, os meninos com a cabeça baixa, as meninas parecendo chorosas. Até os professores estão tristonhos ao caminharem para a sala de aula.

Alguma coisa aconteceu.

Não gosto do modo com que as pessoas estão olhando para mim. Há uma nova consciência no olhar delas, que me arde antes de elas se virarem e continuarem com as conversas sussurradas. Alguma coisa aconteceu e essa coisa está relacionada a mim, de alguma maneira.

Meu cérebro volta para a carta que dei a Ashley. Deve ter alguma coisa nela que tem a ver comigo, e Ashley deve estar contando às pessoas.

Eu sabia que deveria ter lido a porcaria da carta. Por que não li a porcaria da carta?

Vejo Damian de pé ao lado da porta do orientador. Ele está chorando. Ele me vê e começa a chorar mais ainda.

Meu coração está congelado quando me aproximo dele.

"Oi", digo com nervosismo. "Você está bem? O que está acontecendo?"

"Patrick Murphy morreu", diz ele. "Ele era do segundo ano. Era meu amigo. Ele..."

Sei quem é Patrick Murphy. Um dos três amigos.

"Como?", pergunto, mas uma parte de mim já sabe a resposta.

"Ele se matou." Ele seca uma lágrima grande que escorre por seu queixo e lança a mim um olhar de puro desespero. "Na linha do trem, há cerca de uma hora."

Minha vista escurece. Eu me recosto na parede e espero a cor voltar. Quando volta, estou tão brava que minhas mãos tremem. Sei que não é apropriado e sei que é totalmente egoísta, mas nesse momento, fico furiosa com Patrick. Não por fazer algo tão idiota como morrer. Não é isso. Mas porque sei como minha mãe vai ficar quando souber. Estou irada porque, cinco minutos antes, eu finalmente senti que pisava no chão de novo pela primeira vez desde a morte de Ty.

E agora, isso.

Damian volta a chorar muito, sem se importar se tem alguém vendo, e seus ombros magros se sacodem com os soluços.

Eu penso, se eu colocar minha mão no ombro dele, ele vai se sentir melhor ou pior?

Penso, se eu colocar minha mão no ombro dele, eu vou conseguir me segurar?

Eu acho que não.

"Sinto muito", digo. Não sei se ele me ouve.

Então, me afasto.

Há muitas pessoas chorando. Eu ando entre elas como um zumbi. Penso que preciso continuar andando. Tenho uma prova importante de alemão mais tarde. Preciso manter as notas boas para o MIT. Preciso passar com notas excelentes. Preciso continuar.

Mas o chão está me faltando sob os pés.

Algo ressoa na minha mente. Odeio tudo, neste momento. Odeio o mundo. Odeio a vida.

Ty.

E agora, Patrick.

Outro garoto morto.

CAPÍTULO 21

De algum modo, nem sei exatamente como, eu consigo passar pelo resto do dia. Volto para casa. Caminho até a porta em silêncio e entro em casa. Tiro os sapatos, o casaco, e deixo a mochila perto da porta. Atravesso o corredor até o quarto de minha mãe e entro no banheiro dela. Abro o armário e pego o frasco de Valium.

Se estivéssemos em *Admirável Mundo Novo*, eu tomaria o estúpido soma.

Fico me perguntando se minha mãe já sabe. Meu coração fica apertado. Por um minuto, sou tomada por um desejo infantil de ser abraçada por ela, de tê-la acariciando meus cabelos e dizendo que tudo vai ficar bem. Estou triste e quero que minha mãe me console. É o que as mães fazem. Mas com essa notícia sobre Patrick, suspeito que será o contrário.

Ela vai precisar de mim.

Eu preciso me segurar.

"Devemos aprender a lidar com os fatos", sussurro. Olho para o comprimido colorido na minha mão por um minuto, e então, eu o coloco na boca, inclino-me sobre a pia e o engulo com água.

Vou para o meu quarto e me deito na cama.

0.
1.
1.
2.
3.
5.
8.
13.
21.
34.
55.
89.
144.
233.
377.
610.
987.
1.597.
2.584.
4.181.
6.765.
10.946.
17.711.
28.657.
46.368.
75.025.
121.393.
196.418.
317.811.
514.229.
832.040.
1.346.269.
2.178.309.
3.524.578.
5.702.887.
9.227.465.
14.930.352.
24.157.817.
39.088.169.

Minha cabeça fica anuviada. Imagino o Valium cumprindo seu papel dentro de mim, ligando-se aos receptores do cérebro. Consigo me sentir escorregando, escorregando, para um espaço cinzento. Ao sono.

Não sonho com nada.

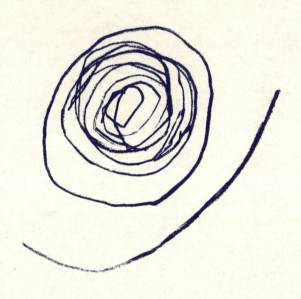

11 DE MARÇO

Esta é minha última lembrança de Patrick Murphy: o dia em que peguei Ty e seus amigos fumando no quintal da nossa casa.

Eles tinham 12 anos.

Ah, sim. Entraram feio pelo cano.

Construir coisas era um dos passatempos temporários do meu pai quando eu tinha uns 9 anos. Começou quando ele decidiu fazer uma casinha para a nossa cadela, Sunny. Foram duas semanas de construção cuidadosa, pregando e colocando um telhado de verdade em cima, para proteger Sunny do mau tempo. Ele até a pintou para combinar com a nossa casa: verde, com bordas brancas.

Sunny detestou. Preferia muito mais o sofá da sala de estar.

Não importava. Meu pai ficou tão feliz com o resultado da casa de cachorro que decidiu tentar algo maior. Uma casinha para nós brincarmos. Ele foi à Toys "R" Us para estudar casas de brinquedo de mil dólares que estavam à venda, e voltou para casa prometendo a Ty e a mim que construiria a melhor casinha deste lado do Mississippi — não as monstruosidades de plástico que só duravam um ou dois verões, segundo ele. Algo sólido.

Algo que duraria.

Ele recrutou a ajuda da tia Jessica, que é arquiteta no Missouri. Ela fez a planta de uma casa de brinquedo de 46 metros quadrados e de um andar e meio, que era, basicamente, um quartinho quadrado com uma escada e um loft.

Meu pai comprou os materiais. Ele usou dormentes de estradas de ferro para fazer a estrutura, para o caso de nos mudarmos e querermos levar a casa de brinquedo, segundo ele. Cavou um conduto de 9 metros entre a casa e o canto mais distante do quintal, para que pudesse puxar eletricidade para a nossa casa de brinquedo. Para que pudéssemos ter iluminação.

Foi uma coisa bem elaborada.

Meu pai construiu a estrutura primeiro, depois o telhado. Colocou isolamento de verdade nas paredes para mantê-la quente no inverno e fresca no verão. Tyler e eu escrevemos nosso nome na parte interna de uma das paredes antes de meu pai selá-la com drywall e pintá-la. Instalou janelas de vidro que realmente abriam e fechavam, com telas para manter os insetos do lado de fora, e uma porta de entrada de tamanho real com uma janelinha nela. Então, colocou uma camada de linóleo xadrez em preto e branco no andar principal, e um carpete verde no piso de cima. Por fora, ele fez uma pintura para combinar com nossa casa e com a de Sunny também. Verde com bordas brancas. Com uma pequena varanda com luz e tudo.

Minha mãe costurou cortinas para as janelas. Ela comprou um conjunto de cozinha grande em uma venda de garagem em Lincoln: uma geladeira, um fogão e uma pia de brinquedo, com espaço para eu colocar minha comida feita de massinha de modelar, meus pratos e copos de plástico, e meu conjunto de chá. Até comprou mesa e cadeira de madeira para crianças.

De repente, todas as crianças do bairro queriam ir à nossa casa brincar.

Sadie e eu praticamente moramos na casinha dos 9 aos 12 anos, e nossos sacos de dormir ficavam prontos para serem desenrolados no loft. O carpete verde se tornou grama para nossos pequenos pôneis e gramado para a Barbie, e as paredes azul-claro eram o céu, e colamos estrelas que brilhavam no escuro no teto inclinado.

Era nosso mundo particular.

Sinto que devo confessar, com culpa, que não era o mundo particular de Ty, e só passou a ser quando Sadie e eu perdemos interesse, o que demorou alguns anos. Então, depois que brincar de casinha, de Barbie e de ser adulto perdeu a graça, a casinha passou a ser de Ty.

Então, veio a época de Patrick. Minha mãe me mandou até a casa para chamar Ty, Damian e Patrick para jantar.

Eu percebi que alguma coisa estava acontecendo assim que entrei pela porta e ouvi o barulho no piso de cima.

Senti cheiro de cigarro na hora. Eles nem tinham aberto a janela.

"Ei, meninos", falei com alegria. "O que estão fazendo?"

Subi metade da escada e espiei. Os garotos olharam para mim com olhos arregalados e inocentes.

"Nada", disse Ty. Ele indicou a velha caixa acústica do meu pai, de onde se ouvia "Stairway to Heaven". "Estamos só conversando."

Olhei para Damian e para Patrick. Damian estava como está hoje em dia: magro e de aparência frágil, com as roupas largas e coloridas, os olhos cinzentos em alerta como se alguém pudesse atacá-lo a qualquer momento. Patrick era um daqueles meninos com cabelo ruivo e pele muito pálida, cheia de pequenas sardas. O rosto dele estava bem vermelho.

"Você está bem, Patrick?", perguntei.

Ele começou a tossir. Assim que ele abriu a boca, um monte de fumaça de cigarro saiu. Ele tossiu sem parar.

Olhei para baixo por um minuto. "Humm", disse. Soltei um suspiro. "Certo, meninos, podem entregar."

O rosto de Ty estava meio esverdeado. Ele começou a dizer: "Entregar o quê?". Mas lancei a ele um olhar indicando que ele não deveria brincar comigo. Ty tirou as mãos de trás das costas e mostrou os cigarros apagados às pressas. Eles os tinham colocado dentro de um potinho de meu jogo de chá de porcelana, os bonitinhos.

Pelo menos, não é maconha, pensei. Olhei para o recipiente e revirei os olhos. "Onde está o resto?"

"Que resto?", perguntou Damian.

"O maço. Cadê?"

Eles se entreolharam e então, decidiram que não haveria como passar por mim. Ty abriu o Castelo dos Sonhos do Meu Pequeno Pônei, onde havia enfiado o pacote de Virginia Slims.

Controlei uma risada. "Onde conseguiram isso?"

Silêncio.

"Vão falando ou vou contar aos adultos."

"Peguei da bolsa da minha mãe", confessou Damian.

Esfreguei meus olhos. Suspirei de novo.

"Vocês, hein? Nossa!"

"Por favor, não conte", Patrick pediu, quase chorando. "Meu pai ficaria muito bravo."

"Você sabe por que ele ficaria bravo?", perguntei. "Porque só idiotas fumam cigarro." Olhei para Damian. "Desculpa, Damian, mas sua mãe é uma idiota."

Ele não discutiu.

Segurei o maço de cigarros. "Isto mata as pessoas. Lentamente, então você não percebe, mas mata. Também deixa o hálito fedido e os dentes amarelos, estraga sua voz e mancha os dedos, esvazia a carteira e causa mais umas cem coisas horrorosas."

"Estamos só experimentando", disse Ty. "Não vamos começar a fumar nem nada."

"As meninas na escola acham legal", disse Patrick, na defensiva.

"Certo. As meninas do ensino fundamental. Cujo centro do universo no momento é a porcaria das pulseiras de plástico. Vou dizer uma coisa. Eu nunca, de jeito nenhum, beijaria um cara que fuma. Credo." Não que eu beijaria qualquer cara que fosse, pensei. Isso foi apenas alguns meses antes do caso infame com Nathan Thaddeus Dillinger II.

Damian e Patrick pareciam estar pensando.

"Você vai contar para a mãe?", perguntou Ty.

Pensei no assunto por 2 segundos. "Não, mas só se vocês prometerem que nunca farão algo tão idiota assim de novo."

"Prometemos", disseram eles, imediatamente.

Fiz com que jurassem com o dedinho. O juramento mais sério.

"Lexie?" Minha mãe gritou da varanda dos fundos. "Meninos?"

Eu me virei para os 3 amigos. "Olha, vocês vão entrar em casa e dizer que mandei vocês lavarem suas mãos nojentas. E vão lavá-las. Depois, precisamos cuidar do hálito de vocês."

"Podemos usar o enxaguante bucal do pai", sugeriu Ty.

"Óbvio demais. Vou pegar uma caixa de Tic Tacs enquanto estiverem lá. Vocês vão jantar, e então, Damian, você vai para casa e vai contar a sua mãe que você roubou os cigarros dela, e vai devolvê-los."

Damian ficou pálido. "O quê?"

"Vai dizer a ela que roubou os cigarros porque cigarros matam e você não quer que ela morra. Ela vai perdoar você se disser isso. Entendeu? Entenderam o plano?"

Os 3 assentiram.

Desci a escada e saí da casinha.

"Você tem a melhor irmã do mundo", ouvi Patrick dizer enquanto atravessávamos o quintal.

"Ela é legal."

E essa é a última coisa de que me lembro sobre Patrick. Ele dizendo que eu era a melhor irmã.

Querendo ter uma irmã como eu.

CAPÍTULO 22

Minha mãe está fazendo sua receita favorita com vagens.

As mãos dela tremem um pouco enquanto ela corta a vagem com uma faca afiada, mas mantém os dedos a salvo. Junta tudo e as coloca em uma panela de água fervente. Espera até que elas fiquem macias mas ainda levemente crocantes. Ela escorre a água na pia da cozinha. O vapor embaça seus óculos. Então, ela deixa o escorredor com a vagem quente na pia para abrir uma lata de creme de cogumelos. Ela mistura o conteúdo da lata com uma xícara de leite, um quarto de xícara de cebolas fritas, uma pitada de sal, um pouquinho de pimenta e uma colher de sopa de manteiga derretida. Ela despeja a mistura em uma travessa. Acrescenta as vagens, mexe tudo delicadamente, e cobre o prato com papel-alumínio. Ela coloca o prato no forno. Aciona o timer.

Esperamos.

Do lado de fora, um único chapim está pousado em um galho perto da janela da cozinha, piando. As nuvens se movem pelo céu. A neve está caindo em câmera lenta.

O timer toca. Minha mãe põe as luvas, abre o forno, pega a travessa e a coloca em cima de um pano no balcão. Finalmente, ela cobre tudo com uma camada de cebolas fritas.

Isso me faz lembrar do Natal. Minha mãe costumava preparar essa receita, a caçarola de vagem, no Natal. Ela nunca foi chef nem nada, mas a caçarola era boa. Eu a observava, dessa maneira, enquanto ela o preparava.

Nessa parte, eu esticava o braço e roubava umas cebolas.

Se ela me flagrasse, tentava acertar minha mão com a colher de pau. Então, ela pegava um punhado de cebolas para si, e sorria, e eu sorria, e nós as comíamos como se fosse um segredo maravilhoso entre nós. Eram salgadas e deixavam uma camada de oleosidade na minha língua, e eu as adorava.

Não teve caçarola de vagem neste Natal. Por motivos óbvios. Comemos torta de tristeza no Natal.

Minha mãe termina de arrumar a cobertura de cebolas e volta com a travessa para o forno, sem o papel-alumínio dessa vez. Volta a programar o timer.

Esperamos.

O timer toca de novo. Minha mãe pega as luvas e tira a caçarola. As cebolas de cima ficam tostadas e ganham um tom dourado adorável. O ar está com um cheiro delicioso. Ela coloca o prato no balcão para esfriar.

À pia, minha mãe esfrega as mãos de um modo que me lembra um cirurgião se preparando. Ela as seca, tira o avental e revela o vestido simples e preto por baixo. Alisa o tecido nas laterais do corpo e caminha com os pés descalços de unhas não pintadas para buscar seus sapatos, um par de sapatos pretos comuns. Apoia-se graciosamente na mesa para calçá-los, um de cada vez. Então, vai até o balcão e pega mais uma folha de papel-alumínio para a caçarola. Pega uma caneta preta de uma gaveta e escreve *De Joan e Alexis Riggs*. Ela o prende sobre a caçarola. Coloca o prato em uma bolsa térmica que manterá a comida aquecida.

Então, ela pega a bolsa e confere seu conteúdo: batom, pó, um cartão para os Murphy, que ela me fez assinar mais cedo.

Está escrito *Nossos pêsames por sua perda.*

Nós nos tornamos as observadoras da tragédia.

Minha mãe olha para o relógio. Pega a chave do carro. E então, olha para mim.

"Você está pronta?", pergunta ela.

Confirmo com um aceno de cabeça.

Ela dá uma ajeitadinha nos ombros da minha blusa de lã preta.

"Certo", diz ela, a voz calma como se estivéssemos indo ao dentista. "Vamos."

Nós nos encaminhamos para a Catedral do Cristo Ressuscitado para o enterro de Patrick, uma igreja diferente daquela em que Ty foi velado. Praticamente a escola toda está presente, até os professores, o diretor e os funcionários. Minha mãe e eu nos sentamos no fundo do templo, e tentamos ignorar os olhares que nos lançam, que nos parecem ser de duas maneiras: (a) as pessoas sabem que esse funeral vai ser bem difícil para nós, e estão com pena, mas precisam se concentrar nos Murphy agora, por favor, entendam. Entendemos. E (b) não deveríamos estar aqui. Nosso filho infectou esse menino com a doença do suicídio. Deveríamos sentir vergonha disso. E meio que sentimos, sim.

Talvez elas estejam certas. Talvez não devêssemos ter vindo, mas a minha mãe quer participar, ainda que apenas dê apoio silencioso, ainda que só para mostrar aos Murphy que é possível sobreviver.

Então, nos sentamos no fundo.

Não podemos ver, dessa vez. Caixão fechado. Porque foi uma morte causada por um trem.

O caixão de Patrick é branco e lustroso, com detalhes dourados, como o capô de um carro caro. Sobre ele, há um monte de rosas vermelhas cujo cheiro sinto de onde estou. Uma rosa sozinha tem um cheiro bom, mas vinte e quatro delas enchem o ambiente com uma doçura que chega a nos sufocar e encobre qualquer outra coisa. O odor faz meu estômago revirar.

Ainda assim, há cheiros piores do que o de rosas.

Próximo ao caixão, o pai de Patrick está de pé ao lado de uma fotografia enorme e emoldurada de uma versão mais jovem e feliz de Patrick. O pai dele cumprimenta as pessoas que formam fila para deixar seus pêsames, como se fosse uma cerimônia de casamento ao contrário. Com os homens, ele troca um aperto de mãos, mas não há movimento nas mãos. Os homens apenas seguram a mão dele por alguns segundos, e a soltam. As mulheres dão abraços desajeitados e chorosos.

Não consigo ouvir o que eles estão dizendo, mas sei que são variações de "Meus pêsames", "Patrick era uma boa pessoa/garoto/aluno/ser humano/membro da equipe de natação" e "Ligue se precisar de alguma coisa", e o pai de Patrick está dizendo: "Obrigado" e "Eu sei" e "Sim".

Ainda que ele queira dizer não.

A mãe de Patrick morreu quando ele era criança. Acidente de carro. Então, eles já passaram por isso. Patrick tem uma irmã mais nova, mas ela não está ao lado do pai. Eu a localizo, já sentada no banco da frente. Está com a cabeça abaixada, e eu tento imaginar se ela está lendo o programa, rezando ou olhando para os próprios pés.

Eu olhei para os meus pés quando estava sentada no banco da frente da igreja.

O músico começa a tocar o órgão. As pessoas ocupam os bancos e ficam de pé, cantando.

Minha mãe me dá o programa. Na parte da frente, há uma foto menor em preto e branco de Patrick, sorrindo seu sorriso desajeitado, e uns versículos da Bíblia, Romanos 8,38-39: *Pois estou convencido de que nem a morte, nem a vida, nem os anjos, nem os principados, nem o presente, nem o futuro, nem as potestades, nem as alturas, nem os abismos, nem outra qualquer criatura, poderá nos apartar do amor que Deus nos testemunha em Cristo Jesus, nosso Senhor.*

Para Ty, foi a mesma escritura. Deve ser a passagem da Bíblia para o suicídio.

A música termina. O pai de Patrick se une à irmã no banco da frente. O padre de roupa preta sobe os degraus até o altar.

"Boa tarde", diz ele. "Estamos reunidos aqui hoje para celebrar a vida e para lamentar o falecimento de Patrick Michael Murphy."

Não me lembro muito do funeral de Ty. O que me chamou a atenção na cerimônia foi que parecia um tipo de julgamento. Ele havia cometido um crime — assassinato premeditado, para ser exata —, e estávamos todos reunidos ali, seus amigos e familiares, professores e colegas, como testemunhas para falar de seu bom caráter.

Todo mundo que se levantava para discursar dizia algo parecido com:

Ty era gentil — nunca o vimos dizendo nada cruel para ninguém.

Ele estudava com afinco, apesar de não ser o melhor aluno.

Ele tinha uns movimentos legais no basquete, apesar de não ser muito alto.

Dançava bem.

Era sensível. Sentia as coisas profundamente. "Talvez, profundamente demais", disse o pastor, como se isso explicasse tudo.

Ty era bom. Ou seja: ele não merecia ser punido por seu crime. Não estava em seu juízo perfeito. Não estava pensando com clareza. Não queria fazer o que fez.

Por favor, Deus, por favor, tenha piedade da alma dele.

E Deus respondeu: *nem a morte, nem a vida, nem os anjos, nem os principados, nem o presente, nem o futuro, nem as potestades, nem as alturas, nem os abismos, nem outra qualquer criatura, poderá nos apartar do amor que Deus nos testemunha em Cristo Jesus, nosso Senhor.*

Então, todo mundo pôde se sentir melhor em relação àquilo.

Quando chegou a vez de minha mãe, ela disse que se sentia grata pelos dezesseis anos que pôde passar com Ty, anos maravilhosos, disse ela. Agradeceu às pessoas: à professora de piano, ao líder dos escoteiros, ao técnico de basquete, à professora de francês preferida dele etc., por terem tornado aqueles anos tão maravilhosos. A voz dela ficou embargada, mas não chorou.

Eu estava pensando que eles se esqueceram de dizer que Ty era engraçado. Eu estava me lembrando de dois anos antes, na época do Natal. Eu o provoquei, dizendo que Papai Noel traria para ele uma meia cheia de carvão. Falei que ainda não tinha decidido se compraria um presente para ele.

Claro que eu não estava falando sério. Ele sabia que eu não estava falando sério.

Mas então, ele disse, e nunca me esquecerei: "Bom, eu vou te dar um presente".

"Vai?"

"Sim. Assim que conseguir ensinar o cachorro a fazer cocô dentro de uma caixa."

Ele era engraçado. Minha mãe estava falando que ele era muito generoso, e eu estava no banco da frente olhando para meus pés, tentando não rir de uma piada que ele havia feito dois anos antes e tentando não chorar pelo fato de que nunca mais ouviria outra piada dele.

Meu pai não falou no velório de Ty. Ele estava sentado duas fileiras atrás de nós, com Megan. Fora do nosso caminho.

Eu também não falei. Minha mãe pediu para eu falar, mas eu estava com medo de aparecer na frente de todo mundo e contar sobre a promessa que eu havia feito a Ty, de que estaria por perto quando ele precisasse de mim, quando me chamasse. A promessa que eu havia quebrado.

Então, eu estaria em julgamento.

Talvez eu merecesse isso, mas não conseguia enfrentar.

No fim do velório de Ty, eles tocaram a versão de Elvis de "Take My Hand, Precious Lord".

A canção de igreja preferida de minha mãe.

Ty teria enlouquecido. Elvis em seu enterro.

Mas não importava. Meu irmão estava morto. Minha mãe estava viva. De muitas maneiras (as rosas cor de pêssego, o caixão de mogno que combinava com a mesa de casa, a música, a passagem bíblica, a comida), ela havia planejado que o funeral dele fosse o dela.

CAPÍTULO 23

Depois da cerimônia na igreja, vamos ao cemitério Wyuka para o enterro de Patrick. Está garoando, uma combinação ruim de chuva e neve, e ficamos embaixo de guarda-chuvas pretos ao redor da cova. O pai e a irmã dele choram, muito sentidos, quando os homens descem o caixão.

Minha mãe também chora.

Eu não.

Não chorei no enterro de Ty, tampouco. Eu já tinha chorado tudo quando chegamos ao cemitério.

O padre diz algumas palavras finais, e então, seguimos como um rebanho de cordeiros para uma sala dentro da casa funerária para a reunião. Minha mãe leva a caçarola de vagens para ser aquecida e servida.

Não é tão boa quanto me lembro.

Eles colocaram fotos na parede dos fundos. Vou até lá para vê-las. Não são como a de Ty, que tinha uma moldura bacana. As colagens de Patrick são dois pedaços de quadro de cortiça, daquele tipo que compramos no supermercado, e as fotos foram coladas sobre papel.

Patrick tinha um monte de amigos, como Ty.

Ele fazia parte da equipe de natação. Era atleta, como Ty.

Era Escoteiro da Pátria. Ty não chegou a tanto. Mas ainda assim era escoteiro, como Ty.

Ele jogava videogame.

Era um bom garoto.

Como Ty.

Esse é o pior tipo de déjà vu.

Na segunda colagem, vejo uma foto que reconheço, uma cópia da mesma foto que Ty tinha no seu quadro: Patrick, no ensino fundamental, com Ty e Damian, os três amigos, abraçados, porque ainda não tinham aprendido que não é legal os caras se abraçarem. Primeiro Patrick, depois Ty, depois Damian. Damian está igual, eu acho, usando sua blusa de capuz cinza e uma calça jeans clara, magro e despenteado. A mão esquerda está levantada fazendo o sinal de paz. Os três sorriem com malícia para a câmera como se soubessem de algo que eu não sei.

Engulo em seco. Sei de algo que eles não sabem, também.

Então, o sistema de som acima de minha cabeça começa a tocar "Stairway to Heaven". Fico congelada. Olho ao redor e encontro a diretora da casa funerária — Jane, eu me lembro — de pé num canto.

"Oi, Jane", digo ao me aproximar dela. "Por que está tocando essa música?"

"Oi, Alexis." Ela também se lembra de mim. "Patrick deixou um bilhete pedindo, entre outras coisas, uma playlist específica a ser tocada depois de seu enterro."

Fecho os olhos quando Robert Plant começa a cantar. *"There's a lady who's sure all that glitters is gold, and she's buying a stairway to heaven."*

"Alexis?", diz Jane. "Você está bem?"

Abro os olhos. "E as colagens?"

"O que tem elas?"

"Alguém as fez ou foi ele?"

Ela sorri discretamente. "Foi ele."

Ele as fez. Como Ty. Ele planejou tudo isso. Como Ty.

Como se estivesse usando a morte de Ty como base para a própria morte.

Ty ajudou a fazer isso acontecer. Ao mostrar a Patrick que era algo aceitável, talvez até legal, de se fazer. Ele deu o exemplo.

Isso é culpa do Ty.

De repente, tudo fica pesado demais. Preciso sair daqui.

Procuro minha mãe. Demoro um pouco para ver onde ela está e, quando a encontro, eu me controlo, apesar de querer correr até ela, agarrá-la pela mão e arrastá-la daqui. Mas ela está sentada em uma cadeira dobrável ao lado do pai de Patrick, olhando para baixo enquanto fala. Não consigo ouvir o que ela está dizendo, mas o pai de Patrick está assentindo, assentindo, com lágrimas rolando pelo rosto.

Ela pode demorar.

A música está crescendo em intensidade e, conforme cresce, eu me sinto cada vez menos no controle. O buraco está se abrindo em meu peito. A sala está se fechando.

Eu dou um passo para trás e derrubo uma cadeira. Ela cai fazendo barulho.

Vejo Damian, que não está usando a blusa cinza, mas uma camisa social preta. Ele penteou os cabelos. Seus olhos estão vermelhos. Ele vem na minha direção como se quisesse me dizer algo. Como se quisesse me abraçar.

Dou outro passo para trás. Vejo Ashley Davenport de pé ao lado da colagem. Ela está de mãos dadas com Grayson, e os dois estão olhando para mim.

Todo mundo está olhando.

Preciso sair preciso sair preciso sair preciso sair. Luto contra a vontade de empurrar as pessoas para fora do meu caminho. Não consigo respirar não consigo respirar.

Uma mão pousa no meu ombro.

Beaker. Ela olha em meus olhos e vê o pânico. Ela trava a mandíbula, determinada. Ela se vira.

"Ei, com licença, queremos passar", diz ela com a voz baixa. "Deixem-nos passar, por favor. Com licença."

Ela passa comigo pela multidão. Então, saímos. Eu me sento na calçada perto do carro funerário e tento recuperar o fôlego. Beaker fica ao meu lado como se estivesse de guarda.

Nunca me senti tão feliz em ver Beaker. Poderia até chorar de tanta alegria.

"Você está bem?", pergunta ela.

"Não muito."

"Quer beber alguma coisa? Eu acho que tem limonada. É de saquinho, mas é gelada e é líquido."

"Não, obrigada."

Ela se senta ao meu lado e se recosta, esticando as pernas na frente dela. Está usando uma saia de lã cinza e meias listradas. Só Beaker usaria meias listradas num enterro.

"Bem", diz ela, depois de um minuto. "Foi a pior coisa."

Sinto falta de Beaker.

"Onde está a El?", pergunto.

"El não vai a funerais."

"Ela foi no do Ty", digo.

Beaker olha para mim com seriedade.

"Sim, ela foi no do Ty. Pensei que tivesse que arrumar um saco de papel dentro do qual ela pudesse respirar. Ela quase perdeu o controle umas dez vezes. Tem alguma coisa a ver com ela ter vomitado no velório da tia-avó aos sete anos."

"Ah." Eu me sinto idiota por não saber disso. Não estava prestando atenção a minhas amigas no enterro do Ty. Parece que imaginei que o mundo girava ao meu redor e ao de minha dor. "Se eu soubesse disso, não teria pedido para que ela..."

"Ela teria ido de qualquer modo." Beaker puxa um fio de grama seca do gramado e o enrola no dedo. "Ela é sua amiga. Ela ama você. Queria estar ao seu lado. Nós duas queríamos."

"Obrigada."

"Ainda somos suas amigas, viu? El e eu. E Steven, apesar de ele não conseguir olhar para você sem virar uma música triste."

"Eu sei." Não sei mais o que dizer. Eu sei.

Uma sombra cai sobre nós. É a minha mãe. Ela está pálida.

"Oi, Jill", diz ela sem ânimo.

"Oi, mãe Riggs", responde Jill — o modo com que meus amigos sempre chamaram minha mãe, como se estivessem dizendo que ela é mãe deles também.

Normalmente, minha mãe trocaria amenidades numa situação assim, mas percebo que ela está exausta. "Podemos ir?", pergunta ela.

Eu me levanto. "Sim."

"Tchau, até mais", diz Jill quando nos afastamos, a frase que ela sempre usa para se despedir.

Sim, penso. Assim espero.

Em casa, minha mãe vai direto para o quarto e fecha a porta.

Vou para o porão assistir à TV. É um risco ficar tão perto do quarto de Ty. Não dá para saber se alguma coisa esquisita vai acontecer por ali. Mas preciso ocupar meu cérebro.

Não há sinal de Ty, felizmente. Não há reflexos. Não há sombras, tampouco.

Pela primeira vez, eu me sinto completamente sozinha.

Zapeio com a TV sem som por um tempo, para não incomodar minha mãe. Assisto *TMZ*, que é basicamente auto-explicativo e se entende mesmo sem som, e um episódio de *Cops*. Então, paro no noticiário das seis. Só pela cena, percebo que a reportagem é sobre Patrick Murphy. A repórter está de pé perto do trilho do trem. É jovem e bonita, com cabelos loiros tão claros que quase parecem prateados ao sol, mas os olhos estão relutantes, como se fosse o tipo de história que ela não quer noticiar.

Aumento o volume.

"...a segunda morte nesta cidade este ano, e o décimo sétimo suicídio de adolescente no estado de Nebraska nos últimos doze meses. A comunidade de Raymond se reúne hoje para lamentar a perda de um de seus brilhantes jovens astros, e todos se fazem as perguntas assustadoras: o que aconteceu com esse aluno de ótimas notas, alegre e campeão estadual de natação para fazer com que ele descartasse o promissor futuro que estava à sua espera? O que o levou a esse trilho de trem? E como essa tragédia poderia ter sido evitada?

Ouço minha mãe no andar de cima e deixo a TV muda de novo. Enquanto a repórter termina a notícia, eles mostram o cemitério Wyuka, com a imagem de um anjo de pedra olhando para o chão. Vejo um site, youthsuicideprevention.nebraska.edu, rolando na parte de baixo da tela. Então, o rosto de Patrick.

E então, a previsão do tempo.

Meu coração está acelerado. Meus punhos, cerrados; minha mandíbula, travada. Eu não deveria ter me surpreendido com a história. Não deveria ter me emocionado. Mas o peso do dia está demais.

Dezessete suicídios de adolescentes. Dezessete.

Folheio os livros da minha mãe. Sei que dezessete não são muitos, quando se considera que mais de trinta mil pessoas se suicidam nos Estados Unidos todos os anos, a décima causa mais comum de morte, a terceira mais comum entre adolescentes. Eu poderia ter analisado as estatísticas, os sinais de alerta a que deveria estar atenta, fatores que colocaram Ty em risco. Ele vivia em uma casa onde havia armas, o que aumentava a probabilidade de morte por suicídio 5,4 vezes. Ele vinha do que pode ser classificado como "lar destruído", o que aumentava três vezes mais as chances. Ele era do sexo masculino, o que aumentava suas chances em cinco vezes, uma vez que as garotas tentam se suicidar com mais frequência, mas os garotos têm mais sucesso na realização. Ty havia terminado um relacionamento recentemente, ou sofrido uma decepção amorosa, ou seja lá o que aconteceu com Ashley. As notas dele vinham caindo. Ele estava passando por altos e baixos. Andava deprimido. Já tinha tentado antes.

Eu poderia mencionar todos os fatores que faziam com que ele fosse um candidato a aparecer no noticiário das seis da tarde.

Mas não conseguia dizer por que ele havia feito o que fez.

Desligo a TV e subo a escada. Estou parada à janela da cozinha, bebendo um copo de água, quando noto que a luz da casinha de brinquedo está acesa. Do lado de fora, à beira do gramado de trás, as janelas estão claras.

Faz muito tempo que não vou à casinha. Anos, provavelmente.

Atravesso o quintal cheio de neve e tento abrir a porta. Está destrancada. Ela abre sem fazer barulho.

"Oi?", digo, um pouco nervosa. Não quero encontrar um ladrão ou um pedinte. Não que haja alguma coisa de valor para ser roubada ou que pedintes invadam casinhas de brinquedo de crianças em Raymond, Nebraska, num dia de temperaturas bem abaixo de zero. Mas nunca se sabe.

"Tem alguém aí?"

Não obtenho resposta.

Ali dentro, o cheiro é de mofo. Moscas mortas e poeira. As cortinas, que já foram muito coloridas e alegres, estão tão empoeiradas que não sei dizer de que cor eram. Há uma camada grossa de poeira sobre tudo, e também sob meus pés. Vejo uma velha ratoeira no canto, armada, com um pedaço seco de queijo em cima dela.

Levanto uma cadeira que está caída de lado no chão.

O andar acima de minha cabeça range. Como se houvesse alguém lá.

Meu coração dispara. Pego uma vassoura de brinquedo velha perto da cozinha. Não é a arma que eu gostaria de usar, mas se alguém pular em cima de mim, posso causar ferimentos graves com ela. Ou algo assim.

Talvez seja um guaxinim, penso. Ou um gambá.

Estremeço. Odeio gambás.

Lentamente, bem lentamente, subo a escada. Então, acendo a luz. Zap.

Espero algo voar em mim, mas nada aparece.

Eu me lembro de expirar. E me lembro de inspirar. Expira. Inspira. Ufa.

Estou ficando cansada dessa brincadeira de não encontrar ninguém.

Olho ao redor. Isto aqui parece um templo da minha infância. Bonecas empoeiradas e diversos acessórios estão pendurados nas paredes: um bercinho, um carrinho de bonecas, um trocador em miniatura. Em outro canto, tem uma pilha de Barbies velhas e suas roupas, e praticamente um exército de Pequenos Pôneis, que eram meus preferidos, no passado. Que menina não gosta de Meu Pequeno Pônei? Cavalos + cabelos para fazer trança + cor-de-rosa = menina feliz.

Não tem nada além disso.

Suspiro e desço a escada. Fico ali por um minuto, olhando ao redor. Tenho centenas de lembranças desse lugar, e são todas bem bobas. Como na vez em que Sadie e eu trancamos Ty do lado de fora da casinha e ele correu ao redor gritando pelas janelas: "Mas eu sou o carteiro! Vocês têm que deixar o carteiro entrar!".

Então, dissemos a ele que o deixaríamos entrar se ele nos trouxesse uma carta ou algo assim. Ele entrou em casa e pegou um envelope do escritório do papai e, de um lado, endereçou a carta, com lápis de cera, para:

Mana.
Casa de brinquedo
Quintal dos R

E do outro lado, ele escreveu: *Eu, o Homem Sageiro. Deixem-me entrar.*

Nós rimos muito. E deixamos Ty entrar. Como não deixar o Homem Sageiro entrar?

Contenho uma risada. Minha mãe achou tão engraçado que fez uma pequena "caixinha de correspondências" com uma caixa de sapato de papai, com uma abertura em cima para Ty enfiar os envelopes. A caixa ainda está aqui sobre a mesa no canto. Eu me sento com cuidado na cadeira pequena, respiro fundo, para o caso de sentir dor, e levanto a tampa.

Dentro da caixa não há nenhuma carta do Ty menino. Mas encontro a tesoura de costura da minha mãe e, embaixo dela, como um baú do tesouro muito antigo, as fotografias que estavam desaparecidas. Analiso uma a uma: papai e Ty jogando xadrez. Papai e Ty de pé diante da churrasqueira no Quatro de Julho. Em um verão, papai e Ty em Carhenge (uma réplica perfeita de Stonehenge, mas feita com carros antigos pintados com spray), fingindo levantar um dos carros. Papai de patins no estacionamento. Papai cortando o cabelo de Ty pela primeira vez, aos dois anos. A foto da formatura de meu pai. Papai e Ty assistindo à TV. Papai com uma faca elétrica mostrando a Ty como cortar o peru do dia de Ação de Graças. Meus pais em um piquenique da empresa dele. Meu pai apontando para um adesivo na camisa no qual se lê EU VOTEI. Meu pai ensinando Ty, aos seis anos, a andar de bicicleta. Meu pai balançando um dos dentes da frente de Ty. Papai e Ty saindo para caçar.

Solto o ar que estava segurando. O mistério está bem à minha frente, mas não está resolvido. Todas essas fotos, o Ty juntou. Mas por quê?

Volto para a foto que estava por cima do monte. Meu pai e Ty jogando xadrez. É diferente das outras fotos. É menor, para começar. Obviamente, foi recortada de uma foto 15×21 para um quadrado de 7,5×7,5. Está um pouco torta, como se ele não conseguisse cortar em linha reta. Tem um lado meio picotado.

Já sei a resposta.

Eu me levanto. Volto para a casa, desço para o porão. Vou ao quarto de Ty.

Pego a colagem de Ty de trás da porta e a coloco sobre a cama. Coloco a foto do xadrez no espaço vazio.

Ela se encaixa perfeitamente. Um quadrado de 7,5x7,5.

Minha mãe estava certa. É onde a foto de meu pai deveria estar. Ty pensou nisso. Ele pegou todas as fotos como candidatas. Decidiu usar essa, cortá-la no tamanho certo, mas por fim, não a incluiu ali.

Ele não perdoou meu pai.

Sinto o cheiro da colônia de meu irmão. Está ao meu redor. Fecho os olhos.

"Não", digo, porque já aceitei essa situação de conversar com ninguém para o caso de haver alguém aqui. "Não vou fazer isso."

Porque sei o que Ty desejaria agora.

Que eu colocasse a foto na moldura.

Que eu contasse ao meu pai.

Para endireitar as coisas.

Guardo a fotografia no bolso e retorno a colagem para o lugar atrás da porta. Apago a luz.

"Não", sussurro para o quarto vazio.

No andar de cima, vou até o meu armário e pego minha mala. E começo a enchê-la.

13 DE MARÇO

Meu pai deixou nossa família em uma manhã de terça-feira, em julho. Eu tinha 15 anos naquele verão, e Ty tinha 13. Foi 9 meses antes de Ty tomar os 63 comprimidos de Advil e pedir para nosso pai voltar para casa, 3 anos atrás, mas parece bem mais.

Eu estava escovando os dentes quando aconteceu.

Meu pai apareceu no espelho atrás de mim, e disse: "Oi, Lexie. Eu e você precisamos conversar".

A primeira coisa que pensei é que ele ia me passar um sermão por estar sendo muito preguiçosa com meu trabalho intelectual naquele verão. Era como ele chamava — não era lição de casa, era "trabalho intelectual", coisas para deixar meu cérebro em forma nos meses que passaria longe da escola. Para que eu não perdesse nada, ele dizia. Para que eu continuasse afiada.

Mas não era sobre isso.

Era sobre ele se mudar.

"Por quê?", perguntei a ele, assustada, mas não me lembro do que ele respondeu. Só me lembro de que ele disse que moraria em uma casa na cidade. Com uma mulher, ele disse. Por quem ele havia se apaixonado.

Não conseguia entender.

"Vai ficar tudo bem, docinho."

Foi a última vez em que ele me chamou assim.

Eu disse: "Eu amo você, papai". Como se isso pudesse fazê-lo mudar de ideia.

Ele disse que me amava também, e me pegou pela mão e me levou para a sala de estar, onde minha mãe estava sentada no sofá, chorando tanto que estava tendo dificuldade para respirar. Eu me sentei ao lado dela.

Ty apareceu na porta. Ele havia ouvido o choro dela do porão. Parecia assustado, como se quisesse fugir. Meu pai o segurou pelos ombros e o levou para a varanda de trás. Dava para ver pela janela enquanto meu pai contava a ele, e vi seu rosto se contraindo enquanto ele tentava controlar as lágrimas.

Meu pai o levou para dentro. Ty se sentou do outro lado da minha mãe. Segurou a mão dela. Ela parou de chorar por tempo suficiente para dizer: "Mark, não faça isso".

Nós olhamos para meu pai.

"Amo todos vocês", disse ele.

Então, meu pai se virou e saiu pela porta. Ouvimos quando ele ligou a caminhonete. Ouvimos quando ela percorreu o caminho de pedras. Ouvimos o som do motor cada vez mais distante. E, então, ele se foi.

Em algum momento das horas seguintes, os detalhes vieram: meu pai vinha mantendo um caso com a secretária. Minha mãe sabia havia alguns meses.

Eu percebi, analisando o passado, que meus pais vinham agindo de modo esquisito. Meu pai trabalhava até tarde. Voltava para casa cheirando a cigarro. Minha mãe falando conosco com mais rispidez do que o normal, tentando manter a casa perfeitamente limpa e organizada, o jantar na mesa exatamente às 18h, correndo para passar batom de novo quando ouvia que ele estava chegando. Como se ao deixar tudo no lugar, tornar nossa vida familiar perfeita, ele fosse parar de fazer o que estava fazendo.

Houve sinais. Mas eu estava muito envolvida com minhas coisas para perceber.

A única pista que eu havia notado naquele verão foi Sunny. Nossa golden retriever andava parecendo triste, sempre deitada. Choramingava. Não comia.

"O que está acontecendo com a Sunny?", perguntei à minha mãe uma semana antes de meu pai nos atropelar com a notícia. "Acho que ela está deprimida. Isso pode acontecer com cachorros?"

"Não sei", disse minha mãe. Mentira.

"Você acha que existe Prozac para cães?", perguntei, brincando. E ela riu. O que também foi uma mentira. Minha mãe

conhecia bem a Sunny. A cachorra ficava ao lado dela quando todo mundo ia dormir. Sunny a via chorar.

Em algum momento durante aquele dia, a melhor amiga da minha mãe, Gayle, apareceu e tentou animá-la. O marido de Gayle havia se divorciado dela alguns anos antes, e eu me lembro de que ela ficava dizendo, sem parar: "Você vai superar isso, Joan. Vai sair dessa mais forte".

Mas minha mãe só balançava a cabeça, amassando o lenço com as mãos.

Saímos para jantar pizza. Porque o papai nunca deixava jantarmos pizza fora de casa. Porque ele era rígido. Enquanto comíamos, Ty, que havia se mantido calado durante quase o tempo todo, disse: "Ainda bem que ele foi embora".

"Não diga isso, querido", disse minha mãe.

"Não, é verdade. Ainda bem", disse Ty, com a voz embargada na palavra "verdade".

Naquela noite, quando minha mãe foi dormir, Ty me acordou.

"Venha", disse ele, e eu não fiz perguntas. Vesti uma calça jeans e o segui para fora. Sob a lua cheia, caminhamos até o parque, para uma área cheia de pedras atrás do campo de beisebol. Ty levava uma sacola de compras de pano e um taco de beisebol de metal. Ele me deu a sacola. Estava cheia de frascos de perfume do meu pai.

"Coloque um aqui", disse ele. Coloquei um frasco de Old Spice sobre as pedras na frente dele.

Ty respirou fundo. Fechou os olhos, como se estivesse fazendo uma oração ou um pedido, e os abriu de novo.

"Ele é um safado", disse ele, e bateu com o taco com força. O frasco se despedaçou, e o cheiro da colônia tomou conta de nós, tão forte que me senti nauseada.

"Agora, você." Ty me deu o taco.

Peguei outro frasco. Polo. Meu preferido no meu pai. Eu havia dado a ele no Dia dos Pais, um ano.

"Ele é um mentiroso", falei, e bati com o máximo de força que consegui.

Senti um leve alívio quando o vidro quebrou — foi outra coisa que se despedaçou além de nossa família ridícula.

Continuamos quebrando os frascos. "Ele é um sovina."

"Ele é um falso."

"Ele é um cuzão." Nem mesmo naquele momento, consegui dizer o palavrão com convicção.

"Ele é uma fraude."

"É um adúltero."

Paramos aí.

"Nunca vou perdoá-lo", disse Ty, olhando para os cacos a nossos pés.

"Nunca vou perdoá-lo", repeti, e foi como se nós estivéssemos jurando.

De certo modo, era como se meu pai tivesse morrido. O homem que eu conhecia, o homem calmo e tranquilo que lia Harry Potter para mim quando eu tinha 10 anos, que me ajudou a estudar para o concurso de ortografia da quinta série, que ria com as tirinhas do jornal de domingo, aquele homem havia partido. Só sobrou o traidor. Eu sabia que era verdade.

Nunca vou perdoá-lo. Nunca.

"Vamos", disse Ty, apoiando o taco no ombro. Ele me abraçou. Era o homem da casa agora. "Vamos para casa."

CAPÍTULO 24

Quando minha mãe acorda, estou esperando por ela.

"O que é isso?", pergunta ela ao entrar na cozinha e me ver de pé ao lado do fogão com o avental azul dela, raspando ovos mexidos um pouco queimados para o prato.

"Café da manhã." Ela me observa colocar os pratos na mesa. Tiro o avental e o penduro no gancho, sirvo suco para nós duas e me sento. "*Bon appétit.*"

Ela olha para o relógio do forno. "Ótimo, querida, mas você não vai se atrasar para a escola?

"Não vou à escola hoje."

Ela olha para mim. Eu nunca falto à aula. Tenho um registro de presença perfeito. Não faltei nem quando Ty morreu porque estávamos no recesso de Natal.

"Vamos fazer uma viagem", digo.

"Uma viagem?"

"Você tem três dias de folga." Mostro o calendário do trabalho que ela grudou com ímãs na geladeira. "Vou perder só um dia de aula."

Ela olha para a parede dos fundos da cozinha, onde empilhei tudo de que precisaremos: travesseiros, fronhas limpas e cobertores para usarmos no carro, tudo que encontrei na despensa que pode ser comido, seis latas da Coca Diet letal dela (que deve nos ajudar no percurso, pelo menos) e por fim, nossas malas, as duas prontas, o que mostra como o seu sono induzido por Valium e/ou álcool estava pesado ontem, para eu ter conseguido ficar no quarto dela, abrindo e fechando todas as gavetas sem que ela acordasse.

"Está tudo planejado", digo.

Ela se senta à minha frente. "Você quer pegar a estrada?"

"Isso, pegar a estrada."

"Para onde?"

"Você vai ver." Na mesa, há uma pilha de papéis que estou lendo — uma reserva de hotel, mapas e outras pesquisas — que deixo longe dela. "Diga que sim, mãe."

Ela remexe um pouco os ovos com o garfo. Se minha mãe não concordar, o que virá depois é uma ou duas garfadas, para me acalmar um pouco, e então, voltará para a cama.

"Por favor, mãe", imploro. "Preciso que façamos isso. Não posso voltar para a escola hoje, porque as pessoas estarão arrasadas por causa do Patrick. Não posso."

Ela contrai os lábios por alguns segundos, e então relaxa. "Certo", diz ela de modo resignado. "Pegar a estrada."

É esse o espírito da coisa.

"Só você e eu", digo. "Dave chamaria esse momento de um tempo especial entre mãe e filha."

Ela ri baixinho, não é sua risada de verdade, mas é o que ela pode fazer no momento.

"Bom, vamos ter que fazer o que o Dave quiser, certo?"

"Sim, você o contratou, mãe."

Ela sorri para mim, um sorriso breve, mas doce, e diz: "Certo. Acho que vai ser bom para nós duas sair de casa". Como se a viagem tivesse sido ideia dela.

Está chovendo em Memphis. Passamos um dia inteiro na estrada e uma noite em um hotel barato, mas razoavelmente limpo à beira da cidade, e finalmente chegamos ao nosso destino final. O céu está nublado, uma garoa fina cai no vidro quando entramos no estacionamento. Por um minuto, com o aquecedor soprando em nosso rosto, permanecemos no carro olhando para a placa.

GRACELAND

Minha mãe sempre foi fã do Elvis. Ele morreu no dia 16 de agosto de 1977, por acaso, o dia em que minha mãe completou oito anos. Ela ainda se lembra de ter ouvido a notícia da morte dele no rádio logo depois de soprar as velas do bolo de aniversário. A partir daquele ponto, cresceu sentindo uma ligação entre ela e o Rei do Rock and Roll. Então, Tyler e eu crescemos com Elvis também. Ouvíamos "All Shook Up" quando ela tentava nos fazer rir, e "Blue Suede Shoes" quando ela se sentia animada e, às vezes, no aniversário de casamento de meus pais, ou no Dia dos Namorados, nós a flagrávamos dançando "Love me Tender" com o papai. Na semana em que meu pai foi embora, eu sempre ouvia a voz melancólica de Elvis abafada pela porta do quarto dela, pois ela tocou essa música sem parar.

Elvis foi a trilha sonora da vida dela e, consequentemente, da minha.

"Sempre quis vir aqui", diz ela.

Eu sei.

Coloco a mão no ombro dela.

"Vamos entrar."

Quando entramos, ficamos chocadas com os preços. Há três opções: a visita básica pela mansão, que custa trinta e três dólares; o passeio "platinum", no qual dá para ver os aviões e os carros de Elvis, e mais algumas coisas, por trinta e sete dólares; e o Tour VIP por Graceland, que tem tudo dos dois primeiros com um passeio privado extra, acesso para o dia todo à propriedade e à mansão, e uma lembrança especial.

Claro que escolhemos o VIP. Viemos de longe.

São setenta dólares.

Por pessoa.

É mais do que o hotel para a viagem toda.

"Nossa!", diz minha mãe quando olha, aterrorizada, para o quadro com diferentes pacotes especificados. "Que caro."

"Não se preocupe, mãe", digo depressa, pegando minha carteira. "Eu tenho dinheiro."

"Com seu fundo do MIT? Acho que não." Ela pega um cartão de crédito dourado que eu nem sabia que tinha e ignora minha sobrancelha arqueada. Nunca vi minha mãe comprar nada com cartão de crédito.

"O passeio VIP, por favor", diz ela à mulher atrás do balcão, e desliza o cartão dourado sobre o mármore. "Quero ver tudo."

Graceland é o que esperei que fosse: um monte de coisas dos anos 1960 e 1970, cores fortes, carpetes, barras douradas no banheiro do jatinho *Priscilla*, de Elvis. Minha mãe e eu posamos na frente de um fundo falso dos famosos portões de entrada e tiram nossa foto. Vamos de cômodo a cômodo, com minha mãe encantada com a coleção de roupas de Elvis, e rindo do quarto com paredes de listras de zebra e sofás de veludo vermelho, parada na frente do túmulo dele, olhando para a data de sua morte, que também é a data do aniversário dela, impressa na pedra.

Ela está se divertindo, acho, e era o propósito dessa aventura. Eu queria mostrar a ela que é possível se divertir.

Não pensamos em Ty durante o dia todo.

"Eu precisava disso", disse ela mais tarde. Acabamos de jantar em um restaurante mexicano em Memphis, e minha mãe está tomando uma margarita enorme. Está claro que eu vou ter que dirigir na volta para o hotel. "Precisava muito disso."

"Eu também", digo.

"Podemos... não voltar para casa?", pergunta ela suspirando. "Poderíamos ficar aqui. Visitar Elvis todos os dias."

Sorrio. Sei que não é o que ela quer. Mas é o momento certo para contar a ela a respeito de meu plano que é tão maluco, que pode dar certo.

"Lembra-se do que a Gayle disse sobre vender a casa?"

Minha mãe mexe a bebida. "A Gayle sempre tem opiniões fortes, não?"

"Eu acho que é uma ótima ideia."

Ela para. "Você acha que deveríamos nos mudar."

"Eu acho que você deveria se mudar", completo. "Para Massachusetts. Comigo."

"Você quer que eu me mude para a faculdade?", diz ela rindo. Ela acha que estou brincando. "Acho que não vou caber em sua cama de solteiro."

"Não no meu quarto. Num apartamento ou numa casa pequena, coisa assim. Os alunos do primeiro ano têm que viver no campus, mas eles abrem uma exceção se a pessoa for morar com os pais." Enfio a mão na mochila e pego um monte de papéis, que coloco em cima da mesa na frente dela. "Há vários tipos de lugares. Este aqui fica a cerca de dez minutos do campus, tem dois quartos, máquina de lavar e de secar, piso de madeira. Bacana, né? E não é tão caro. Não quando se leva em conta que eu pagaria quatrocentos por mês numa moradia para alunos."

Ela olha para o papel.

"Estou vendo que você andou pesquisando bastante. E o que eu faria em Massachusetts?"

Passo as folhas até encontrar uma na qual há um quadrado grande e vermelho emoldurado por folhas verdes.

"Este é o Mount Auburn Hospital. É tido como um dos melhores lugares em New England para profissionais da saúde trabalharem, em termos de salário e ambiente. É do lado da Harvard Medical School." Eu me recosto e deixo ela ler a página "Sobre nós" que imprimi. "Fica a menos de três quilômetros e meio do MIT, aproximadamente um percurso de nove minutos. Atualmente, há dezesseis vagas para enfermeiras, uma na ala cirúrgica, como você trabalha agora, mas esse é no turno da noite."

Minha mãe odeia turnos noturnos.

"Mas...", continuo antes que ela possa me detonar, "dá para começar à noite e passar para o dia quando estiver estabelecida. Ou..." Mordo o lábio, e então digo: "Há duas outras vagas. Uma para trabalho de parto e uma na maternidade."

"Eu poderia trabalhar com os bebês", diz ela.

"Você adora bebês."

"Eu adoro bebês", concorda, cobrindo a boca com a mão de um modo que sugere que ela está pensando.

"Então, talvez a Gayle esteja certa, dessa vez", concluo.

"Não." Minha mãe balança a cabeça, negando.

"Não?"

"Os bebês seriam pior, Lexie."

"Como seriam pior? Todo mundo fica tão feliz com bebês. É a parte mais feliz do hospital."

"Os bebês também morrem. Na maior parte do tempo, sim, seria incrível trabalhar na maternidade. Mas de vez em quando, mais frequentemente do que você pensa, eu teria que ver uma mãe perder um bebê. Acho que não conseguiria viver com isso." Ela pega sua bebida, lambe um pouco do sal da lateral do copo. "Além disso, as enfermeiras da maternidade não têm que usar suas habilidades de enfermeiras. Elas trocam fraldas, enchem mamadeira e dão banhos o dia todo. Quero fazer mais do que isso. Quero aprender. Quero ser uma enfermeira excelente. Não uma babá."

"Bom, há outras treze vagas abertas no Mount Auburn. Tenho certeza de que você poderia ser uma enfermeira excelente numa delas."

Ela termina de tomar a margarita e, então, coloca o copo na mesa e olha para mim.

Sei, pela cara dela, que ela vai dizer não.

"O que você fez aqui é muito gentil, Lexie", diz ela. "Mas não posso ir para Massachusetts com você. Você precisa viver essa próxima parte de sua vida sozinha. Você merece isso. Merece viver no campus para poder fazer amizades para a vida toda. Precisa comer no refeitório e passar a noite acordada estudando para as provas, precisa ir às festas e se divertir, sem ter que se preocupar com outra pessoa. Você precisa ter sua vida."

"Sim, preciso ter minha vida. Mas você também." Isso está em minha mente desde que Sadie perguntou se eu levaria minha mãe comigo. No começo, pensei, de jeito nenhum, quem faz isso? Mas então, comecei a ver a lógica na ideia. A beleza dela. Se minha mãe fosse para Massachusetts comigo, não seria como eu pensei, com as conversas de fim de noite no quarto e passeios com grupos de amigos. Mas poderia ser melhor: porque, assim, minha mãe não estaria sozinha, e poderíamos escapar de Nebraska e do que aconteceu na nossa garagem. Não teríamos que voltar nunca mais. Poderíamos começar do zero. Nós duas.

"Minha vida acabou", diz ela de novo.

Solto o ar, frustrada. "Pense um pouco nisso, está bem? É um bom plano. Se você pensar..."

Ela se endireita. "Não. Minha resposta é não, querida. Sempre vai ser não. Mas adorei que tenha proposto."

"Mãe..."

"Essa discussão está encerrada", diz ela com seu tom oficial de mãe. Ela pega o cartão dourado. "Vou pagar a conta."

Não temos muito o que conversar pelo resto da noite. Nem durante o café da manhã na manhã seguinte. Nem no carro no caminho de volta a Nebraska, que será uma viagem de cerca de onze horas. Minha mãe dirige durante os primeiros quarenta e oito minutos sem dizer nada além de "Parece que o tempo vai ficar bom hoje, não?", e é quando decido que não aguento mais.

"Encoste o carro", digo.

"O quê?" Ela olha para mim. "Precisa ir ao banheiro? Você foi antes de sairmos."

"Não, só encoste, bem aqui."

Ela para o carro no acostamento. "O que foi? Está se sentindo mal?"

"Sua vida não acabou. Isso é babaquice."

Ela arregala os olhos. "Alexis. Olha como fala."

"É babaquice", repito para enfatizar, e dessa vez, consigo dizer com convicção. Ty ficaria orgulhoso. "Você tem quarenta e quatro anos. A expectativa média de vida de uma mulher norte-americana é oitenta e um anos. Você não é obesa, não fuma e está bebendo muito agora, mas prefiro pensar que é uma fase e que assim que você parar de sentir tanta pena de si mesma, vai parar com essa porra, e você passa a maior parte do dia andando e gosta de legumes, e vai à igreja, o que estudos já mostraram que acrescenta sete anos e meio à vida de uma pessoa, e escova os dentes. Se tem alguém que vai viver até os cem anos, mãe, esse alguém é você. Então, pare de dizer que sua vida acabou. Não está nem na metade. E sim, seu filho morreu, e é terrível, e dói, mas não é sua culpa. E sabe de uma coisa? Todo mundo morre e todo mundo perde pessoas amadas — todo mundo — e isso não é desculpa para você morrer, porra. Amo você, e preciso que você seja minha mãe, e preciso que você tenha uma vida. Então, supere."

Respiro, pois estava precisando.

Permanecemos sentadas. A seta ainda está ligada, piscando. Os carros passam por nós a cento e vinte quilômetros por hora. Minha mãe olha para a frente.

Eu acabei de falar palavrão, duas vezes. Para a minha mãe.

Eu a repreendi por beber. E mandei ela superar.

"Mãe, eu..."

Ela levanta a mão.

"Tudo bem", diz, apesar de não saber se ela quer dizer *Tudo bem, já cansei, agora saia do carro e vá andando, sua ingrata*, ou *Tudo bem, você está de castigo*, ou *Tudo bem, vou parar de dizer que minha vida acabou*.

"Mãe?"

Ela suspira e coloca o carro na estrada de novo.

"Pode pegar a minha bolsa?", pergunta ela depois de uns quinze quilômetros. "Tem um livro lá."

Eu procuro na bolsa dela e encontro uma cópia pequena e amarelada de *O Sol é Para Todos*.

"Este?", pergunto, surpresa.

Ela assente. "Eu deveria ter lido esse livro no oitavo ano. Pensei que talvez você pudesse lê-lo para mim agora. Para passar o tempo."

"Está bem." É esquisito, mas pelo menos, ela não está gritando comigo. Abro na primeira página.

"Quando ele tinha cerca de treze anos, meu irmão Jem quebrou o braço na altura do cotovelo", começo.

Minha mãe solta o ar devagar. "Isso. Eu sabia que seria bom."

Então, continuo lendo. Leio pelas sete horas e meia seguintes, parando para fazer xixi, almoçar e uma vez porque minha mãe precisava urgentemente tomar uma Coca Diet. Leio sobre Scout, Boo Radley e Mayella Violet Ewell. Leio até ficar rouca.

Quando termino, minha mãe diz: "Sempre quis que Atticus Finch fosse meu pai. Eu costumava imaginar isso, como se eu tivesse sido adotada e Gregory Peck fosse meu pai biológico".

"Pensei que você tivesse dito que não leu o livro."

"Vi o filme", diz ela. "Você já viu?"

"Sim. No oitavo ano, acho. Você tem razão, Gregory Peck é demais. Então, durante todo esse tempo que passei lendo, você sabia como a história terminaria."

"Queria ouvir as palavras", ela explica. "Sabia como terminaria, mas queria ir devagar e ver como a história se desdobraria." Ela boceja com a mão à frente da boca.

"O que acha de eu dirigir pelo restante do caminho?"

Ela para o carro e trocamos de lugar.

Percorremos menos de dois quilômetros em Kansas City quando ela começa a chorar. Não noto no começo, mas em determinado momento, eu me inclino para a frente para mudar de estação e noto seu rosto molhado, o caminho percorrido pelas lágrimas do canto de seu olho até o fim da mandíbula.

Sinto o cheiro do perfume de Ty.

Fico me perguntando se minha mãe também sente. Se foi isso que fez com que ela começasse a chorar.

"Você está bem?", pergunto delicadamente. "Podemos parar."

Ela balança a cabeça e solta o ar estremecida, e então abre a bolsa e começa a procurar uma caixa de lenço. "Tudo bem. É só que..."

Sintam meu cheiro, diz o perfume de Ty. *Eu exijo que sintam. Sintam o cheiro agora.*

Olho no espelho retrovisor e, então, eu o vejo, eu o vejo claro como o dia, sentado no banco de trás, com a cabeça encostada no vidro, como ele sempre ficava, olhando para fora.

É um milagre eu não bater o carro.

Minha mãe diz: "É só que não sei por que nunca fizemos isso antes. Graceland. Durante todos esses anos, estivemos tão perto, a um dia de viagem, e nunca fizemos. Por que não?".

Porque meu pai detesta viajar, é o que penso, mas não digo. Se você procurar a palavra *caseiro* no dicionário, vai encontrar uma foto do meu pai.

"Deveríamos ter ido", sussurra ela, secando o rosto.

"Mas nós fomos agora", respondo meio abalada. "Graceland... pronto."

"Sim, mas gostaria...", diz ela, e eu sei que ela quer dizer que deveríamos ter ido quando Ty estava vivo.

Só que Ty detestava Elvis. Ele não gostava de ser sujeitado à obsessão de minha mãe com o Rei. Ele disse isso muitas vezes.

Volto a olhar pelo espelho.

Ty continua ali. Um arrepio percorre meu corpo como uma gota de água gelada escorrendo.

"Hum, acho que a mulher no carro vermelho atrás de nós está digitando no celular. É perigoso", digo.

Minha mãe se vira para olhar. Ela olha bem onde Ty está encolhido no banco de trás. E se vira de novo para mim. "Você deveria deixá-la passar. É sempre melhor estar atrás do acidente na estrada."

Deixo o carro vermelho passar. Minha mãe lança um olhar de reprovação à motorista, mas a mulher não nota.

Eu tento manter as mãos firmes no volante.

Minha mãe pega um lenço na bolsa e assoa o nariz. As lágrimas não param de escorrer, um rio sem fim de pesar. Ty permanece conosco também. Durante todo o trajeto até Nebraska.

CAPÍTULO 25

Espero. Até desfazermos as malas. Até jantarmos. Até minha mãe dormir. Então, desço para o quarto de Ty.

Está silencioso.

Olho no espelho. Para o rádio-relógio. A sombra no canto lançada pela porta do armário.

Ele não está aqui. Mas quero que esteja.

"Quero conversar com você", digo. "Ty."

Silêncio.

"Vamos. Não podemos fugir, certo? Era o que você estava tentando me dizer hoje? Que você sempre vai ficar aqui, no banco de trás. Seu cheiro. Sua sombra. Sua memória. Era o que estava tentando me dizer, certo? Bem, tenho coisas para dizer a você." Eu me sento à mesa dele e acendo a luminária, que é como um farol na escuridão. "Vamos, Ty. Fiz o que você queria. Dei a carta a Ashley. Agora, faça o que quero, pelo menos uma vez."

Mas não há resposta. Nenhum som. Nenhum cheiro. Nada de Ty. Nada.

Isso me irrita ainda mais. E foi um dia meio irritante.

Eu me levanto. "Você é egoísta", digo à escuridão. "Sabia disso? Você é a pessoa mais egoísta que conheço. Você nem pensou em como isso afetaria a mamãe, não é? Ouviu quando ela disse que a vida dela acabou? Isso é culpa sua, Ty. Culpa sua. Você não é melhor do que o papai, sabia? Você faz o que quer fazer e que se dane todo mundo, não é?"

Meus olhos são direcionados ao espelho. Por um milésimo de segundo, acho que o vejo, uma sombra escura se movendo, e então, percebo que é o meu reflexo.

Olho para o Post-it.

Desculpa, mãe, mas eu estava muito vazio.

"O que foi isso? Você queria um gesto grandioso? Queria demonstrar ao mundo o tamanho da sua dor?" O buraco começa a se abrir em meu esterno, mas eu o ignoro. "Não teve nada de bonito. Você arrancou um pedaço do peito e morreu em uma poça do próprio sangue — acha isso bonito? As pessoas limparam, sim, mas deixaram um monte de folhas de papel ensopadas de sangue do lado de fora da garagem que a mamãe encontrou quando esvaziou o lixo na semana seguinte. Romântico, né? Uma coisa horrorosa. Ah, e seu corpo perde o controle do esfíncter quando você morre, e você se caga todo. Isso não é romântico pra caralho? E a menininha, nossa vizinha, a Emma, saiu na rua quando a ambulância chegou e ela estava lá quando abriram a porta da garagem e viu você assim. Ela tem seis anos. Bela coisa que você fez. Neste momento, você é comida de vermes, e as pessoas se esqueceram de você, nem se lembram de você agora, só falam do Patrick Murphy, mas também vão se esquecer dele. Elas vão seguir em frente. É o que as pessoas fazem. Você não é Jim Morrison, Ty. Você não é um trágico astro do rock que morreu jovem e para quem todo mundo constrói templos. Você é um moleque idiota. As únicas pessoas que vão se lembrar de sua 'atitude' somos eu e a mamãe, e só porque estamos machucadas demais para esquecer. Pois é, as outras pessoas também sofrem, babaca. Todo mundo sofre. Seu cuzão."

Arranco o Post-it do espelho. O buraco é um enorme abismo no meu peito agora, um buraco negro girando, mas eu luto contra ele. "Não aceito esse bilhete de merda."

Amasso o Post-it. Eu o deixo cair. Ele desliza de meus dedos, quica no chão e some de vista.

Minha visão escurece nos cantos. Não consigo respirar. Então, caio de joelhos no chão com o rosto pressionando as fibras do carpete, e vejo luzes azuis atrás dos meus olhos. Constelações de dor. Mas não vejo Ty.

"Onde está você?", digo, no chão. "Aonde você foi?"

O buraco passa. Não sei quanto tempo demora, mas simplesmente some de repente. Eu viro o rosto para o lado, tusso e fico deitada, encolhida, até sentir força suficiente para me sentar.

A primeira coisa que faço é ficar apoiada nas mãos e nos joelhos perto da cama procurando o Post-it.

Para alisá-lo. Para colocá-lo de volta. Porque não consigo ficar brava com ele.

Porém, meus dedos encontram algo rígido. Eu me afasto, e então enfio as mãos embaixo da cama e puxo o objeto.

É um dente. Um colar de dente de tubarão, para ser mais exata. A parte do colar é formada por uma série de pequenas contas pretas em um fio grosso com um único dente branco e pontiagudo brilhando no centro. Eu me sento para observá-lo, franzindo o rosto. Eu o levo ao feixe de luz da lâmpada. Não se vê dentes de tubarão todos os dias na nossa região em Nebraska. Nem em nenhuma região de Nebraska. Estado cercado de terra, lembra-se? Não me recordo desse colar. Ty não era o tipo de cara que usava colares.

"O que é isso?", pergunto para o nada.

E então, eu me lembro de onde o vi antes.

Na foto dos três amigos: Ty, Patrick e Damian fazendo o sinal da paz.

Pego a colagem de Ty de trás da porta e encontro a foto em questão. Foi tirada no zoológico Henry Doorly, em Omaha. Nebraska pode não ter muitos destinos para turistas, mas temos um dos melhores zoológicos do país. Sempre gostei da área dos gorilas, mas a preferida de Ty era a dos tubarões. É um túnel azul enorme onde tubarões de várias espécies nadam como se estivessem apresentando um lento balé aquático.

Ty, às vezes, ficava ali vendo os tubarões durante horas. Eu costumava provocá-lo por isso.

"Quem adora tubarões?", perguntava a ele. "Se você fosse jogado ali dentro, duvido que eles adorariam você. Três palavras: *ração de tubarão*."

"É tranquilo", dizia ele. "Gosto."

A foto dos três amigos foi feita na entrada do túnel dos tubarões. Eles deviam estar numa excursão da escola, porque estão usando um crachá verde florescente. Cada um deles também está usando um colar de dente de tubarão da loja de presentes. Olho para o rosto esperançoso deles. Seguro o dente de tubarão.

Ty.

Patrick.

Damian.

Três elos de uma corrente.

15 DE MARÇO

A primeira vez em que pensei que poderia haver algo de errado com Ty, a primeira vez que me ocorreu que ele poderia estar flertando demais com a ideia de morrer jovem foi quando Samantha Sullivan, uma garota de nossa igreja, morreu de pneumonia. Samantha era uma garota meiga, o tipo que sempre estava sorrindo, pelo que me lembro. Ela usava aparelho, mas ele só parecia acentuar seu sorriso de modo positivo. Quando Samantha ficou doente, ninguém pensou que ela morreria. Pessoas que conhecemos não morrem de pneumonia, não hoje em dia e com essa idade, não violinistas de 14 anos. Ela ficou alguns dias no hospital e estava para receber alta numa segunda-feira.

Na manhã de domingo, ela desenvolveu um coágulo no pulmão. Durante a tarde, parte do coágulo se soltou e foi até o cérebro.

E então, ela morreu.

Samantha não era superpopular. Era quieta. Tinha um grupo pequeno de amigos próximos, como eu. Ela não gostava de chamar atenção. Mas parecia que todos os adolescentes da cidade de Lincoln estavam no enterro dela.

Uma das amigas dela fez uma playlist com todas as suas músicas preferidas: Taylor Swift, em sua maioria, com Carrie Underwood e Pistol Annies. Samantha gostava de música country. A playlist tocou durante todo o velório. A mãe de Samantha comprou muitos quadros e os encheu com fotos: Samantha bebê, Samantha enlatando tomates com a avó, Samantha no lago Branched Oak com um monte de primos, Samantha tomando sorvete com amigos, sorrindo seu lindo sorriso.

No funeral, as pessoas se levantavam para falar que Samantha era uma pessoa muito boa e que era uma luz que tinha se apagado cedo demais, mas que estava em casa agora. Nenhuma doença poderia afetá-la. Ela estava em segurança. Ela havia *terminado sua corrida. Elas tentaram fazer parecer que a vida era totalmente ruim, então, graças a Deus, Samantha se livrou dela, estava à frente de nós, por assim dizer.*

Nenhuma lágrima no céu.

Eu me lembro de ter pensado: por quê? Se Deus é tão bom, por que levar essa garota antes mesmo que ela pudesse viver?

Não fazia sentido.

Ainda não faz.

Ty ficou abalado com a morte de Samantha. Ele passou o resto do verão tocando músicas de Taylor Swift sem parar. Ele tinha uma foto de Samantha que foi feita na igreja quando eles tinham 12 anos, na qual ela estava sentada em uma cadeira de jardim com um prato de papel delicadamente equilibrado sobre as pernas, prestes a comer uma salada de maionese. Ele prendeu a foto na parede ao lado de sua cama. Ainda está lá.

O estranho era que ele e Samantha não tinham sido muito próximos. Sim, eles se conheciam desde a infância, e isso já era bem triste; nada melhor para fazer com que você tenha noção de sua fragilidade no universo do que a morte repentina de alguém da sua idade, que estava aqui há um minuto, mas agora não está mais. Mas o tamanho da emoção que Ty demonstrou pela morte de Samantha não condizia com o que ele havia sentido por ela em vida. Ele detestava música country. Não era íntima de nenhum amigo dela. Então, por que essa morte o afetava tanto?

Durante sua vida, Samantha foi discreta e retraída, uma pessoa que procurava ficar em segundo plano. Mas na morte, ela se tornou uma estrela brilhante. Todo mundo falou bem dela. Todo mundo chorou por ela. Todo mundo se importou.

Eu tenho me perguntado se foi isso que fez com que Ty começasse a se sentir fascinado pela própria morte. Ele viu que todo mundo naquela tarde na igreja, no cemitério, amava Samantha Sullivan.

Poucas semanas depois, ele tomou os comprimidos de Advil.

Talvez nem quisesse morrer. Afinal, ele tomou os comprimidos praticamente embaixo do nariz da minha mãe. Ele queria que ela o impedisse? Queria ser salvo? Talvez Ty fosse como todo mundo. Talvez só quisesse ser amado. Mas depois de engolir os comprimidos, foi para o quarto e dormiu. Algo deve ter mudado nos momentos depois do Advil.

Havia outros fatores também. Alguns dias depois da morte de Samantha, um jogador de futebol na UNL *se matou no vestiário vazio depois de um jogo, com uma overdose de algum remédio comum. Foi notícia em todos os cantos. Naquele mesmo verão, um viciado em metanfetamina morreu no que a imprensa chamou de "suicídio pela polícia". Ele fingiu estar armado, e a polícia atirou nele.*

A ideia pode ter nascido em vários lugares diferentes: naquela cena na série Crepúsculo, *na qual Edward tenta se matar quando acha que perdeu Bella, porque sim, é uma reação perfeitamente razoável quando não se pode ficar com a pessoa que você ama: morrer. Ou no modo casual com que as pessoas dizem Estou me matando de fazer (preencha o espaço). Ou no dr. Kevorkian, ou na pena de morte, ou no noticiário, que está sempre divulgando alguma história horrorosa a respeito de uma pessoa maluca com uma arma e um desejo de morrer. Ou em* Romeu e Julieta, *na aula de literatura, ou no filme* Se Enlouquecer, Não se Apaixone, *ou numa coleção de poemas de Sylvia Plath da estante da mamãe, de sua época de faculdade, quando ela grifou as seguintes frases:*

Morrer
É uma arte, como tudo mais.
Nisso sou excepcional.
Faço parecer infernal.
Faço parecer real.[1]

Existe morte ao nosso redor. Em todos os lugares para onde olhamos. 1,8 pessoa se mata a cada segundo.

Só não prestamos atenção. Até começarmos a notar.

---

[1] Tradução de Marina Della Valle. "Sylvia Plath: quatro 'poemas-porrada'." In: *Cadernos de Literatura em Tradução*, n. 7, p. 165-199.

CAPÍTULO 26

Voltar para a escola na segunda é difícil.

Até mesmo o trajeto de ônibus é insuportável. Todo mundo quer olhar para a menina-cujo-irmão-morreu, que deve estar muito mais fragilizada agora que outra pessoa também morreu. Foi assim que eles me trataram quando voltei depois do Natal, como se eu tivesse uma bomba de pesar presa ao peito, prestes a explodir a qualquer momento. Ou elas tentam se aproximar de mim com cuidado para desarmá-la ou fogem para se proteger.

Além disso, é dia de São Patrício, o que torna a coisa mais esquisita ainda. Percebo que ninguém está usando verde, como costumam fazer nesse dia.

Que divertido.

Procuro Damian nos corredores antes da aula. Não consigo parar de pensar na voz dele me contando que Patrick tinha morrido: "Ele era meu amigo", disse. Agora, ele é o único dos três amigos que restou. Mas não o vejo. Claro, ele consegue passar despercebido quando quer. Afinal, a invisibilidade é seu superpoder.

"Se eu desaparecesse um dia, desaparecesse de verdade e nunca mais voltasse, ninguém notaria." Foi o que ele me disse aquele dia.

E eu disse que notaria.

É isso que tenho que fazer. Ele precisa ver que eu notaria.

Pesquisei um pouco sobre Damian on-line durante o fim de semana, para saber qual seria a melhor maneira de fazer isso, de ser sua amiga, e aqui está o que consegui entender de suas atividades na internet até agora:

Ele gosta de fotografia, principalmente de imagem em preto e branco, fotos feitas quando a pessoa não sabe que está sendo fotografada. Eu já sabia disso.

Ele gosta de ler. Eu também já sabia disso.

O que eu não sabia é que Damian gosta de ler tudo que pega nas mãos: livros de ficção científica, fantasia e terror, mas também curte livros como *Marley e Eu* e *O Caçador de Pipas*, e livros sobre Descartes, Kant e Jung. Ele curte filosofia. Descreve a si mesmo como um "poeta filósofo" em muitos de seus perfis on-line, e não sei se é só uma tentativa de chamar a atenção das garotas, mas é o termo que ele usa.

Poeta.

Filósofo.

É legal e tudo mais, se ele não tivesse postado este poema há três dias:

Um osso cuja carne foi retirada
Por urubus
Que nunca saberão
A dor que me foi causada

Temo que ele possa ser o próximo dominó a cair. Poderia estar tremendo na iminência do esquecimento, prestes a descer para o abismo. Não sei. Não sei como melhorar as coisas para ele.

Mas vou tentar.

Eu o encontro na hora do almoço. Está sentado a uma mesa no canto do refeitório, sozinho, comendo um monte de batata frita, meio desanimado.

"E aí?", digo e me sento na cadeira à frente dele como se fosse algo que eu fizesse todo dia. "Quero falar sobre

Coração das Trevas. Achei tão interessante, Conrad explora muito bem essa ideia de como uma pessoa escolhe entre dois tipos diferentes de mal. Tão relevante, não acha?"

Obrigada, *CliffsNotes* — o site de resumos de livros.

O rosto de Damian se ilumina, e ele diz: "Pois é. Acho que ele estava escrevendo sobre o absurdo disso tudo. Sei lá, como pode haver algo como insanidade em um mundo que enlouqueceu completamente?".

"Isso!", concordo animada. "Gostei muito do livro. Queria saber se você podia me recomendar algum outro, agora que terminei esse. O que mais eu poderia ler?"

Ele franziu o rosto concentrado.

"Você já leu Kafka?", pergunta depois de um minuto.

"Kafka." Anoto o nome no meu caderno.

"Existencialismo clássico. Comece com *A Metamorfose*. É curto, mas é excelente."

Curto é bom, penso. É ótimo.

"Vou conferir, com certeza." Estendo o braço e roubo uma batata frita. Damian sorri, um sorriso sincero, revelando uma fileira de dentes tortos.

Fico muito feliz ao ver esse sorriso.

No Laboratório de Cálculo, quando (depois de nossos dez minutos iniciais de lição de casa) nos unimos em duplas para uma partida de vinte e um — o vencedor ganha cookies do sabor escolhido feitos por ninguém menos do que a multitalentosa srta. Mahoney — Steven pergunta se pode jogar contra mim na primeira rodada.

Não consigo pensar numa boa desculpa para recusar. Pelo menos, a reação de Steven a mim é verdadeira. Mesmo que seja esquisita. "Tudo bem."

Eu viro a minha carteira de frente para a dele.

"Dá as cartas ou não?", pergunta ele.

"Dou."

Ele me entrega o monte.

"Você está bem?", pergunta enquanto embaralho.

Lá vamos nós. O interrogatório do esquadrão antibomba começou oficialmente.

"Estou bem."

"Você faltou à aula. Você nunca falta."

"Nunca diga nunca", brinco, mas ele não ri.

"Tentei ligar para você."

"Fiz uma viagem de última hora de carro com a minha mãe."

Ele enruga a testa.

"Uma viagem de carro? Para onde?"

"Para o Tennessee."

Enrugou ainda mais a testa. "Tennessee?"

"Sim. Está pronto?"

Ele assente. Coloco uma carta virada para cima na frente dele e uma virada para baixo na minha frente. Um nove para ele. Um dois para mim.

Dou mais cartas a ele. Um cinco. E então, mais uma para mim, virada para cima. Um valete.

"O que tem no Tennessee?", pergunta ele.

Penso em dizer que não é da conta dele, mas sei que está perguntando porque se preocupa. Apesar de tudo, ele ainda se importa comigo. Eu não deveria tratá-lo mal.

"Graceland", respondo tranquilamente. "Fomos a Graceland."

Os olhos dele brilham. "Porque sua mãe ama Elvis."

Não consigo controlar um sorriso. "Porque minha mãe ama o Rei."

"Que legal!" Ele também sorri, relaxando os ombros. "Muito legal!"

"Bom, as cartas", digo, tentando voltar ao assunto, porque outras duplas estão terminando e estão prontas para a segunda rodada.

Ele olha para as cartas. "Certo, mais uma."

Dou. É um seis, que faz com que ele acumule vinte. Ele passa, e estou com doze, então, pego uma para mim, um rei. Vinte e dois. Droga. Ele ganhou.

"Parabéns", digo. "Mahoney faz um cookie de matar com gotinhas de chocolate. É o que eu escolheria."

"Ei, não vamos nos precipitar", disse ele. "Venci só uma batalha, não a guerra."

Mas ele continua e vence mais três partidas. E escolhe o de gotas de chocolate.

"Eu disse para você", brinco enquanto saímos da sala. Beaker e El não nos acompanham, ficam mais para trás para nos deixar conversar, o que acho estranho, mas o que posso fazer? Parar e insistir para que andemos todos juntos?

"Sim, você disse", diz ele. "Como sabia?"

"Sou vidente", digo, levando a mão à têmpora como se meu cérebro tivesse algo mágico.

"Ah."

Por um minuto, as coisas parecem ser como eram. Como antes, quero dizer. Quando éramos amigos.

"Eu soube que você não anda a fim de participar do Clube da Matemática ultimamente", diz ele, quando dobramos a esquina. "Mas vamos jogar boliche amanhã à noite. Parkway Lanes, às seis da tarde. Vamos? Não seja chata."

"Bom, você sabe que eu sou chata", digo, brincando.

Steven troca a mochila para o outro ombro e fica de frente para mim.

"Acho que você está mais para redonda."

"Você é tão gentil", digo.

"Então, você vem?"

Desta vez, até gostaria de poder ir. "Não posso", digo. "Tenho o jantar idiota com meu pai."

E é o último lugar onde quero estar, pensando bem. Mas é a regra: janto com meu pai nas noites de terça. Se eu começar a quebrar as regras agora, quem sabe o que poderia acontecer?

Steven tenta mostrar que não está decepcionado.

"Certo. Tudo bem. Outro dia, então."

"Sim", murmuro. "Outro dia."

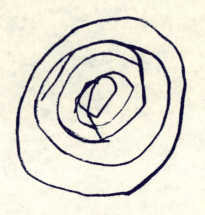

17 DE MARÇO

Isso vai parecer meio lugar-comum, acho, mas nunca se sabe quando vai ser a última vez. Que você abraça alguém. Que você beija. Que você se despede.

Não me lembro quais foram minhas últimas palavras ao Ty. Provavelmente algo como Até mais, quando saí de manhã. Não consigo me lembrar. Não foi significativo, é só o que sei. Nunca fomos uma daquelas famílias que dizem "eu te amo" no fim de cada conversa.

Os pais de Steven fazem isso. Quando ele liga para dizer que vai se atrasar ou algo assim, ele sempre termina dizendo "Eu também te amo". Mesmo que ele vá vê-los em 10 minutos.

Eu achava isso meio bobo. Se você diz algo com muita frequência, a coisa perde o sentido, não? Mas agora, compreendo. Se o impensável acontecer — um acidente de carro, um ataque do coração, o que quer que seja — pelo menos, você vai saber que suas últimas palavras foram positivas. Há segurança nisso. Um conforto.

Eu terminei com Steven na noite de Ano-Novo. Houve uma festa na casa dele com a família — suas 3 irmãs, os pais, as tias, os tios e os primos e os meio-primos.

Naquela noite, eles me trataram como uma boneca de porcelana, coitadinha da Alexis com a vida destruída.

Então, na contagem regressiva, pensei: Este será o primeiro ano sem Ty em 3, 2, 1...

Steven se inclinou para me beijar e eu me afastei.

"Desculpa", eu me lembro de ter dito. "Não consigo."

"Tudo bem", disse ele. "Eu entendo."

"Não, você não entende." Eu queria que ele parasse de ser tão compreensivo comigo, pra variar. "Não me refiro a isso. Eu me refiro a nós dois. Não consigo mais."

Muitas emoções tomaram seu rosto, mas ele engoliu todas elas. "Está bem", disse Steven, com a voz abafada com as palavras que estava contendo. "Sei que as coisas estão ruins agora, então faz sentido que você precise de espaço. Posso te dar espaço."

"Não tem a ver com o Ty", falei. "Eu estaria fazendo isso mesmo se ele não estivesse morto."

Dor nos olhos castanhos dele. Um universo de dor.

"Ah", foi o que ele disse.

"Foi um bom experimento, mas..." Não conseguia olhar para ele. Do lado de fora, a neve caía em flocos grandes, o tipo de nevasca que faz com que tudo seja encoberto. "Concluí que você e eu não combinamos. A longo prazo, é o que quero dizer. Eu acho que você é um cara ótimo, mas nunca daria certo entre nós."

Eu parecia uma doida. Foi o discurso de rompimento mais imbecil da história da humanidade.

Ao nosso redor, havia música e riso, a irmã mais nova dele e os primos gritando num jogo, som de brindes e promessas sendo feitas, uma cacofonia de barulho, mas só consegui perceber que Steven prendeu a respiração.

"É um momento ruim. Sinto muito. Preciso ir", digo, e caminho até a porta da frente.

Ele encontrou minha jaqueta no monte de casacos em cima da cama do quarto de hóspedes, e a entregou a mim e eu a vesti. Então, ele me seguiu até o lado de fora, onde meu carro estava estacionado na rua, e me ajudou a tirar a neve do para-brisa. Ele não disse nada durante todo o tempo. Não ficou irado nem tentou me culpar.

Mas quando finalmente olhei nos olhos dele por cima do teto de meu carro, ele ficou me olhando. Havia neve em seus cabelos, suas faces estavam vermelhas, e a luz da rua refletia em seus óculos.

"Por quê?", perguntou ele.

"Por quê?"

"Por que não daria certo entre nós?"

Eu não sabia a resposta. Não podia contar a ele sobre a mensagem de texto, então, busquei uma mentira razoável. "Você sabia que existem tipos diferentes de espermatozoide?"

Ele ficou olhando para mim. "Você está terminando comigo por causa do meu espermatozoide? Mas você não... nós não... você não tem base para..."

"Não. Não é seu espermatozoide, exatamente. Só... há tipos diferentes de espermatozoides. Eu li sobre isso. Há alguns espermatozoides que têm que nadar o máximo possível até o... bem, você entendeu; eles têm que correr até a linha de chegada, por assim dizer. Mas também há espermatozoides que ficam pelo caminho e morrem. Você sabe por que eles fazem isso?"

"Tenho a impressão de que você vai me contar."

"Para que eles possam bloquear outros espermatozoides. Eles são como espermatozoides de defesa. Espermatozoides camicase."

"Que fascinante", disse Steven, sério.

"Você sabe o que isso quer dizer?"

Ele pensou por um minuto antes de eu ver a resposta brilhar em seus olhos.

"Quer dizer que somos biologicamente concebidos para ser não monogâmicos. As fêmeas não são programadas para ter só um macho. Não se o espermatozoide tem que competir."

"Exatamente."

Ele passa uma mão pelos cabelos, afastando a neve. "Isso não tem nada que ver com a gente, Lexie. Isso não é biologia."

Então, contei a ele a maior mentira de todas.

"Não quis dizer isso. O que eu disse naquela noite. Fui envolvida pelo momento, mas... não acredito no amor. Acredito na biologia."

Ele desviou os olhos dos meus imediatamente. Começou a se afastar em direção à luz quente de sua casa, de sua família e de seu futuro.

"Dirija com cuidado, Lex", disse ele.

Foi a última coisa que ele disse a mim, como meu namorado.

Dirija com cuidado.

CAPÍTULO 27

Nesta semana, o jantar com meu pai é no Outback. Ele está atrasado. Eu me sento a uma mesa bebendo limonada de morango por vinte minutos antes de pegar meu telefone, mas não ligo para ele. Olho para a tela e penso em ligar. Eu me ressinto dele por fazer com que eu pense em ligar para ele.

Finalmente, meu pai aparece, se apressando na minha direção no restaurante escurecido.

"Desculpa", diz ele ao se sentar à minha frente. "A Megan queria..." Ele para e se lembra de que não quero ouvir sobre Megan.

Tomo mais limonada enquanto ele tira o casaco e as luvas e pega o cardápio.

"Como foi sua semana?", pergunta ele.

"Fantástica", respondo sem ânimo.

"Sei que as coisas devem ter sido difíceis, com a morte do Murphy. Que lástima."

Olho para ele. Sim, uma lástima.

"Soube que você entrou no MIT", diz ele. "Está fazendo planos."

Ele não parece animado. Por que não parece animado?

"Como soube?"

"Sua mãe me ligou."

Um gole de limonada desce pelo lugar errado, e eu engasgo.

"Minha mãe *liga* pra você?"

"De vez em quando. Ela fica preocupada, e quer discutir o que fazer com você."

Continuo tossindo.

"O que fazer comigo?"

"Como ajudar você", ele se corrige, porque obviamente disse a frase de um jeito ruim.

"Na verdade, não sou eu quem precisa de ajuda." Isso sai sem que eu queira.

Meu pai desvia o olhar como se estivesse envergonhado com a minha sinceridade. Como se não me conhecesse. A garçonete vem pegar nosso pedido. Meu pai pede um filé enorme e um Wallaby Darned, um tipo de bebida com pêssego. Peço uma salada. Então, nós nos sentamos em silêncio, sem jeito, por um tempo, arrancando pedaços do pão de centeio escuro que foi servido a nós, mastigando nossos pensamentos.

"A notícia sobre o MIT é incrível", diz ele, finalmente.

"Sim, é."

"Você tem ideia de quanto..." Ele para de falar, e é quando entendo o que está acontecendo. Ele quer saber quanto custa. Claro que quer. Não tem dinheiro para me mandar para o MIT.

"Quanto vai custar? Aqui está." Pego o envelope grosso da bolsa e o entrego a ele. Ele mexe nas folhas até encontrar a parte da descrição financeira.

"Então... você tem uma bolsa de estudos."

"Um monte de bolsas de estudo, sim. O que deve cobrir o valor do curso. Mas preciso pagar a acomodação, a comida, os livros, os impostos e outras coisas, que eu estimo que custem mais quinze mil dólares por ano. Posso conseguir um emprego de meio período quando estiver lá. Eles têm estágios e coisas assim. E eu tenho algumas economias."

"Você tem economias?", pergunta ele, como se me imaginar com dinheiro desafiasse a lógica.

"Tenho pouco menos de vinte mil", admito.

Ele arregala os olhos.

"Vinte mil *dólares*?"

"Não. Vinte mil tampinhas de garrafa. Claro que são vinte mil dólares."

"Como conseguiu isso?"

"Economizei cada centavo que ganhei com meus empregos de verão nos últimos três anos. Lembra quando trabalhei no Jimmy John, no centro da cidade? Eu recebia oito dólares por hora, e um monte de sanduíches, então economizei muito naquele verão. Trabalhei de babá cuidando dos trigêmeos dos Bueller este ano. Ganhei dinheiro de presente de aniversário da vovó. Vai somando. Tenho exatamente $19.776,42. Então, posso bancar, sem pegar empréstimo, espero."

Observo a tensão sair do corpo dele.

"Lexie... que notícia maravilhosa", diz ele, e está sendo sincero, dessa vez. Ele abre um sorrisão. "Parabéns, docinho."

Docinho.

Para voltar a ser a filhinha dele, só preciso bancar meu ingresso numa universidade importante.

"Estou muito orgulhoso de você, querida." Ele aponta para a carta. "Você leu o que está escrito aqui? Você é uma das alunas mais talentosas e promissoras dentre os candidatos deles dos últimos anos. Você é uma em um milhão."

"Sou uma em onze", esclareço. "São 18.109 candidatos e 1.620 alunos admitidos, então sou uma em onze."

"Mesmo assim." Ele se recusa a permitir que eu jogue areia na alegria dele. "É impressionante. É incrível. É..."

"Pode parar?", peço.

Ele parece surpreso. "Parar com o quê?"

"Parar de comemorar."

"Por quê? Aconteceu, Lex. Aquilo com o que sonhamos para você, durante todo esse tempo. A vida que sempre quisemos para você."

Não consigo me controlar.

"É? Essa é a vida que você sempre quis para mim?" Gesticulo para todas as pessoas felizes comendo seus filés, comemorando aniversários, ou datas importantes, ou salários. "Isto?"

A garçonete aparece com minha salada e parece desconfortável, porque está claro que estamos discutindo.

"Olha, não se preocupe", digo a ela. "Pode levar de volta. Perdi a fome."

Ela deixa a salada na mesa de qualquer modo, e se afasta depressa. Eu pego os papéis do MIT e os guardo no envelope de novo, e então o enfio na bolsa e começo a pegar meu casaco.

"Docinho", diz meu pai.

"Não me chame assim", digo. "Não sou seu docinho. Você não pode mais me chamar assim."

A expressão dele fica séria.

"O que está acontecendo com você? Está agindo como uma criança."

"Sou sua criança, teoricamente falando", replico. "Ou você se esqueceu?"

Ele se afasta como se eu o tivesse agredido. "Por que está tão brava?"

Ah, vou contar os porquês.

Porque não é assim que eu queria que minha vida fosse. Não é a situação que imaginei quando contasse a meu pai que entrei no MIT. Deveríamos estar reunidos na mesa de casa, minha mãe, meu pai, Ty e eu. Eu mostraria a carta a todos eles, e todo mundo estaria sorrindo, e Ty me provocaria dizendo que sou uma nerd, e eu fingiria bater nele, e nós daríamos risada e comemoraríamos minha fuga de Nebraska, mas não seria uma fuga nada ruim. Eu não deveria contar à minha mãe para tirá-la de uma crise de choro nem deveria contar ao meu pai em uma porcaria de restaurante, com Ty a sete palmos do chão.

Mas é a minha vida.

E posso dizer isso a ele? Posso dizer *Você acabou com tudo; é tudo sua culpa*, como disse a Steven com tanta facilidade mês passado? Posso dizer o que acho, de fato, posso chamá-lo de traidor? De mentiroso? Todos os pedaços de frascos de perfume quebrados naquela noite no parque com Ty depois que o papai nos deixou?

Claro que não. Se eu contasse essas coisas a ele, eu o perderia mais do que já perdi. Eu o perderia para sempre.

Não posso perder mais ninguém.

Mas não posso contar a ele sobre a foto. Sobre Ty querer que aquele espaço na colagem fosse para ele. Não posso.

Ele não merece isso.

"Preciso ir", digo ao meu pai, a voz embargada. "Aproveite seu filé."

Ele me observa enquanto saio. Fico sentada dentro do carro por alguns minutos, embaçando o vidro do para-brisa com minha respiração ofegante, tentando me controlar o suficiente para dirigir.

"Por favor, Limão", eu imploro, tocando o volante. "Você consegue, por favor."

Viro a chave. O motor dá uma engasgada, mas pega.

"Obrigada", digo, e então, engato a primeira, e me recuso a olhar para o rosto de meu pai na janela quando saio dali.

Sadie McIntyre está esperando na varanda quando volto para casa. Está sentada nos degraus, fumando um cigarro. Não sei por que me surpreendo.

"Você não estaciona na garagem?", pergunta ela quando subo a calçada, e então, responde à própria pergunta: "Ah, não, verdade".

"Você quer alguma coisa?" Estou pronta para usar a abordagem de minha mãe e ir para a cama assim que puder para que esse dia "incrível" termine. Estou passada.

"Queria saber de você", diz ela. "Faz um tempo que não conversamos. Desde..."

"Patrick", completo. Eu me sento nos degraus ao lado dela. "Não vi você no enterro."

"Tive que trabalhar", diz ela desviando o olhar: registrado, culpa. "Mas essas coisas são difíceis para mim. Volto para quando..."

"Eu também."

Ficamos sentadas por um minuto. Ela fuma, eu tento não respirar a fumaça.

"Sabe do que mais me lembro do enterro do meu pai?", pergunta ela depois de um tempo. "As pessoas ficavam dizendo 'Vai ficar tudo bem'. Era o que elas me diziam, sem parar, como *Não se preocupe, menininha, vai ficar tudo bem*, porque deve haver uma regra geral idiota do universo de que independentemente do que aconteça, por mais que as coisas fiquem ruins, tudo vai ficar bem no fim."

"É", concordo.

"E sabe o que eu ficava pensando? Eu ficava pensando, Que mentira. *Não* vai ficar tudo bem. Nunca mais vai ficar bem, nunca. Então, parem de mentir para mim, porra."

"Você pensava isso? Quantos anos você tinha? Quinze? E já pensava 'parem de mentir para mim, porra'?"

Ela semicerra os olhos divertindo-se. "Eu tinha um vocabulário avançado para a minha idade."

"Pelo visto, sim."

Ela ri e fuma.

"Sinto muito por não ter estado ao seu lado", digo depois de um minuto. "Você foi ao funeral do Ty, mas eu não fui ao do seu pai."

Ela dá de ombros. "Eu não estava do seu lado quando seu pai caiu fora. Além disso, eu não teria valorizado sua presença na época, de qualquer modo."

"E me conhecendo, eu provavelmente teria dito algo idiota como 'Vai ficar tudo bem'."

Nós duas rimos.

"Bom, você só sabe como é quando vive a situação." E então, ela muda de assunto. "E aí, como está o lance do espírito? Você o viu de novo?", pergunta ela. "Desde que entregou a carta a Ashley? Quero detalhes."

Não consigo evitar ficar tensa. "Eu o vi."

"Muito?"

"Sim, muito." Tipo, durante metade do trajeto de volta no estado do Missouri, no banco de trás do carro. "Bom, tem mais uma novidade."

"Mais uma?" Sadie tenta fazer parecer que não é nada de mais, mas percebo que ela está interessada. Ela consegue ver o lance do fantasma de Ty como um mistério simples a ser resolvido. Porque não é a casa dela. Não é a vida dela.

"Você se lembra da colagem que Ty fez, para o velório dele? Ele colocou um monte de fotos em uma moldura especial."

Ela fica séria. "Sim."

"E havia um espaço em branco na montagem."

Ela assente.

Suspiro. "Aquele espaço seria para uma foto do meu pai. E eu encontrei a foto. E acho que o Ty quer... ele desejaria que eu a entregasse ao meu pai."

"Ah. Entendi. Parece complicado."

"Pode crer." Eu recosto a cabeça para trás e gostaria de ver estrelas, mas o céu está nublado, num tom cinza-escuro, opressivo. Estamos em março, mas consigo sentir o cheiro de neve. Parece que o inverno está se prolongando, que não vai acabar nunca. Suspiro. "Não quero ter que lidar com meu pai."

"Eu entendo. Seu pai é um saco", diz Sadie.

Eu me endireito. "O que você disse?"

"Sua mãe, ela era... ou melhor, ela é tão legal." Sadie apoia o queixo na mão, com os olhos perdidos em pensamento. "Sempre quis que minha mãe fosse mais parecida com a sua. A minha é muito rígida com tudo. Sua mãe sempre foi tranquila e engraçada. Ela fazia panquecas em formato de ursinhos, com olhos de gotas de chocolate e boca de morango, e ela fazia fantasias lindas para o Dia das Bruxas, e você sempre teve os melhores bolos de aniversário. Minha mãe..." Ela balança a cabeça.

"Sua mãe era ocupada. Ela tinha muitos filhos para cuidar", digo.

"Queria..." Ela para.

Não é muito difícil adivinhar o que ela ia dizer. Queria que o pai estivesse aqui.

Porque o pai dela era o tipo de pai que todas as crianças queriam ter. Era professor do quarto ano, mas daqueles legais, que usavam camisa com as mangas enroladas, que sabia tocar Bruce Springsteen e Coldplay no violão, que não ficava com cara de bobo quando usava óculos de sol. Ele tinha uma voz grave que fazia com que os alunos se sentassem e ouvissem, mas sempre estava de bom humor.

Sadie bate as cinzas de seu cigarro. "Então, você acha que o Ty quer que você faça as pazes com seu pai."

Eu me lembro das vezes em que vi a moldura vazia no chão do corredor. A luz acesa na casinha. O perfume. Eu poderia explicar todas essas coisas, mas elas parecem significar algo. Parecem estar ligadas a Ty.

"Não sei", digo. "Gostaria que houvesse um modo de eu saber definitivamente, de um jeito ou de outro — estou louca ou estou assombrada —, não me importo. Só quero saber."

"Eu entendo", diz Sadie. "Fui a uma médium, certa vez. Contei a você?"

Eu me viro no degrau e olho para ela. "Não, você não me contou. Quando?"

"Madame Penny." Ela suspira, dá uma longa tragada e entorta a boca para soltar a fumaça para o lado oposto ao meu. "Há uns dois anos."

Estendo o braço e pego o cigarro da mão dela para apagá-lo na neve.

"Ei! Mas que porra?"

"Estou fazendo um favor a seus pulmões. Bem, fale sobre a Madame Penny." Insisto antes que ela tenha tempo de se irritar de verdade comigo. "Como foi? Quero detalhes."

Ela ri. "Paguei cem paus por meia hora. Eu tinha certeza de que conseguiria falar com meu pai. Eu tinha levado um relógio de ouro que ele sempre usava, porque no site estava escrito que ela trabalhava melhor se você levasse um item que estivesse associado à pessoa com quem você queria conversar."

Eu me lembro daquele relógio. Quando o pai de Sadie enrolava as mangas da camisa para ensinar divisão, nós o víamos brilhando em seu braço. Às vezes, durante a aula, ele escolhia um dos alunos para segurar seu relógio e contar o tempo quando ele lia para nós — porque ele dizia que perdia a noção do tempo ao contar uma história.

"E então, o que aconteceu?", pergunto.

"Eu entrei e ela disse imediatamente que conseguia sentir alguém do outro lado tentando me alcançar, um homem mais velho, segundo ela. Um homem sábio."

"É? Seu pai?"

"Não." Ela enfia o dedo num furo de sua calça jeans. "Ela disse que o nome dele era Gregory. Um monge que morreu no século XII."

Olho para ela, totalmente surpresa: "O quê?".

Sadie ri de minha expressão. "Madame Penny disse que ele era meu guia espiritual. Estava ali para me direcionar no caminho de minha alma. Cada um de nós tem um ajudante invisível nesta vida, ela disse, alguém que nos guia e nos ajuda pelo caminho."

"Se é assim mesmo, meu guia espiritual está demitido", digo.

"Pois é!"

"E então... você conseguiu falar com seu pai?", pergunto, mas imagino que já sei a resposta.

Ela olha para a rua por alguns segundos, e então responde: "Não. Ela ficou falando desse Gregory por uns vinte minutos, e então, tentei fazer com que ela olhasse para o relógio, mas ela começou a falar do meu avô, que morreu quando eu tinha dois anos, sobre quem eu não sabia nada, e aí, ela falou sobre um grande amante que tive em uma vida passada, um cara de jaqueta que lutou na Segunda Guerra Mundial, que me amava mais do que a lua e as estrelas, eu me lembro que ela disse. Ele queria me mandar uma mensagem de amor e de perdão, dizia ela. Amor e perdão. Perdão e amoooor. E então, meu tempo acabou".

Ficamos em silêncio. Então, Sadie diz: "Foi um baita desperdício de grana".

Tento me manter positiva.

"Mas foi divertido."

"Foi. Eu ri pra caramba."

"Desculpa. Que droga."

Ela balança a cabeça. "Eu era ingênua. Meu Deus. Cem dólares. Fico louca pensando em todas as coisas que eu poderia ter comprado com cem dólares na época."

"Foi um experimento", digo. "Você foi com a mente aberta."

"Pensei que meu pai falaria comigo", diz ela. "Pensei que teria todas as respostas."

Ela funga, e é quando percebo que está chorando. Já faz dois anos e ela ainda está tão decepcionada por não ter conseguido falar com o pai que a lembrança daquele dia a faz chorar.

Fico com inveja dela.

Enfio a mão na mochila para pegar lenços de papel, que eu carrego comigo na esperança de que, um dia desses, meu dutos lacrimais comecem a funcionar de novo, para eu poder chorar um rio. Entrego um a ela.

"Mas você ainda assiste a *Long Island Medium*", digo quando ela o aceita e seca os olhos. "Você ainda acredita, certo?"

"Sim, quer dizer, prefiro pensar que a Madame Penny era uma fraude."

"Uma fraude completa", concordo.

"Fiquei muito brava. Depois disso, joguei ovos na casa dela", confessa Sadie.

Fico boquiaberta. Então, nós duas começamos a rir. E rimos sem parar.

"Você é uma delinquente, mesmo", digo quando paramos. "Como ela era? Morena, misteriosa, parecida com uma cigana?"

Sadie pensa por um minuto. "Ela era uma mistura da minha vó com a Betty White. Eu me lembro que ela estava usando uma blusa com estampa de árvores de Natal." Ela assoa o nariz. Sussurra. "Droga. Eu vim aqui para animar você, não o contrário."

"Você me animou", digo. E é verdade.

Ela bate o ombro no meu. "Você é uma boa amiga, Lex."

Não, não sou, penso.

"Você também é uma boa amiga", respondo. "Ainda bem que você me viu correndo aquela noite. Ainda bem que tentou entender por quê."

"Olha, eu estava falando sério quando disse que nós deveríamos começar a correr juntas de novo", diz ela. "Assim que o tempo melhorar. Você e eu. Correndo."

"Não abuse da sorte", digo.

Ela sorri com as marcas de lágrimas ainda aparentes em seu rosto.

CAPÍTULO 28

É engraçado como, às vezes, não vemos as coisas mais óbvias. Você acha que sabe o que a vida tem reservado para você. Acha que está preparado. Você acha que pode enfrentar. E então... *bum!*, como uma explosão, algo vem do nada e pega você desprevenida. Como na quarta, quando Ashley Davenport me abordou antes da primeira aula.

Fecho a porta do meu armário e lá está ela parada. Dou um pulo, assustada.

"Oi", diz ela.

Ela mudou os cabelos de novo, um castanho escuro, acetinado, dessa vez. Fica bem nela, destaca os enormes olhos azuis, que estão olhando fixamente mim, como raios laser. Preocupada. Determinada.

"Queria falar com você."

"Hum... está bem."

"Vi você no velório de Patrick", diz ela, com a voz rouca como se estivesse com gripe.

Ela não me dá nenhuma outra explicação. Simplesmente tira a mochila e a coloca no chão e puxa um envelope familiar, amassado.

Está escrito *Para Ashley*.

"Acho que você deveria ler isto", diz ela.

"Ah." Não consigo pensar em mais nada. Estou petrificada. Não entendo muito bem o que está acontecendo aqui. Pensei que esse envelope havia desaparecido para sempre, que eu nunca saberia o que havia dentro dele, mas ela está me oferecendo a carta, como se o que ele disse tivesse a ver comigo, de algum modo.

Engulo em seco. A mensagem. A mensagem.

"Você quer ir a algum lugar? À biblioteca, por exemplo?", pergunta ela.

"Mas você não tem aula?"

O sinal toca. Ela dá de ombros e abre um sorriso discreto. "Posso me atrasar."

Vamos à biblioteca. Ninguém nos perturba quando nos dirigimos a um canto vazio atrás de uma pilha de livros, onde Ashley me oferece a carta.

Minhas mãos tremem quando a pego.

"Quero ela de volta. Então, vou ficar ali." Ela inclina a cabeça para indicar as mesas de estudo no centro da biblioteca. "Pode levar o tempo que quiser."

Então, ficamos só eu e a carta.

Eu a tiro do envelope. O papel faz um barulhinho ao ser desdobrado.

Está com data de 10 de dezembro. Dez dias antes de Ty morrer.

Respiro fundo e me encosto na parede, flexiono os joelhos e começo a ler.

> *Querida Ashley,*
> *Quis escrever esta carta para explicar por que terminei com você.*
> *Primeiro, preciso pedir desculpas pelo modo como agi. Eu não sabia o que dizer a você nem como explicar a verdade a respeito de como me sinto, por isso recorri ao velho clichê "não está dando certo", o que fez parecer que o problema era você.*
> *Não é você.*
> *Você é a garota mais incrível que já conheci. Você é ~~linda~~ — mas acho que deveria dizer inteligente*

primeiro, porque você é inteligente pra caramba, e foi a primeira coisa que notei em você; que para uma menina tão linda, você tem a cabeça no lugar, é uma garota que sabe das coisas, e sempre teve boas ideias e visões complexas a respeito da vida. Você é linda também. Sabe disso. Todo mundo sempre diz. Às vezes, olhando para você, eu sentia meu peito doer ao ver o quanto você é bonita. E é engraçada. Você se lembra daquela vez em que me fez rir tanto que eu espirrei leite com chocolate pelo nariz? Mas você não achou nada de mais, porque é legal, você é legal com todo mundo. Está sempre pensando em como os outros vão se sentir. Acho que é o que mais admiro em você, sua doçura neste mundo cheio de merda.

Desculpa.

Então, não tem nada a ver com você, Ash. Por favor, acredite quando eu ~~digo~~ *escrevo isso. Você é perfeita.*

O problema sou eu.

Naquela noite em que tratei você mal — desculpa por aquilo também — você estava tentando fazer com que eu falasse sobre meu pai, e falei que detesto meu pai, e você se surpreendeu, como se não soubesse que sou o tipo de pessoa que consegue odiar alguém. Que eu pudesse odiar o próprio pai.

Mas sou.

Foi quando vi como estou perdido. E me vi tão claramente naquele momento, que foi como se eu também pudesse ver o futuro.

Você é tão perfeita e tão linda, tão gentil, e quando estou com você, quero ser essas coisas também, quero ser a melhor pessoa, mas a verdade é que não consigo.

Estou perdido.

Tenho fases nas quais acho que tudo vai ficar bem e que o céu é azul e tal, quando consigo sentir o sol e o ar entrando e saindo de meus pulmões e penso a vida é boa.

Mas então, todas as vezes, também sei, no fundo, que a escuridão está vindo. E não vai parar de vir. E quando eu estiver na escuridão, vou estragar tudo. E se você estiver comigo, vou estragar você também.

Você merece coisa melhor.

Você tem bons amigos, ótimos pais e uma vida incrível à frente. Precisa ter um namorado que faça parte disso. Não eu.

Minha irmã tem um namorado, e ela está muito a fim dele, mas se assusta por estar tanto a fim, porque ela é assim, mas quando vejo os dois juntos, penso que eles são um bom par. No caso da maioria dos casais da escola, você vê que não vai dar certo, e talvez tenha que ser dessa forma. Mas com os dois, fica tão claro que eles combinam um com o outro, que tornam um ao outro melhor, de alguma forma. Eles combinam.

Eu e você, Ashley, não combinamos. Você é como se fosse o sol, e eu, uma grande nuvem escura.

Eu sempre escureceria seu céu.

Já tentei, mas não consigo me consertar. Não consigo mudar. Então, fiz a coisa certa, abrindo mão de você. Você vai ver. Pode ser que demore um pouquinho, mas vai entender.

Gostaria de ter coragem de lhe dizer isso pessoalmente, ou até mesmo de entregar esta carta a você, mas provavelmente não terei. Ainda assim, fico feliz por tê-la escrito. Colocar os sentimentos em palavras, no papel, me ajudou a entender algumas coisas. Agora, eu entendo.

Não chore mais por mim, Ash. Não valho a pena. Mas quero que saiba, se um dia eu lhe der esta carta e se você decidir ler o que escrevi antes de queimá-la ou qualquer coisa assim, que por um tempo, você fez com que eu me sentisse vivo. Como se eu fosse especial.

Obrigado por isso.

Obrigado por me escolher para ser quem ficaria sob a luz do seu sol por um tempo. Levarei isso comigo pelo resto da vida — o fato de você ter visto algo bom em mim para querer segurar minha mão, me beijar e sorrir para mim como se eu fosse o único cara do mundo.

Seja feliz.

Com amor,
Ty

Meu peito parece estar sendo cada vez mais pressionado. Passo os dedos sobre as palavras, as palavras de Ty com os garranchos de Ty, e sobre as manchas no papel onde as lágrimas de Ashley devem ter caído quando ela leu. Leio a carta de novo. E mais uma vez. Tento memorizar cada palavra.

Fico sentada ali por muito tempo.

O sinal da segunda aula toca. A biblioteca se enche de sons como se, até agora, o tempo estivesse parado, mas volta a passar. Encontro Ashley na mesa dos fundos. Ela olha para mim com o rosto enrugado como se estivesse prestes a chorar, mas se segura.

Devolvo a carta.

"Obrigada por me deixar ler isto."

"Ele estava enganado." A voz dela está embargada. "Não sou perfeita. Também tenho dias sombrios." Ela seca uma lágrima do rosto pálido. "Eu poderia tê-lo ajudado, se ele me deixasse. Se ele tivesse me entregado a carta."

"Sinto muito", digo.

Ela olha para mim com os olhos brilhando.

"Não, eu agradeço por tê-la me dado."

Não consigo falar. Só concordo mexendo a cabeça. Ela faz a mesma coisa.

Então, nós duas temos que seguir em frente.

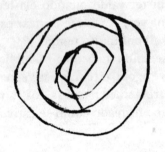

20 DE MARÇO

Na última foto tirada de Ty e meu pai juntos, de quando ainda éramos uma família, eles estão jogando xadrez.

Minha mãe rabiscou a data no verso da foto: 24 de junho. O verão em que eu tinha 14 anos e o Ty, 12. Um ano antes de papai nos trocar por Megan.

Eu me lembro daquele dia.

Houve um tornado — um F4 na escala Fujita, e se você entende de tornados (e todo mundo em Nebraska entende), vai saber que não é o mais forte tornado que existe (o F5 é), mas ainda assim é grande o bastante para destruir uma cidade como Raymond. Quando as sirenes começaram a tocar, o tornado havia se formado a 37 quilômetros de nós. O céu ficou verde. Minha mãe levou todos nós ao porão para esperar a tempestade passar.

Assistimos às notícias por um tempo na televisão, onde um mapa da área mostrava o tornado sobrevoando nossa região, com o desenho de um ciclone lentamente se movendo em nossa direção.

Então, meu pai sugeriu que jogássemos uma partida de xadrez.

Já fazia alguns anos que havia superado sua obsessão por xadrez e não jogava desde então. Mas no porão, havia um belo tabuleiro de mogno que ele havia comprado na época, e as peças de mármores, e o que mais podíamos fazer enquanto esperávamos?

Eu joguei primeiro. Perdi. De lavada, se me lembro bem. Apesar da minha afinidade com a matemática, não sou muito boa em xadrez. Não tenho visão ampla; não consigo prever muito à frente, as opções e os movimentos do outro jogador. Só vejo as peças à minha frente e reajo.

Não me surpreendeu perder. Nunca ganhei do meu pai. Ele não é o tipo de pessoa que deixa os filhos ganharem para que eles se sintam bem. Na fase de xadrez, devo ter perdido umas cem partidas para ele, e todas as vezes em que ele pegava meu rei, dizia: "Muito bem, Lexie, você está melhorando. Qualquer dia desses, vai me derrotar".

Mas nunca derrotei.

Então, no dia 24 de junho, quando eu tinha 14 anos e estava presa no porão com minha família e um tabuleiro de xadrez, joguei e perdi. Mostrei a língua para meu pai, e ele riu de mim, e então disse: "Tyler, sua vez".

Ty se sentou à frente do tabuleiro com uma cara de cachorrinho feliz.

Ah, eu me lembro de ter pensado Essa vai ser rápida.

Mas logo de saída, ele fez um movimento que surpreendeu meu pai.

"Onde você aprendeu isso?", perguntou meu pai, olhando para o tabuleiro.

Ty deu de ombros. "Foi ruim?"

"Não", disse meu pai, distraidamente. "Não, foi excelente. Tem um nome para esse movimento, até, mas não consigo me lembrar."

Em pouco tempo, Ty fez mais um movimento ótimo. E outro. E mais um.

Em pouco tempo, ficou claro que ele estava ganhando.

Então, tivemos que parar um pouco quando o céu ficou preto. As luzes piscaram. Entramos no banheiro com velas, onde os canos forneceriam um pouco mais de proteção se o vento arrancasse o topo da casa. Ty e eu entramos na banheira vazia com o rádio de emergência. Meu pai se sentou no balcão abraçando minha mãe.

"Defesa Caro-Kann", disse ele depois de um minuto. "É isso."

Sim, possivelmente morreríamos, e meu pai ainda estava entusiasmado com as jogadas de Ty no xadrez.

Olhei para meu irmão. Ele sorria um sorriso secreto.

Não precisamos ficar muito tempo no banheiro.

O tornado passou por Raymond e seguiu para o leste, onde atingiu uma série de fazendas antes de se dissipar.

Ty e meu pai voltaram direto para o jogo. Minha mãe e eu nos sentamos ao lado deles, segurando velas para iluminar o tabuleiro, e observamos atentamente enquanto Ty executava os movimentos como se fosse um profissional. Durante todo o tempo, meu pai pareceu muito confuso. Ty tinha 12 anos. Quando meu pai teve a fase de xadrez, meu irmão tinha 10. Ele nem sequer havia compreendido as regras do jogo.

"Como você está fazendo isso?", perguntou meu pai quando Ty tomou sua rainha.

"Tenho jogado um pouco no computador", confessou Ty. Ele se recostou. "Xeque-mate."

Minha mãe e eu comemoramos.

"Ah, o poderoso caiu", disse minha mãe, e eu acho que ela ficou satisfeita demais com a vitória de Ty, porque também já tinha perdido umas cem vezes para meu pai. "Preciso tirar uma foto", disse ela. E foi quando a foto aconteceu.

Na foto, Ty havia acabado de ganhar e estava praticamente nas nuvens, muito feliz. Meu pai está olhando para baixo, derrotado, mas também está sorrindo.

Ele estava orgulhoso.

"Muito bem, filho", disse ele. Pousou a mão no ombro de Ty e apertou. "Quer jogar de novo?"

Ty balançou a cabeça negativamente. "Melhor eu parar enquanto estou ganhando."

A eletricidade voltou. Todos piscamos sob a claridade repentina. Ty sorriu para meu pai.

"Tenho um jogo novo no Wii. Tênis. Quer tentar me derrotar? Os perdedores compram McDonald's."

"Claro", disse meu pai. "Vamos lá."

Foi um bom dia. Uma boa lembrança.

Não quero ser o tipo de pessoa que odeia o próprio pai.

CAPÍTULO 29

Naquela manhã, observo o sol nascer, e então entro no carro e dirijo. Conheço o caminho para a casa de Megan como se já tivesse ido para lá cem vezes — desço a 27th Street direto até a parte sul da cidade, onde as casas são velhas, mas caras e bem conservadas. Cercas de ferro fundido e tal.

A casa dela é uma construção pequena, bege e verde, perto do zoológico. Tem uma porta vermelha. Luzes de Natal ainda estão penduradas na beira do telhado. Um gato branco e preto olha para mim da janela.

Meu pai gosta de cachorros, a propósito.

Coloco a moldura da colagem de Ty embaixo do braço e subo cuidadosamente a calçada. Subo os degraus da varanda, respiro fundo e toco a campainha.

Está mais quente hoje, percebo. A água pinga do telhado. A neve está derretendo.

Megan abre a porta. Ela é loira e está usando um vestido azul-marinho. Quando ela me reconhece, seu rosto se torna o retrato da surpresa, e ela forma um O perfeito com os lábios pintados de batom vermelho.

Atrás dela, vejo meu pai, vestido para trabalhar, com uma expressão parecida.

"Oi", digo, passando por Megan e entrando na casa. "Tem um minuto? Precisamos conversar."

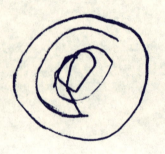

22 DE MARÇO

A mentira que contei a meu pai:

A moldura estava atrás da porta.

Tem um espaço vazio na moldura, uma foto faltando.

Por total coincidência, descobri a foto de papai e de Ty (não numa moldura) no chão atrás da porta.

Portanto: deve ter caído da moldura.

Portanto: Ty tinha mesmo intenção de colocar a foto de papai na colagem.

Portanto: Ty não deixou a foto de nosso pai de fora de propósito, para magoá-lo.

Portanto: é possível que Ty perdoe nosso pai.

Não sei se ele acreditou em mim, mas é uma história com a qual nós dois podemos viver, acho.

CAPÍTULO 30

"Isso", diz Dave, "é o que, nos negócios, chamamos de 'avanço'. Bom trabalho."

"Não foi nada de mais." Mexo na borda do tapete. "Fiquei lá só dez minutos."

"É importante, sim, Lex." Dave sorri. "Há quanto tempo seu pai saiu de casa?

"Há três anos."

"E esse tempo todo, você nunca tinha ido à casa dele?"

"É a casa da Megan", eu o corrijo. "Não, nunca tinha ido."

"Por quê?"

"Porque..." Não sei como explicar meus motivos para que pareçam racionais. Talvez não sejam racionais.

"Por que ontem, quero dizer?", pergunta Dave. "Por que ir à casa de Megan agora?"

Dou de ombros. "Finalmente eu tinha alguma coisa que queria dizer a ele."

"E o que era?"

"Queria que ele soubesse que aquela foto estava no quadro do Ty. Só isso."

"Como ele reagiu quando você contou a ele?"

Ele chorou. Eu nunca tinha visto meu pai chorar antes, nem mesmo no enterro de Ty, então fiquei chocada. Ele não chorou descontroladamente, só levou a mão aos olhos por alguns minutos enquanto seu peito tremia e os ombros balançavam, e então, por fim, ele abaixou a mão.

E então, disse: "Sinto muito, Lexie. Sei que o que fiz magoou você e seu irmão, e eu sinto muito por isso".

Eu quis manter a minha raiva quando ele disse isso. Eu poderia ter respondido que sentir muito não bastava. Que sentir muito não traria Ty de volta. O que é verdade.

Mas minha raiva escorregou como um peixe que eu tentava segurar, e fugiu da minha mão.

Olhei para o meu pai, e ele olhou para mim com seus olhos castanhos, os meus olhos e os de Ty, e disse: "Eu teria ficado, se isso impedisse Ty de fazer isso. Eu teria voltado".

Balancei a cabeça. É confuso demais, difícil demais pensar nas possibilidades. Tenho minha lista de possibilidades, não posso lidar com a do meu pai.

Ele sussurrou de novo que sentia muito, e chorou mais, então coloquei a minha mão sobre a dele na mesa de Megan. Ele colocou sua outra mão em cima da minha, apertou e ficamos assim por alguns minutos, até eu puxar minha mão e dizer que precisava ir para a escola.

"Obrigado por ter vindo", disse ele ao me levar para a rua. "Por ter me contado sobre a foto. Significa muito para mim."

Não importava que quase tudo que eu havia contado a ele sobre a foto e a colagem fosse uma invenção da minha parte.

"De nada." Entrei no carro.

Meu pai bateu na janela e se abaixou para dizer: "Talvez... talvez você possa vir jantar semana que vem. Podemos falar sobre o MIT".

"Talvez", falei, porque o MIT ainda parecia uma realidade distante, e eu não sabia, e ainda não sei, se estou pronta para visitar a casa de Megan regularmente. "Preciso ir." Engatei a primeira marcha. "Cuide-se, pai."

"Cuide-se, Lexie", disse ele.

Eu o vi pelo espelho retrovisor, de pé na calçada, de terno e gravata, levantando a mão num aceno enquanto eu partia.

"Alexis, você ainda está aqui?", pergunta Dave, porque estou sentada lá, sem responder. "Você está bem? Quer um pouco de água?"

Tusso. "Aceito."

Ele abre o frigobar sob sua mesa e me dá uma água. Bebo.

"Ele pediu desculpa", digo quando estou pronta de novo. "Pelo divórcio. Por ter magoado a mim e a Ty."

Dave assente.

"Você não vai anotar isso?", pergunto a ele. "Parece importante. Um avanço, como você disse."

Dave não escreve. "Você aceita o pedido de desculpas dele?", pergunta.

"Mais ou menos. Talvez. Provavelmente, não."

"Você acha que começou a perdoá-lo?"

"Não sei", digo. "Não acho que ele deva ser perdoado assim, tão fácil. Mas foi bom ouvi-lo pedindo desculpa. Acho que foi a primeira vez que ouvi isso dele."

Dave mexe na barba, que é o que faz quando está prestes a dizer algo incrivelmente profundo. "O perdão é confuso, Alexis, porque, no fim, tem mais a ver com você do que com a pessoa que está sendo perdoada."

"Como aquele velho ditado que diz que guardar mágoa é como beber veneno e esperar que a outra pessoa morra."

"Exatamente." Dave se recosta, apoia os pés sobre a mesa de centro. "Estou orgulhoso de você. Por ter ido àquela casa, por tê-lo enfrentado, por ter feito a gentileza com a foto, tudo isso exigiu coragem. Foi um passo na direção certa."

"Mas na direção de quê?", pergunto. "Para onde estou indo?"

"Para a aceitação. Que é o caminho para a cura. Crescimento. Satisfação."

Penso nisso.

"Nunca serei feliz de novo", disse minha mãe. Ela fala que é como se fosse uma obrigação, sua obrigação de mãe, considerar a vida destruída por ter perdido Ty. Não vejo as coisas como ela vê, mas é difícil me imaginar sendo verdadeiramente feliz de novo.

Não sei qual é minha obrigação.

"Como você se sentiu depois de conversar com seu pai?", pergunta Dave.

"Eu me senti... um pouco melhor."

Isso Dave escreve em seu bloco de anotações. Ele grifa as palavras.

"Um pouco melhor é bom", diz ele.

Concordo. Um pouco é bom. Mas não sei o que devo fazer agora.

"Lex?", diz Dave. "Você está bem?"

"Às vezes, acho que vejo o Ty." Não sei de onde saiu isso, essa confissão repentina, mas de repente, saiu. Olho para Dave depressa. "Às vezes, eu tenho a impressão de que ele está dentro de casa. E sinto que ele quer algo de mim."

Eu me preparo para ouvi-lo rir.

Dave assente. "Isso é muito comum, na verdade."

Olho para ele. "Comum?"

"É comum que as pessoas continuem a ver os entes queridos que faleceram. Quando estava vivo, seu irmão tomava um certo espaço em sua vida, um espaço físico e um espaço emocional. Agora que se foi, o cérebro naturalmente tenta preencher esse espaço.

"Então, não quer dizer que estou enlouquecendo."

Dave ri. "Não, Lex. Você não está louca."

E isso não quer dizer que Ty é um fantasma. Por algum motivo, essa revelação traz dor ao meu peito.

Existe uma explicação lógica, afinal.

Então por que não quero acreditar nela?

CAPÍTULO 31

A roupa de corrida de Sadie é muito rosa-choque. É impossível não vê-la na minha rua, pulando de um pé para o outro, aquecendo-se. Ela diz que o rosa-choque faz com que ela se sinta como uma bomba: *como uma explosão nuclear* são as palavras dela, pronunciando "nu-quele-ar", do mesmo jeito que George W. Bush, mesmo que ele soubesse estar errado, só para irritar as pessoas.

Ainda não sei como Sadie e eu podemos ser amigas.

"Vamos", ela grita para mim. "Vamos começar."

Corremos. A primavera parece ter chegado, finalmente, então estamos correndo. Hoje é nossa segunda tentativa desta semana no plano do sofá aos 5 quilômetros. Estou usando calça de ioga e uma camiseta escrito MATHLETE, e não me sinto uma explosão nuclear nem de longe. Odeio correr tanto quanto sempre. É uma coisa horrível de se fazer consigo mesmo. Afogamento simulado seria melhor.

Mas tem um lado bom. Gosto do silêncio das corridas da manhã em nosso bairro, e o único som é o de nossas pisadas no asfalto e nossa respiração ofegante no ar. Gosto desse silêncio um pouco antes de o sol nascer. Gosto das cores que surgem no céu. O modo com que tudo, por apenas alguns segundos, parece fresco e inabalado.

O bipe do relógio de Sadie.

"Certo, vamos andar", diz ela.

Começamos a caminhar depressa. É a primeira parte da corrida, antes de sentir vontade de morrer, então consigo responder a Sadie quando ela me pergunta se vi o fantasma.

"Não o vi mais. Não desde que contei sobre a foto a meu pai. E você?" Por algum motivo, não consigo dizer a ela o que Dave disse, que ver Ty é uma ocorrência normal, que é meu cérebro preenchendo espaços que meu irmão costumava ocupar.

"Eu?" Ela olha para mim sem entender.

"Como está Gregory, o guia espiritual?"

Sorrio. Ela retribui.

"Ah, sim. Gregory está ótimo. Ele inclusive já planejou minha vida toda."

O relógio dela bipa.

"Correr!", ordena ela, e partimos.

"Na verdade", diz ela no próximo intervalo de caminhada. "Estou pensando em fazer faculdade. Não o Massachusetts Institute of Technology nem nada", diz ela com um floreio dramático, "mas pesquisei algumas universidades gratuitas, e então, se quisesse, poderia me transferir para a UNL."

"Que ótimo!" Sorrio para ela, até onde consigo sorrir nessa situação de exercícios. "Eu falei. Você é inteligente. Deveria fazer alguma coisa com isso."

"Estou pensando em fazer psicologia ou assistência social. Receber uma bela grana para as pessoas me contarem seus problemas."

Passamos por uma de nossas vizinhas, a sra. Wilson, que está regando as flores. Ela olha para nós com suspeita. Sadie acena. A sra. Wilson faz uma cara feia a entra em casa.

"E o MIT?", pergunta ela. "Como estão as coisas?"

"Nada novo. Estou para receber um telefonema de um dos alunos esta semana, e no próximo mês, vou visitar o campus."

"Você não parece muito animada."

"Mas estou."

"Você está com medo", diz ela.

"Não. Só estou ansiosa com essa mudança enorme. E nunca me dei muito bem com mudanças."

Tenho pensado muito no MIT. Será daqui a seis meses. Eu, melhor do que todo mundo, sei como as coisas podem mudar em seis meses.

O relógio de Sadie bipa.

"Correr!", ela grita, e eu paro de pensar um pouco e me concentro na sobrevivência.

Caminhar.

Correr.

Caminhar.

Correr.

Estou sem fôlego. Estou com dor do lado no corpo. Tenho certeza de que odeio a Sadie. A cada passo do treino, as partes de corrida parecem mais longas e as partes de caminhada parecem mais curtas. Depois de seis delas, parece que vou morrer.

"Andar", diz ela, finalmente. "Última perna."

Graças a Deus. Se eu acreditasse em Deus.

"Como está a sua mãe?", pergunta Sadie conforme a respiração vai se acalmando. "Eu a vi no mercado ontem, e ela parecia..."

"Um pouco melhor", completo.

"Isso. Ela parecia melhor."

"Ela está bem. Parou de beber vinho e de tomar remédios, e está indo à igreja de novo, o que parece dar um pouco de energia a ela, então, sim. Ela está melhor."

Minha mãe e eu não conversamos sobre meu discurso no carro na volta de Graceland, mas sinto que ela me ouviu. Já é alguma coisa.

"É um baita clichê, a ideia de que 'o tempo cura todas as feridas', mas é verdade. Os clichês são clichês por algum motivo, acho", diz Sadie quando vamos para o quintal da frente da casa dela. "Ei, quer uma carona para ir à escola mais tarde?"

Olho no relógio. "Você diz daqui a quinze minutos? Claro."

Seria ótimo não ir de ônibus.

"Certo, então, tome um banho, dê um jeito nesse cabelo, só estou dizendo, ou o que precisar fazer, e me encontre de novo em quinze minutos."

Catorze minutos depois, volto para a casa dos McIntyre. Sadie sai, com os cabelos ainda molhados, mas com o delineador perfeitamente traçado, e destranca a porta de seu velho Jeep Grand Cherokee com a tinta vermelha descascando.

Ainda estou pensando no MIT.

"Você está bem?", pergunta ela.

"Bem. Só estou com inveja por você ter um carro que funciona." Olho para o painel. "A propósito, você precisa abastecer."

Ela dá de ombros. "Gasolina é cara."

"A luz está acesa. Você tem gasolina suficiente para chegarmos à escola?"

Ela revira os olhos, irritada por eu ser tão prática, e desliga o carro. Então, solta o cinto de segurança. "Espere aqui."

Ela deixa a porta aberta e o alarme que indica que a chave está na ignição fica tocando, entra na garagem, e reaparece alguns minutos depois com uma lata grande de gasolina.

"Seth sempre guarda combustível para a moto dele." Ela procura embaixo do banco para puxar a alavanca do combustível.

Como se tivessem combinado, Seth e a tal moto aparecem na frente da casa. Ele para ao lado do jipe e tira o capacete. Os cabelos arrepiados dele estão amassados, e ele os ajeita com a mão enquanto observa Sadie se esforçar para colocar gasolina no tanque.

"Hum, posso perguntar que diabos você está fazendo?", pergunta ele.

"Vou trazer mais para você depois da aula."

"É bom trazer mesmo." Parece que ele quer dizer mais coisas, mas me viu sentada dentro do carro. Ele sorri. Eu desço o vidro quando ele dá a volta até o meu lado do carro. "Oi, Lex", diz ele. "Ainda está andando com essa fracassada?"

Nunca o vi tão acordado antes.

"Sim." Tento, mas não consigo encontrar uma resposta engraçada. "Você saiu agora do trabalho?"

"É. Está na hora de a festa começar." Ele sorri de novo.

Sadie faz cara feia e diz alguma coisa que não entendo, mas que certamente é um insulto, o que parece duplamente grosseiro, já que ela está roubando a gasolina dele.

Ele se recosta na janela.

"E aí? Tem visto algum fantasma?", pergunta ele, casualmente.

Olho para ele, congelada, até me lembrar da história de fantasma que ele nos contou.

"Ah, sim", tento disfarçar. "Vi um no mês passado, na verdade."

"Legal", diz ele.

Sadie fecha o compartimento da gasolina e coloca a lata vazia no chão atrás do banco do motorista.

"Beleza, Sethy, precisamos ir", diz ela, cantarolando. "Não queremos nos atrasar para a escola."

O irmão a ignora. "Eu ainda posso te dar aquela carona."

Olho para ele. "O quê, agora?"

"O que acha, Lex? Você, eu e a Georgia, com os cabelos ao vento..."

Sadie entra e dá a partida. "Hoje, não, Seth. Ela já tem carona. Tchau, bons sonhos."

Seth olha para mim como se ainda estivesse esperando uma resposta. Dou uma tossida.

"Hoje, não", digo quando o carro entra em movimento. "Obrigada."

"Mas um dia, sim", diz ele.

"Claro."

"Vou cobrar", disse ele quando eu e Sadie pegamos a rua.

Com certeza, ele vai.

Partimos em direção à escola. Sadie é pé de chumbo.

"Ei, o Seth...", digo.

"O que tem?"

"Ele estava... me paquerando? Sou péssima para interpretar essas coisas. Mas ele insiste em me dar carona na moto dele."

Sadie ri. "Não leve a mal, Lex, mas não. Seth não sabe conversar com mulheres sem paquerar. Mas quando ele gosta de uma garota, ele fica gaguejando."

Não sei se devo me sentir ofendida ou aliviada. "Que bom."

Ela franze o rosto e dá umas batidinhas no painel, que ainda indica que o tanque está vazio.

"Olha, se você pretende ir para a faculdade", digo a ela, "pode ser melhor começar a pegar o ônibus com mais frequência. Restam sessenta e três dias de aula", digo depois de fazer um cálculo rápido. "São cento e noventa e três dólares e quarenta e um centavos. Com isso, você poderia comprar os livros do próximo semestre."

Ela olha para mim como se eu tivesse enlouquecido.

Mato a oitava aula, algo que está se tornando um péssimo hábito. Vou para o ginásio e observo o treino das líderes de torcida. Então, estou ali quando Ashley Davenport olha para a frente e me vê, e acena, e eu respondo, e meu aceno diz *Obrigada*.

Não deveria me surpreender quando Damian se aproxima.

"Oi", diz ele, aparecendo no topo da arquibancada. "Tenho umas fotos para você."

Eu as analiso. A maioria é em preto e branco, fotos de Ty prestes a fazer uma cesta na quadra de basquete, uma na qual está levando uma garrafa de água à boca, com o suor brilhando na testa. Em uma delas, ele está sorrindo para uma líder de torcida.

E então, no fim, uma foto de Damian, uma selfie num ângulo estranho, na qual consigo ver o peito e o rosto dele, mas não o topo da cabeça, que está cortado.

Na foto, ele está usando o colar de dente de tubarão.

Sinto um aperto no peito. "Que legal", digo. "Você é talentoso."

Ele pigarreia. "Obrigado."

"Li *A Metamorfose*", digo. "Você tinha razão. É um livro incrível. Um absurdo, né?"

"Você já leu?"

"Li." Passei uma noite toda acordada, sem *CliffsNotes*, dessa vez. Gostei muito.

Damian enfia as mãos nos bolsos e sorri para mim. "Adoro que não tenha nenhuma explição de por que um dia ele acorda como um inseto. Ele simplesmente é."

"É incrível como o livro mostra que nossos corpos podem ficar tão desconectados de nossas mentes. Gregor é um inseto, mas ele sempre consegue manter parte de sua humanidade, mesmo quando faz todo mundo detestá-lo por ser um inseto. Por dentro, ele ainda é humano."

"Mas é solitário", diz Damian. "Sempre vai ser um inseto por fora. Até decidirem se livrar dele."

Pigarreio. "Bem, eu estava pensando, deveríamos nos encontrar e conversar sobre essas coisas. Livros, quero dizer. Parece que você sabe muito sobre literatura, e vou para o MIT ano que vem — e estou bem intimidada com as exigências em literatura. Parece que sempre que eu abro a boca, vou acabar dizendo algo totalmente idiota.

"Não vai", diz ele. "Você é muito esperta, Lex. Pare com isso."

"Não entendo nada de livros", digo. "Não como você. Poderia me ajudar?"

Ele afasta os cabelos compridos dos olhos, mas eles caem de novo no rosto. Então, Damian endireita os ombros curvados e diz lentamente: "Poderíamos nos encontrar na Barnes and Noble. Posso mostrar alguns livros de que talvez você goste".

"Seria perfeito", digo. "O que você acha de fazermos isso amanhã à noite?"

Ele parece assustado. "Sábado à noite?"

"Sim, depois do jantar, talvez. Às sete?"

Ele dá uma risadinha. "Está bem. Então, a Barnes and Noble no SouthPointe, é onde sempre vou."

Preferiria evitar essa B&N em particular, por motivos que não quero explicar, mas é o que é. "Certo. Você precisa de carona? Meu carro é velho, mas acho que pode nos levar lá."

Ele balança a cabeça depressa. "Posso ir dirigindo. Moro longe, e não quero que você vá até lá. Encontro você às sete na livraria."

"Amanhã. Sete. Vamos falar de insetos", digo.

"E de livros."

"E de livros."

"No momento, preciso ir pegar meu ônibus, infelizmente."

"Certo. Tchau. Boa noite."

Ele endireita mais os ombros ao se afastar.

CAPÍTULO 32

Na manhã de sábado, recebo um telefonema de uma aluna do primeiro ano do MIT.

"Oi, meu nome é Amala Daval", diz ela. "Sou estudante do curso de matemática."

"Legal", digo após uma pausa desconfortável. "Como vai?"

"Estou estudando matemática teórica no MIT", diz ela, muito séria, aparentemente. "Como acha que estou?"

"Bem... não é?"

"Para as pessoas certas", diz ela, como se ainda não tivesse decidido se sou a pessoa certa. "É incrível."

"*Quem é?*", pergunta minha mãe do outro lado da mesa.

MIT, digo sem emitir som, e ela arregala os olhos. Pega a xícara de café e vai para a sala de estar.

"Parece que você ainda não confirmou sua visita ao campus no mês que vem", diz Amala.

"Ah, não, estou planejando fazer isso", digo. "É que muita coisa andou acontecendo, e eu ainda não consegui..."

"Você está pensando em ir para outra faculdade?", pergunta ela, sem rodeios.

"Não!", respondo. "Não, para mim, é o MIT. Sempre foi."

"Porque vou dizer uma coisa, e não porque é meu trabalho dizer isto neste momento, mas se você ama matemática, deveria estudar aqui. Seria bobagem ir para qualquer outro lugar."

"Concordo plenamente", digo. "É por isso..."

"Não só porque os professores são fenomenais e você será desafiada e vai trabalhar com coisas com as quais nunca sonhou, mas porque pode ser quem é aqui. Não precisa se moldar para ser outra coisa. Você é valorizada por seu intelecto. E isso é algo que acho difícil encontrar em outro lugar. Entendeu?"

"Entendi."

"Então, confirme a visita ao campus. Vou mostrá-lo a você."

"Está bem."

"E mantenha essas notas, está bem? Eles estavam falando sério sobre isso. Porque sim, eles aqui aceitam você como é, mas também não esperam menos do que sua capacidade pode oferecer. Entendeu?"

"Sim", digo, balançando a cabeça para afirmar, ainda que ela não possa me ver. "Compreendo."

"Vejo você em algumas semanas, então", diz ela.

"Sim, a gente se vê."

Assim que desligo, minha mãe entra correndo na cozinha. Fico me perguntando se ela estava do lado da porta ouvindo, apesar de ter certeza de que não dava para saber muito do que se tratava pelas minhas respostas.

"Está tudo bem?", pergunta ela.

Estou sentindo um frio na barriga.

"Vou mesmo para o MIT", digo, e finalmente parece ser verdade. Tenho que escrever aquela redação idiota para a aula de literatura, se a professora Blackburn vai aceitá-la mais de um mês depois. Tenho que falar com a professora Mahoney para ver se posso melhorar minha nota horrorosa. Tenho que mostrar o meu melhor a eles.

Minha mãe sorri também. "Você vai mesmo para o MIT."

Ainda estou meio boba com a ligação da faculdade quando encontro Damian no café da livraria. Ele parece ter acabado de tomar um banho e está usando uma polo preta e calça jeans clara, e não a blusa cinza de capuz de sempre.

Peço um Green Tea Latte.

"Isso é bom?", pergunta ele quando pego meu pedido no balcão. "É tão verde. Parece batida de grama."

"Ele germina em você", respondo.

Ele pede um mocha de caramelo. Nós nos sentamos a uma mesa por um tempo e falamos sobre Kafka. Damian me sugere alguns outros livros: *Crime e Castigo*, de Dostoiévski, e *Dublinenses*, de James Joyce, e *Moby Dick*, de Herman Melville. Vou passar um tempo ocupada até ler tudo.

Então, ficamos sem assunto.

"Bom", digo depois de alguns minutos de silêncio esquisito. "Isso vai parecer tolo, mas tenho me interessado em poesia, ultimamente."

"O que tem de tolo na poesia?", pergunta ele, remexendo-se na cadeira.

"Nada! Não tem nada de tolo na poesia, mas tenho pensado em escrever algumas, e estou descobrindo que não sou boa nisso. Você lê poesia?"

"Sim, leio", diz ele. "Escrevo algumas também."

"Talvez você pudesse me dar umas sugestões de poetas que eu poderia ler, e então, eu poderia imitá-los e usá-los de inspiração, ou você poderia me ensinar..."

"Lex", diz ele. "Pare."

Paro de falar. "O quê?"

"Você não tem que..." Ele sorri. "Você não tem que inventar maneiras de chamar minha atenção."

Ele estende o braço e coloca a mão em cima da minha.

"Eu percebi", diz ele. "Sei o que você está fazendo."

Sinto meu rosto esquentar. "Sabe?"

"Quando você notou?", pergunta ele.

Olho para ele, e então, para a mão dele. "Notar", repito.

Ele ri. "Eu sabia. Na quarta-feira, quando você veio falar sobre *Coração das Trevas*, eu pensei 'Ela sabe'."

Naturalmente, não faço ideia do que ele está falando. Tem alguma coisa estranha no modo com que ele está olhando para mim. Um calor nos seus olhos acinzentados. Uma expectativa.

Ele está interpretando isso tudo de um jeito errado.

Eu sou uma idiota.

Sou esperta, claro, mas nossa! No departamento amoroso, sou uma idiota.

"Damian..." Não sei como sair disso.

Ele solta minha mão para abrir o zíper da mochila.

"Trouxe algo para você."

Ele puxa uma rosa feita de papel.

É feita de papel vermelho, dessa vez. Há palavras nessa também, um poema inteiro do qual só consigo ler parte.

> *Amo de verdade, e me contento com versos*
> *para meu amor mostrar*
> *Para que Ela tenha prazer com minha dor*
> *O prazer pode fazer com que ela leia,*
> *ler pode fazer com que ela saiba*

"Foi você", digo.

"Culpado", diz ele.

"Ano passado também. No Dia dos Namorados. Foi você."

"Encontrei o modelo de dobradura de margarida em uma das revistas antigas da minha mãe", diz ele. "E pensei em você. Ainda bem que você descobriu. Estou querendo contar há muito tempo."

"Por que não escreveu seu nome nela?", pergunto, abalada.

"Não tive coragem, acho. Seria mais romântico daquele jeito, certo? E naquela época, você namorava, e parecia feliz com ele, então, eu não queria..." Ele coloca a mão sobre a minha de novo. "Mas aí, você terminou com seu namorado, e nós começamos a conversar mais e pensei... Lex?"

Fechei os olhos.

Steven não me deu as flores. Não escreveu aquelas palavras para mim.

A decepção dessa revelação é como uma faca no meu peito — uma dor forte, aguda e penetrante.

Este é nosso lugar também. Esta livraria. Onde Steven me pediu em namoro.

Bem ali.

Onde eu disse sim, e parte do motivo pelo qual eu disse sim foi a flor de papel.

Não é justo, penso. Que além de tudo, isso também me seja tomado.

Quero que Steven seja quem tenha feito aquela flor.

"Lex?" Damian tenta me consolar por todos os motivos errados. "Olha. Não tem problema que você não tenha percebido antes. Você percebeu agora. Podemos compensar o tempo perdido, certo?"

Abro os olhos bem quando ele está esticando o braço para tocar meu rosto. Eu me encolho e me afasto, minha mão escorregando debaixo da dele. "Não."

O sorriso dele desaparece.

"Sinto muito", digo. "Isso não é... não queria levar você a... eu não sabia."

Ele se recosta. "Você não sabia que eu fiz as flores."

Balanço a cabeça, aterrorizada com minha própria estupidez.

"Mas então, por que você tem... falado comigo? Estava agindo como se estivesse interessada. Estava agindo como se gostasse de mim."

Isto é um pesadelo. "Damian, eu gosto de você", começo. "Mas não me sinto... não tem a ver com romance. Para mim, não é assim."

Os olhos acinzentados dele parecem duas pedras agora. Impenetráveis.

"Você estava me bajulando", diz ele com a voz baixa. "Você estava me usando."

"Não."

"Você leu mesmo *Metamorfose?* Ou disse isso só para eu continuar te ajudando? Para que pudesse se preparar para o MIT?"

"Sim! Quero dizer, não, não foi só por causa do MIT. Eu li o livro. Gostei. Eu juro."

"O que é, então? O que você quer?"

Ele está falando tão alto que as pessoas começaram a olhar.

"Nada", falo baixinho. "Achei que você parecia solitário, só isso. Pensei que precisasse de uma amiga."

Resposta errada.

Damian se levantou. "Nossa! Que altruísta, Lex. Já que você sempre foi muito simpática, mesmo."

"Epa!", digo. "Não vamos nos esquecer que você também tinha segundas intenções aqui. Você estava usando o lance do livro para me seduzir, certo? Não estava só me ajudando por pura bondade."

Ele ri. "*Seduzir* é uma palavra forte. E eu só fiz isso porque pensei que era o que você estava fazendo. Pensei que você gostasse de mim", ele me acusa, enfatizando o *mim*. "Pensei que você gostasse de mim de verdade." Por um instante, ele faz uma cara trágica, como se fosse chorar. Mas se contém. "Eu estava errado."

Ele está tão transtornado que suas mãos tremem quando ele pega os livros.

"Damian, por favor. Sinto muito."

"Não diga isso", diz ele. "Não preciso da sua piedade. Você não pode me usar para sua caridade porque se sente mal por seu irmão ter morrido. Estou bem."

E então, ele vai embora. As pessoas ao meu redor olham para mim por um minuto e, então, voltam para suas conversas de antes. Engulo em seco.

Tenho que viver com o fato de que, apesar de minhas boas intenções, acabei de piorar tudo.

30 DE MARÇO

A última vez em que vi meu irmão — vivo, quero dizer — era manhã de 20 de dezembro. A manhã do dia em que ele morreu. Começou como qualquer outra manhã. Minha mãe fez o café. Todos nos sentamos juntos à mesa, minha mãe com sua xícara de café e a torrada, olhando um catálogo de aventais de enfermeiras, e eu, sonhando com o MIT, para onde havia acabado de enviar minha inscrição, e Ty fazendo o que ele sempre fazia na hora do café da manhã: comendo o mesmo tanto que bastaria para alimentar um pequeno vilarejo africano.

Eu provavelmente fiz algum comentário do tipo não precisa comer como se não fosse haver outra refeição.

Ele provavelmente fez o comentário de que estava em fase de crescimento.

Não me lembro dessa parte. O que me lembro é que em algum momento durante a refeição, Ty pigarreou e disse: "Eu estava pensando em comprar um carro".

Minha mãe parou de pesquisar uniformes, e eu parei de imaginar os caminhos ladeados de árvores do MIT, e nós duas olhamos para ele. Esse comentário veio meio do nada, pensei. Ele não tinha nem sequer mencionado a ideia de comprar um carro no seu aniversário de dezesseis anos.

"Certo", disse minha mãe, pensativa. "Como está pensando em comprar um carro?"

Ele pareceu desapontado. "Estava pensando que talvez, entre você e o papai, vocês pudessem..." Ele engoliu em seco. "Não teria que ser um carro muito bom."

Minha mãe já estava balançando a cabeça. "Não temos esse dinheiro no momento, querido. Sinto muito."

Por causa do divórcio, pensei, mas fiquei quieta.

Ele se voltou para mim em busca de apoio. Ergui as mãos, me rendendo. "Ei, não olhe pra mim. Eu trabalhei depois da aula por três anos para comprar o Limão. E é o Limão."

"Sim, é o que você vai ter que fazer, querido", disse minha mãe. "Vai ter que economizar."

Ty assentiu, mas foi um gesto resignado. Ele sabia que não havia como conseguir um emprego de verdade com todas as atividades extracurriculares que realizava, e o basquete era a principal.

Tentei aliviar o golpe. "Mas o que você faria com um carro?"

Seus olhos faiscaram. "Eu iria para a escola. Tenho habilitação. Eu buscaria as garotas com quem marcasse encontros. Viajaria, sairia de Nebraska pela primeira vez na minha vida idiota."

Minha mãe e eu nos entreolhamos, preocupadas.

Ty fechou os olhos e suspirou. "Bom, tudo bem. Só achei que pudesse pedir."

E então, ele voltou a comer.

Eu estava pensando, enquanto terminava meu café, que poderia dar o Limão a ele. Quando eu entrasse no MIT, claro. Não precisaria de carro lá.

Era o Limão, mas mesmo assim. Era um carro. Talvez Ty pudesse fazer o que eu nunca tinha tentado: ele podia consertar o Limão.

Mas eu não disse nada disso. Não contei a ele.

Minha mãe terminou o café. "Preciso ir trabalhar", disse ela, animada. Parou ao se levantar da mesa para alisar uma mecha do cabelo de Ty que estava arrepiada na parte de trás. "Tenham um bom dia, filhos lindos."

Eu provavelmente revirei os olhos. Ty e eu terminamos de comer, e eu o deixei lavando os pratos. Porque era a vez dele. Eu já tinha quase saído quando parei para dizer algo como "Ei, é melhor você ir logo, ou vai perder o ônibus."

Meu irmão apareceu na porta.

"Vou pegar carona com um amigo", disse ele.

Uma mentira.

Eu não sabia que era mentira. Então, falei qualquer coisa e saí de casa.

Foi a última vez em que o vi vivo.

A última vez.

No entanto, nos últimos meses, encontrei uma maneira de reconstruir o restante daquele 20 de dezembro. Consigo juntar os pedaços. Consigo entender o que aconteceu depois.

Primeiro, Ty terminou de recolher os pratos e ligou o lava-louças. Porque era a vez dele.

Depois, ele esperou a escola ligar para nossa casa para perguntar sobre a ausência dele. Ele disse à secretária que estava doente em casa, com virose, que não conseguia comer nada, disse ele, e que sua mãe tinha se esquecido de avisar, mas ele pediria para que ela ligasse mais tarde, do trabalho.

Então, ele caminhou por 11 quilômetros até o ponto de ônibus mais próximo na cidade.

Pegou um ônibus para Lincoln e desembarcou no Shopping Westfield Gateway.

E assim, de acordo com notas que encontrei no bolso de trás de sua calça jeans, que estava dentro do cesto de roupa suja, foram as horas seguintes:

11h17 Foot Locker, tênis de basquete Nike LeBron xi, $199,99

11h33 Lids, camiseta Trailblazers, $24

11h49 Sunglass Hut, óculos polarizados Ray-Ban, $149,95

12h14 Panda Express. Prato Shanghai Angus Steak $7,95

12h36 MasterCuts, lavagem e corte, $25

13h02 American Eagle, calça jeans Slim Straight, escura $49,95

13h25 Precision Time, relógio masculino Toxic Area 51 $189

14h18 J.C. Penney

> *pacote de 4 cuecas boxer Hanes $40*
>
> *pacote de 3 meias Gold Toe $17*
>
> *cinto dupla face Levi's $30*
>
> *carteira Dockers, $28*
>
> *jaqueta de couro falso Dockers, $140*
>
> *quadro para fotos Brighton $60*

No total, ele gastou $960,84, que mais tarde descobrimos que ele roubou de um jarro que minha mãe tinha escondido *no fundo do armário, para emergências. Quase mil dólares, incluindo os impostos.*

Ele poderia quase ter comprado um carro com isso.

Então, ele pegou o ônibus de volta e caminhou 11 quilômetros para que pudesse chegar em casa perto das 15h40, a tempo de atender o telefone quando minha mãe ligasse para saber dele, o que ela sempre fazia quando chegava da escola. Ele disse a ela que teve um bom dia.

Então, imagino que o Ty passou as duas horas seguintes colocando as fotos no quadro, dentro da casa de brinquedo.

Às 18h07, ele pediu uma pizza: bacon canadense com abacaxi, sua preferida.

Se demorou o tempo que normalmente demora a ser entregue, a pizza deve ter chegado às 18h45.

Ele comeu três fatias, e então embrulhou o resto e colocou dentro da geladeira para minha mãe e para mim.

Ele colocou o prato dentro do lava-louças.

Passou um tempo fazendo coisas comuns na internet. Clicou em três links bem aleatórios.

Ele colocou as roupas novas — tênis de basquete, meias, cueca, jeans, cinto, carteira, camiseta, jaqueta, óculos — em uma pilha bem arrumada em cima da cama, para que fosse enterrado com elas, foi a única coisa que conseguimos concluir.

Ele fez dois telefonemas, para números que não conheço e não tive coragem de conferir.

Enviou uma mensagem de texto.

Escreveu um bilhete.

Então, às 19h49, quando minha mãe estava se preparando para sair do turno de 12 horas, ele foi para a garagem.

Carregou a arma. Tirou a trava de segurança.

Ligou para o 911.

Puxou o gatilho.

A bala acertou seu peito, atingindo a artéria subclávia.

Sangrou por 30-60 segundos.

E então, morreu.

CAPÍTULO 33

Nesse sonho, Ty e eu estamos escalando rochas, algo que nunca fizemos na vida real. Certo, não estamos escalando por diversão, é o que concluo ao ver que estamos sem cordas e presilhas.

Escalando um abismo.

Um abismo de pelo menos cento e cinquenta metros.

Que divertido.

Não conversamos nesse sonho. Nós nos concentramos em subir. Faz com que eu me lembre de Abismos de Insanidade de *A Princesa Prometida*, o céu azul sem-fim acima de nós, o mar azul quebrando abaixo de onde estamos. Mas não há Andre, o Gigante, para nos levar para cima. Não temos corda para subir. Temos que seguir por nós mesmos.

A cerca de seis metros do topo, a pedra em que estou me apoiando escapa.

Começo a cair. Abro a boca para gritar, como se gritar fosse tudo o que se possa fazer quando se está prestes a morrer, mas antes de conseguir gritar, Ty segura minha mão. Ele me puxa para um local mais seguro.

"Obrigada", digo.

"Você fez a maior besteira", diz ele.

"Eu sei."

"Não, com o Damian. Aquilo foi um desastre."

"Sim, foi."

"Você deveria pedir desculpa."

"Pretendo fazer isso."

"Precisa treinar antes", diz ele. "Você não é boa improvisando."

"Ah, obrigada, Ty. Muito obrigada."

"De nada."

"Como vamos fazer isso?", pergunto a ele, olhando para cima.

"Não sei. Seja mais cuidadosa", diz ele.

As palavras são ditas, e ele cai. Não foi como alguns segundos atrás, em câmera lenta, quando tive tempo de gritar e ele tem tempo de me segurar. Ele estende o braço, segura uma pedra. Emite um som como *oops*. E então, some.

Olho para baixo a tempo de ver seu corpo bater nas rochas e uma onda o cobre.

CAPÍTULO 34

Segunda de manhã.

Tenho um discurso. Um pedido de desculpa. Um plano.

Essa é a parte engraçada dos planos.

A primeira coisa que dá errado é que eu queria ir de carro para a escola hoje, para poder chegar cedo, para poder ter muito tempo para procurar Damian, mas então, meu carro não pega, e eu passo tempo demais tentando fazer com que ele pegue, e perco o ônibus. Ligo para Sadie na esperança de conseguir uma carona e — olha só —, ela me informa que está no ônibus. Para economizar dinheiro. Para os livros da faculdade.

Certo.

Finalmente, o carro pega, mas só chego na escola depois do sinal, então não tenho tempo para ir à sala 121B com a flor de papel malfeita que fiz para ele ontem, na qual está escrito *Me desculpe* em cada pétala.

É feia. É ridícula. Mas espero que dê certo.

Então, na hora do almoço, acontece uma simulação de emergência, na qual todos temos que fingir que há um atirador na escola, e, assim, temos que nos enfiar embaixo das mesas e trancar todas as portas, então não vejo Damian de novo.

Mas penso que posso encontrá-lo no oitavo tempo.

Durante a sexta aula, enquanto todo mundo se prepara para jogar buraco, o jogo da hora, pergunto à professora Mahoney se podemos conversar.

"Claro", diz ela. "O que houve?"

"Gostaria de saber se posso tentar créditos extras, para compensar minha nota ruim na prova."

"Claro. Ou você pode refazer a prova, se quiser", diz a professora, sem hesitar, o que é engraçado, porque não tem nada "claro" nisso. "Pode ser na sexta, na hora do almoço?"

"Pode ser na sexta, sim."

"Excelente. Combinado."

Eu me viro para voltar para a mesa de jogos, mas ela me faz uma pergunta. "Posso saber por que você mudou de ideia? Afinal, sua primeira nota não é excelente, mas, de modo geral, você está muito bem. Você não tem nada a provar para mim, Lex. Sei que você sabe a matéria. Então, não tem que..."

"Eu entrei no MIT", digo.

A sala toda fica em silêncio. A professora Mahoney fica boquiaberta.

"O Massachusetts Institute of Technology. O melhor curso de matemática do país", diz ela. "Esse MIT?"

"Sim, esse MIT."

"Lex, isso é incrível!", diz ela quando se recupera o suficiente para falar, e o mais legal é que sei que ela está sendo sincera. Seu rosto está corado, muito feliz por mim. "Que maravilha!"

"Tem uma parte da carta de aceitação que avisa que a oferta deles depende de minhas médias continuarem ótimas este ano", digo.

"Compreendo. Faz sentido."

"Então, pretendo que minhas notas continuem ótimas."

Ela parece prestes a começar a dançar. "Não tenho a menor dúvida de que você vai conseguir, Lex. Nossa! MIT! Parabéns."

"Obrigada." Eu me permito sorrir por isso, pela primeira vez. Eu me permito sentir.

Na mesa de jogos, meus amigos estão todos olhando para mim, embasbacados.

"Muito impressionante", diz Eleanor quando me sento ao lado dela. "Você merece."

Isso é imensamente importante vindo dela, porque sei que ela se candidatou ao MIT, e deve significar que ela não entrou ou que ainda não tem notícias.

"Obrigada, El."

Beaker, por outro lado, parece brava.

"Você não me contou nada", diz ela, embaralhando as cartas como se as estivesse punindo.

Ah, não. Estou em apuros. "Eu não sabia como contar a todo mundo", digo, tentando explicar. "Acho que eu precisava de um tempo para assimilar a notícia antes de divulgar."

Beaker ainda parece brava. Está claro que essa desculpa não é boa o bastante para ela. Ela é minha melhor amiga. Deveria ter sido a primeira pessoa a quem eu ligaria.

"E você? Recebeu alguma notícia de algum lugar?", pergunto.

"Williams College. Sarah Lawrence. Amherst. Mas ainda estou esperando a Wellesley."

"Tenho certeza de que você vai entrar", digo a ela. Beaker está sonhando com a Wellesley há algum tempo, pois é uma universidade só de mulheres e um dos melhores cursos liberais de arte e porque ela quer explorar opções de carreira, já que, além de matemática e ciência, Beaker adora teatro e toca flauta lindamente, e não sabe o que quer ser quando crescer.

Ela assente, mas sua expressão indica que ela não me perdoa.

Começamos a jogar buraco. Alguns minutos depois, noto que Steven está sorrindo. Como se não conseguisse parar de sorrir. Um sorriso meio secreto.

"O que foi?", pergunto, finalmente. "O que está acontecendo com você?"

Ele sorri ainda mais. "Nada. É só que estou feliz por você. De verdade."

Ele pega um sete de copas da pilha de descarte e desce três pares de sete.

Eleanor ri. "Claro. Você também está feliz por você."

"El", diz ele. "Não."

Não o quê?

Ela o ignora e se vira para mim como se fosse algo que precisa ser dito e que ela decidiu ser a mensageira. "Ele vai para a Harvard."

Olho rapidamente para o Steven, que está corando. "Você entrou na Harvard?", pergunto, surpresa.

"Entrei na Harvard", ele admite.

Que coisa maravilhosa. Sinto vontade de abraçá-lo, de comemorar, mas isso seria muito esquisito. "Você entrou na Harvard! Por que não queria que ela me contasse?"

Ele coça a nuca. "Achei que deveríamos comemorar o seu momento, só isso."

Eleanor ri. "Sei."

Ainda não entendi o que ela está escondendo. "O que está acontecendo com você?"

Ela olha para mim como se eu fosse louca, como se ela não entendesse como eu posso não ter entendido. "MIT e Harvard ficam em Cambridge, Massachusetts. Você sabia disso?", pergunta ela.

"Acho que sabia sim", digo, e eu compreendo imediatamente o que ela quer dizer.

"Visitei os dois campi ano passado. Eles ficam a menos de quatro quilômetros um do outro." Ela pega o celular (o que não podemos fazer em sala de aula, mas a professora Mahoney não costuma se importar, porque ela também não deveria estar no YouTube) e faz uma pesquisa rápida. "Sim, são três quilômetros e meio do MIT à Harvard. Nove minutos de carro. Você e Steven estarão a três quilômetros e meio um do outro pelos próximos quatro anos. Agora você entende por que ele está ridiculamente feliz?"

"El, pare", diz Steven, que está completamente corado agora.

Meu rosto também está vermelho. Eu me viro para Steven, que está analisando suas cartas meticulosamente. "Então, você vai, claro. Para Harvard. Não para Yale, nem Dartmouth nem nenhuma outra?"

Ele não sorri dessa vez, mas o sorriso está em seus olhos. "É a ideia."

"Aposto que sua família está feliz."

"Eles estão encantados. Sou o primeiro homem da família Blake que não vai ser agricultor, e eles estão muito felizes."

"E você, é o que você queria?" Eu sei que é. Não conversamos muito quando estávamos nos candidatando. Não queríamos pressionar um ao outro. Mas era a melhor situação: eu no MIT, Steven em Harvard.

Significava a possibilidade de mais.

Mas isso foi antes.

Os olhos castanhos dele encontram os meus.

"Bom, você sabe", diz ele. "Soube que Harvard é um lugar muito bom para estudar química."

No mesmo instante, sinto um frio na barriga, e tento me conter. Molho os lábios e me esforço para respirar direito. Como ele consegue fazer com que eu me sinta assim, mesmo com tudo o que aconteceu? Eu não deveria me sentir assim.

Penso no que Ty escreveu na carta, de que era óbvio que Steven e eu somos um bom casal. Que combinamos.

Beaker e Eleanor estão olhando para mim e para Steven com alegria, como se quisessem um balde de pipoca para acompanhar a cena. Então, Beaker interfere, salvando a pátria.

"Olha, vamos jogar ou não?", pergunta ela, reorganizando as cartas na mão. "Tempo é dinheiro, sabe?"

Voltamos a jogar, mas Steven ainda está sorrindo.

Tenho dificuldade para me concentrar no jogo.

Estou tão surpresa com a conversa com Steven, pensando nele em Harvard, que acabo não matando aula. Acabo me esquecendo de entregar a margarida de papel a Damian, e só me lembro disso quando o sinal toca no fim do dia.

Vou até a área dos armários, mas ele não está lá. Tento o celular, mas cai direto na caixa postal.

Encontro El no pátio, onde todo mundo está.

"Lex, você está se sentindo bem? Parece assustada", diz ela.

Estou assustada, sem saber exatamente por quê. Damian deveria estar aqui. Por que não está? Uma sensação ruim toma conta de mim. "Pode me ajudar a encontrar Damian Whittaker?", peço a El.

"Claro. Quem é Damian Whittaker?"

Pego a foto dos três amigos de minha mochila. "Este aqui." Aponto para Damian.

"Ah, o Capuz Cinza", diz ela. "Sei quem é."

Conferimos a biblioteca. A academia. Começamos a atravessar os corredores, espiando dentro das salas de aula, na esperança de encontrá-lo. No meio do caminho, encontramos Beaker, e então, Steven, que olha nos banheiros dos meninos e no vestiário.

Nada de Damian.

De volta ao pátio, El entra no sistema da escola para ver a lista de presença. "Ele consta como ausente hoje. Não tem explicação. É uma ausência sem justificativa", diz ela atrás de seu laptop. "O que quer dizer que os pais dele não ligaram para avisar."

E é quando o pensamento horroroso me ocorre.

Pego o laptop de El e o viro para mim. Confiro algumas das redes sociais de Damian e encontro um novo poema em uma delas:

Ela faz as estrelas se apagarem.
Ela cria a chuva.
Dou a ela meu coração
como uma rosa feita de papel
mas ela o deixa cair
no chão imundo.
Ela me dá um copo
cheio de pena e dor
no qual me afogo.

E é quando o pensamento horroroso fica mais horroroso ainda.

"O que isso quer dizer?", pergunta El por cima de meu ombro, ao ler a tela.

O poema foi postado há uma hora. Tento ignorar a sensação de pânico no meu estômago e pego o telefone para ligar para Damian. Caixa postal de novo.

"Oi, você ligou para Damian. Já sabe o que fazer", diz ele.

Desligo. Acho que ele não ia querer ouvir minha voz no momento. Mas preciso ver se ele está em casa.

"Consiga para mim o telefone fixo dele", peço a El.

Ela revira os registros da escola novamente, e encontra um número.

Toca sem parar. Ninguém atende.

"Lex, quem é esse cara?", pergunta Steven.

"O Capuz Cinza", diz El, para responder.

Eu me levanto. "Preciso ir. Qual é o endereço dele?"

Ela dá mais alguns cliques. "West Mill Road, 2585."

Já estou correndo até a saída da escola. Até o estacionamento. Até meu carro.

El, Beaker e Steven vão atrás de mim.

"West Mill Road, 2585", repito a mim mesma. "Não é longe, certo?"

"Fica a cerca de dez minutos, acho", calcula Steven.

Mas meu carro não pega.

Eu me viro para meus amigos, meio ofegante. "Alguém me diga que veio de carro."

El não tem carro, e Beaker parece penalizada. "Não", diz ela. "Peguei carona com Antonio." Olho para Steven. Ele balança a cabeça. "Sarah está com o carro hoje."

Tento ligar meu carro de novo, mas não adianta.

Por quê?, penso. Por que o universo não me dá um bendito tempo?

"Lex", Steven começa a dizer com nervosismo. "O que está acontecendo? Você acha que o Damian está... Por que você acha que ele vai..."

Balanço a cabeça. "Fiquem em silêncio por um momento, ok? Preciso pensar."

Então, penso muito. Forço cada neurônio. E encontro a resposta.

Faço uma nova ligação.

"Vamos", sussurro. "Vamos. Esteja acordado."

"Alô?", diz uma voz sonolenta. "E aí?"

"Seth", digo aliviada. "Aqui é a Lex. Preciso de um favor."

"Claro, Lex", diz ele. "Seu pedido é uma ordem."

"Obrigada." Olho nos olhos de Steven. "Seth, vou precisar daquela carona."

CAPÍTULO 35

Doze minutos depois, estamos voando pela North 27th Street, saindo da cidade, e meus dentes batem, meus cabelos enfiados no capacete de Seth, e eu estou agarrada à cintura dele.

Está mais quente agora, mas ainda assim, fresco. Acima de nós, nuvens esparsas se espalham pelo céu, interrompidas pelo rastro de uma avião descendo em direção ao aeroporto de Lincoln.

"Você está bem aí atrás?", grita Seth.

"Pode acelerar?", pergunto.

Já estamos indo bem rápido, mas Seth força o motor, fazendo com que passemos pelos postes telefônicos cada vez mais depressa.

Sinto tanto frio que não estou sentindo meu rosto.

Entramos na West Mill Road e seguimos pela área rural, com campos de milho e mais campos de milho. A neve derreteu, deixando bolsões de lama em meio às plantações devastadas do ano passado. Os agricultores cuidarão dessa área e farão um novo plantio em breve. O ar cheira a esterco, água e alimentos crescendo.

Tem cheiro de primavera.

Espero que não seja tarde demais.

Seth pergunta o número de novo, e eu grito "2585" e ele vai mais devagar e grita: "Acho que é ali, mais à frente".

Paramos em uma rua comprida e subimos até um sobrado cinza.

Reconheço o carro de Damian estacionado na frente. "Sim, é aqui."

Seth para na escada da entrada. Eu me seguro nele quando ele se inclina para a frente para apoiar o pé no chão.

"Você vai ter que sair primeiro", diz ele. "Só apoie a perna."

Eu desço do jeito mais esquisito e tiro o capacete, que entrego a ele. Nós dois paramos para observar a casa.

"Nossa!", diz Seth. "Gótica. Aposto que é assombrada."

Decrépita é a palavra que eu usaria. É uma casa normal de dois andares com janelas que parecem olhos e uma porta que lembra uma boca. Precisa de nova pintura e talvez de um novo telhado, e parece saída de um filme de terror em preto e branco, mas tem bons ossos, como diria Beaker.

Eu subo os degraus da varanda e bato à porta.

Ninguém atende.

Bato de novo, mais forte. Encontro uma campainha, então eu a aperto, mas não ouço nenhum som.

"Acho que ele não está em casa", diz Seth.

"Não, ele está em casa. Aquele é o carro dele", digo, apontando. Bato na porta com a mão aberta.

"Damian! Abra! É a Lex!"

Nada.

Ele está bravo comigo. Talvez eu não devesse gritar "é a Lex" tão alto.

Tento o celular dele de novo. Tento o telefone fixo. Nós o ouvimos tocando dentro da casa.

Meu desespero aumenta a cada toque. "Damian!", grito de novo. "Qual é!"

Seth parece preocupado.

"Lexie, o que está acontecendo? Por que está tão... maluca?"

"Damian era amigo do Ty. E do Patrick." Bato mais uma vez. "Damian!"

"Sim, mas..."

"Ele está deprimido agora. E eu fiz uma coisa no sábado que o deixou chateado, e ele não apareceu na escola hoje, e postou um poema esquisito na internet, e..." Ligo para o telefone fixo de novo. "Vamos, atenda, Damian."

Toca sem parar.

Seth olha para a casa, entendendo. "Então, você acha que ele pode ir desta para melhor?" Ele olha para mim e se retrai. "Desculpa. Você acha que ele poderia..."

"Acho que sim. Tenho que entrar aqui."

Seth bate à porta. "Damian! Saia, cara!"

Dou a volta na casa, conferindo as janelas. Estão todas trancadas. Tento a porta de trás. Trancada. Tento o outro lado da casa.

Nesse lado, de repente percebo a música que vem da janela do segundo andar. Violão. E então, a voz de um homem.

A voz de Robert Plant. De "Stairway to Heaven".

"Damian!", grito para a janela.

Nada. Nenhum movimento. Nada.

Seth se aproxima de mim. Observa a casa com os olhos semicerrados. "Tem uma luz acesa", diz ele.

"Aposto que é o quarto do Damian." Olho ao redor sem parar. Não tem como subir ali, não tem uma árvore próxima nem uma calha. Grito, frustrada, e volto para a porta da frente. Seth me segue.

"Você vai ligar para a polícia?", pergunta ele, como se entendesse se eu tiver que fazer isso, mas que não estava muito feliz com a ideia de polícia.

"Não. Demoraria muito. Preciso entrar agora", digo, e minha mente está a mil por hora. Eu me viro para ele. "Arrombe a fechadura."

"O quê?"

"Ele está aqui dentro. Pode ser que já esteja morto. Pode ser que esteja morrendo. Agora. Vai, Seth."

Seth olha em direção à janela do quarto. "Você acha que ele está se matando agora."

"Acho que existe uma grande possibilidade. Se tivermos sorte, ele não fez isso há quinze minutos. Sei que ele estava vivo há uma hora. Mas agora, não sei."

Ele passa a mão na nuca. "Cara..."

"Arrombe a porta, Seth."

"Olha, não sei arrombar. O quê? Você acha que só porque eu fumo, ando de moto e tenho algumas tatuagens, devo ser um criminoso? Ei, o que você está fazendo?"

Não tiro os olhos do meu telefone. "Procurando no Google como arrombar uma porta."

"Você vai..."

Jogo minha mochila na grama e procuro dentro dela até encontrar dois clipes grandes de papel. Começo a moldá-los.

Às vezes, tem seu lado bom ser nerd e carregar um monte de artigos de papelaria só por hábito.

"Nossa", diz Seth. "Não sei se estou gostando disso. É ilegal arrombar e invadir, certo?"

Estou na varanda nesse momento, agachada na frente da porta.

"Você está me usando como cúmplice", diz Seth.

Enfio o clipe esticado na fechadura. "Você pode ir."

Mas ele não vai. Ele me observa tentar e fracassar, tentar e fracassar de novo.

"Olha, você não consegue, então o que vai fazer agora..."

"Toma", digo, entregando o telefone para ele. "Leia para mim, a parte do movimento. Está dizendo que um entra torto, o outro é mantido reto, mas e depois?"

Ele olha para mim. "Lexie."

"Ajude ou vá embora, Seth. Ajude ou vá embora."

Ele suspira e pigarreia. "Primeiro, enfie o clipe de tensão na parte de baixo da fechadura e aplique leve pressão na direção em que quer girar. Depois, pegue o outro e rapidamente deslize-o para trás e para a frente para encaixar os pinos."

"Continue." Seco a testa com a manga da blusa. "E depois?"

"Depois de deslizar na fechadura, tire o segundo rapidamente da fechadura enquanto tenta virar o primeiro. Se tudo estiver certo..."

Ouvimos um clique alto. Eu viro a maçaneta. A porta se abre.

"Não acredito que deu certo", diz Seth.

Já estou subindo a escada de dois em dois degraus. Corro pelo corredor do andar de cima.

"Damian!"

Sigo a música até a última porta à esquerda. A música está na parte mais pesada, alta e com gritos. Tento abrir a porta. Está trancada.

Deixei os clipes de papel no andar de baixo.

Imagino Damian atrás dessa porta, seu corpo jogado no carpete, com os pulsos cortados e sangrando, olhos abertos, mas sem vida.

"Nossa, Lex, espere!" Seth está vindo atrás de mim quando levanto o pé e chuto a porta com força. Ela se abre na primeira tentativa, e a porta barata se arrebenta, e entro no quarto chamando Damian.

Ele está ali.

Está sentado à sua mesa de cueca, olhando para mim, com a boca aberta. A música está tão alta ao nosso redor que não consigo ouvir mais nada. Fico ali, ofegante, olhando fixamente.

Lentamente, ele se levanta e desliga o som.

Parece que fiquei surda. "Damian", consigo dizer. "Você está vivo."

"Uh...", diz Seth atrás de mim. "Vou esperar lá fora, está bem?"

Damian fecha os olhos e os abre de novo lentamente, como se pudesse estar alucinando ao me ver.

Estou tão feliz por vê-lo vivo que não consigo conter um largo sorriso.

"Então", digo depois de um minuto. "Que esquisito."

Ele coça o pescoço. "Pode se virar, ou fechar os olhos, ou qualquer coisa assim para eu poder vestir minha calça?"

"Claro." Coloco a mão em cima dos olhos.

"Não que eu nunca tenha tido fantasias com uma situação dessas", diz ele. Escuto quando ele veste a calça jeans e sobe o zíper. "Pronto."

Tiro a mão. Ele se senta na beira da cama e veste uma camiseta e meias. Faz um gesto para que eu me sente na cadeira dele, onde ele estava sentado há um minuto.

Eu me sento.

"Certo", diz ele. "Vamos começar com o que você está fazendo aqui, Lex?"

"Você não foi para a escola hoje."

"Estou doente", ele explica.

"Você não parece doente."

Seu rosto fica vermelho.

"Eu estava com vergonha. Não queria ver você, ok?"

Balanço a cabeça, concordando. "Fiquei preocupada."

"Por quê?"

"Li seu poema."

Os olhos dele brilham. "Você leu meu poema." Ele tenta manter a voz calma. "O que achou?"

"Achei que você pudesse... achei que você estivesse se sentindo tão mal que..."

Finalmente, ele compreende.

"Você achou que eu faria a mesma coisa que Ty. E Patrick."

Solto o ar. "Sim."

Seus olhos marejados se fixam nos meus. Ele afasta os cabelos dos olhos e se inclina para a frente, apoiando o peso nos joelhos. "Não sou como o Ty nem como o Patrick", diz ele muito lentamente, como se quisesse ter certeza de que entendo cada palavra. "Não quero morrer. As coisas ficam meio ruins na escola, às vezes. Há gente que nos persegue, certo?"

"Os urubus", digo.

Ele desvia o olhar e ri baixinho. "Isso. Mas não penso em... É só o ensino médio. Aqueles caras são só alunos do ensino médio, e, em dez anos, eles estarão trabalhando para pessoas como eu. Sei disso. Tenho que passar por mais dois anos e então, estarei livre. Juro que nunca conseguiria fazer o que Ty fez. *Nunca*." Ele respira fundo e solta o ar. "Sinto muito se meus poemas fizeram você pensar que eu seria capaz..."

Sinto algo afiado no meu bolso, espetando meu quadril. Eu me lembro do que é e o tiro dali.

O colar de dente de tubarão de Ty.

Eu o ofereço a Damian. "Pegue. Encontrei isto."

Ele o pega e passa o dedo pela ponta do dente. De repente, seus olhos se enchem de lágrimas.

"Eu deveria ter contado a você", diz ele. "Tenho tentado, mas não sabia como."

"Me contar o quê?"

Ele engole em seco. "Ty me ligou na noite em que morreu."

Parece que meu coração parou de bater, mas sei que não parou. Se meu coração parasse de bater, eu morreria. Mas estou aqui, viva. Respirando, ouvindo.

A voz de Damian falha enquanto ele continua falando.

"Eu sabia que o Ty às vezes pensava em fazer... o que fez. Dois anos atrás, na primeira vez em que tentou, com os comprimidos, ele me contou depois."

"Ele contou para você?" Eu não sabia que o Ty tinha contado a alguém.

"Estávamos tocando uma música do The Doors — 'The End' —, e ele me contou. Eu disse, olha, podemos falar sobre por que as coisas são ruins e que nossos pais são idiotas, e que o futuro não é exatamente superanimador, mas ainda acho que vale a pena viver. E você? E ele disse que sabia disso. E eu falei que se ele se sentisse daquele jeito de novo, pensando em acabar com a vida, que ele deveria me ligar. E ele disse que faria isso.

"E ele ligou para você", sussurro. "Você conversou com ele."

Damian assente. "Mas ele não disse nada naquela noite sobre querer morrer. Não era incomum ele me ligar, por isso não pensei nada de mais. Mantínhamos contato, apesar de não andarmos juntos na escola com frequência. Ele liga — ele ligava e conversávamos sobre as coisas ruins da vida, falávamos que as pessoas são imbecis e que a maioria delas não entende como às vezes dá tudo errado e você não pode fazer nada a respeito. Ele também lia meus poemas, às vezes. Foi sobre isso que conversamos naquela noite. A mesma coisa de sempre."

Ele balança a cabeça. "Eu deveria saber que algo estava errado. Ele havia acabado de terminar com Ashley, e estava triste; parecia estar muito voltado para ele mesmo, e eu deveria ter percebido que havia algo de errado." Ele funga. "Pensei muitas vezes sobre isso desde então, repassei a conversa toda, procurando pistas que eu deveria ter notado, mas... às vezes, acho que ele ligou para dar o último adeus."

Ele segura o dente de tubarão e começa a chorar. Eu me sento na cama ao lado dele e tento abraçá-lo, e ele permite isso por um tempo. Então, se afasta e passa a mão pelos cabelos, suspirando.

"Sinto muito por não tê-lo salvado", diz ele. "Teria tentado."

Sinto o coração apertado por ele, porque essas palavras são as minhas palavras, e esses pensamentos são os meus pensamentos, e eu finalmente compreendo por que eles não importam.

"Você não poderia tê-lo salvado", respondo. "Ninguém além dele mesmo poderia tê-lo salvado. E você provavelmente está certo. Ele não ligou para ser salvo. Ligou para dar o último adeus."

Damian assente com tristeza.

Aperto o ombro dele. "Você foi um bom amigo para ele. E para mim. Obrigada por isso."

Ficamos sentados sem falar por um minuto. Então, pergunto a ele: "Você está bem? Precisa escrever um poema para passar tudo isso a limpo?".

Ele ri. "Vou deixar de lado a poesia triste."

Dou de ombros. "Não sou crítica literária nem nada, mas gosto de seus poemas, Damian. Mas eu não lhe daria um copo de piedade nem de dor no qual se afogar. Não tenho mais piedade."

Eu me levanto e caminho até a janela. Do lado de fora, o Sol está se pondo sobre os campos de milho, uma chama incrível laranja e roxa. Observo um bando de pássaros grandes — grous-canadianos, acredito — voando.

Migrando para casa.

Tem coisa demais dentro de mim neste momento, parece que vou explodir. Muita coisa que entendo agora que não entendia ontem. Muito a dizer.

"Lex?", pergunta Damian atrás de mim. "O que você vai fazer agora?"

Eu me viro. "Você pode me emprestar uma caneta?"

31 DE MARÇO

Preciso contar sobre aquela noite. Sei que você já sabe os deta-
lhes. Você estava lá. Mas preciso que veja as coisas pela minha
perspectiva, para que entenda por que fiz o que fiz.

Naquela noite, jantamos no Imperial Palace. Você comeu
frango ao molho de limão, como sempre faz, e eu pedi fran-
go kung pao. Durante o jantar, conversamos sobre o MIT, sobre
Harvard, e sobre Beaker entrar na Wellesley, e que tínhamos
pelo menos mais 70 dias até termos notícias, e que era muito
difícil esperar. Março parecia longe demais, naquela noite.

Depois do jantar, você me levou ao museu de história natu-
ral da UNL. Estava fechado, mas, como sua irmã trabalha ali,
ela nos deixou entrar. Eu sabia que você estava planejando algo
espetacular pela cara de Sarah, pois ela ficava sorrindo para
mim. Você me deixou na sala dos elefantes, olhando para os
enormes ossos fossilizados dos mamutes, camelos e rinoceron-
tes pré-históricos que costumavam ocupar as planícies cobertas
de grama que se estendiam no meio do país há centenas de mi-
lhares de anos, enquanto você e Sarah sumiram por um tempo
para organizar as coisas.

Então, você veio e me buscou. Colocou uma venda nos meus
olhos, mas percebi que você estava me levando ao planetário.
Quantas apresentações já tínhamos visto ali, Steven? Você me
sentou em um cobertor macio. Senti o cheiro de cera de vela e de
sua loção pós-barba. Havia música tocando — Mozart, acho;
você vai ter que me contar, o que era, exatamente — uma sere-
nata suave de piano e violino.

Você tirou a venda.

Estávamos sentados em um cobertor xadrez vermelho, como
se estivéssemos fazendo um piquenique ao ar livre. Havia duas
velas curtas acesas, e uma garrafa de cidra dentro de um balde

de gelo, e duas taças de plástico. No teto do planetário, milhares de luzinhas azuis brilhavam: não estrelas nem constelações, mas partículas.

"É da apresentação sobre matéria escura", você disse.

Estiquei o pescoço, olhei para cima. "Pensei que matéria escura fosse invisível."

Você se recostou e me abraçou, puxando-me contra seu peito, e eu relaxei no calor do seu corpo.

"É invisível", você disse. "Bom, teoricamente, é. Os cientistas nunca conseguiram provar que a matéria escura existe."

Eu sabia.

"Só podemos acreditar que ela existe por causa do modo com que as galáxias se comportam quando passam pelo universo, e como a luz sempre vai se inclinar ao redor dela." Você se aproximou de mim. Olhou para meus lábios. Eu sabia que ia me beijar. Seu hálito, que cheirava a limões, tomou meu rosto. Você olhou nos meus olhos. "De qualquer modo, é lindo", você disse.

Você me beijou. Eu pousei a mão em sua nuca, senti seus cabelos macios sob meus dedos, e retribuí. Luzes azuis giravam acima de nós. Você beijou o canto da minha boca. Meu rosto. Minha orelha.

Eu sorri. "Isto é romântico."

"Sim. Eu quis ser romântico." Você entrelaçou seus dedos nos meus. "É 20 de dezembro", disse.

"O que tem?"

Você prendeu uma mecha de meus cabelos atrás da minha orelha. "No dia 20 de junho, há seis meses, nós começamos o experimento. Em uma livraria, que não era o lugar mais romântico do mundo, mas foi o melhor que pude fazer no momento. Não achava que conseguiria trazer você aqui, naquela época. E no dia 20 de junho, beijei você pela primeira vez."

"Foi um bom beijo."

"Espetacular", você lembrou.

"Então, feliz seis meses", falei.

"Feliz seis meses. Que são exatamente 183 dias." Você olhou no relógio. "São 4.392 horas. São 263.520 minutos. E foram alguns dos melhores minutos de minha vida. Por enquanto."

Deus, você estava incrivelmente sexy.

Irresistível.

Puxei sua cabeça para beijá-lo de novo, mas meu telefone vibrou de repente.

Eu o peguei e olhei.

Era uma mensagem de texto.

Não contei a você de quem era. Não disse "É o meu irmão". Não contei o que estava escrito.

Durante todo esse tempo, nunca contei a ninguém.

Mas vou contar agora.

Estava escrito: Ei, mana, pode conversar?

Aqui é a parte em que a realidade se mostra para mim, a parte em que desliguei o celular e o afastei de mim, e voltamos a nos beijar.

Mas existe uma versão alternativa do que aconteceu naquela noite. Sempre haverá, para mim. Na versão alternativa da realidade, eu recebo a mensagem e digo a você: "Fique aqui mesmo", e lhe dou um beijo rápido, uma vez, na boca, mas então me levanto e vou para o corredor com o telefone para poder ligar para Ty. Nessa realidade — que eu sei que não é uma realidade, mas uma fantasia, um desejo, uma oração que não foi ouvida — Ty me conta o que preciso saber. Que ele está triste. Que está preso no presente. Que não consegue ver além. Que perdeu o futuro.

Então, digo a ele que ele é forte o bastante para superar a tristeza.

Digo a ele que não quero viver neste mundo louco sem ele, e digo que preciso dele.

Digo a ele que minha mãe precisa dele.

Digo a ele que até o papai precisa dele — que ele pode não ver agora, mas que vai ver, em algum momento.

Digo a ele que daqui a 5 dias será Natal, e faço ele se lembrar de que o Natal é a festa do ano de que ele mais gosta, e que vamos acordar cedo e pular na cama da mamãe como fazíamos quando éramos pequenos, e vamos cantar "Bate o Sino" quando descermos a escada até a árvore de Natal para desembrulhar nossos presentes, e que comprei uma coisa para ele este ano, e pergunto se ele não quer ver o que é.

Digo que temos pelo menos uns 63 dias de Natal para passar juntos, e não quero perder nenhum deles. Nenhum.

Digo que o amo.

E o fato de eu dizer essas coisas basta para matar os demônios dele.

E ele sobrevive àquela noite.

Ele vive.

No entanto, em vez disso, desliguei o telefone e beijei você. Nós nos deitamos sob a matéria escura, aquela coisa invisível e improvável que une o universo, e eu olhei para você, todo emoldurado por luzes azuis, e disse que te amava.

Seus olhos brilharam surpresos. Você não esperava que eu dissesse aquilo. Você achava que eu não acreditava no amor.

Mas não hesitou em responder.

"Eu também te amo", você disse. "Muito."

"É impraticável medir", sussurrei.

Você concordou. "Totalmente impraticável."

Bebemos nossa cidra e falamos sobre a matéria escura, e sobre como somos todos feitos do mesmo pó de estrelas, aquela frase maravilhosa de Carl Sagan. Cada um de nós é parte do universo.

Então, de algum modo, passamos a falar sobre grous.

Que todos os anos, em março, quando o tempo está bom, 80% de toda a população mundial de grous-canadianos passam por esta parte de Nebraska, milhões de aves de uma vez, e que é uma cena incrível de se ver, e que nós dois moramos em Nebraska desde sempre e nunca vimos os grous. Decidimos que iríamos vê-los. Antes de partirmos para Massachusetts ou para onde quer que o destino nos levasse, iríamos ver os grous. Juntos.

Nós nos beijamos, então, e o tempo nos envolveu. O tempo passou.

No entanto, em algum momento desses segundos perdidos, meu irmão estava indo para a garagem escura com o rifle antigo de caça do meu pai e uma bala que eu não devo ter deixado de perceber.

Para arruinar tudo, penso, às vezes.

Para morrer.

Só voltamos ao mundo quando Sarah entrou correndo no planetário, e assim que vi a cara dela, soube que alguma coisa terrível, terrivelmente errada havia acontecido, e essa coisa dizia respeito a mim.

Eu me lembro de ela ter dito: "Ela está aqui" antes de me entregar o celular.

Lembro-me de ter ouvido a voz de meu pai, ríspida, como se eu estivesse em apuros por alguma coisa, como se estivesse me castigando. "É sobre o Ty", disse a voz.

Não me lembro de mais nada.

Eu estava olhando para você. Ele estava me contando. Minha mão começou a chacoalhar — não tremer, não se mover, mas a balançar violentamente, como se eu estivesse tendo um ataque. Não conseguia controlá-la.

Você esticou a mão e a colocou sobre a minha. Você me controlou.

Quando desliguei, você me guiou pelo corredor em direção ao estacionamento. Colocou meu casaco sobre meus ombros. Ajoelhou-se ao meu lado quando de repente me inclinei para a frente e vomitei o frango na calçada cheia de neve ao lado da estátua enorme do mamute na frente do museu. Você me ajudou a ficar de pé. Afastou meus cabelos do rosto. Prendeu meu cinto de segurança quando me colocou no carro.

Havia luzes de Natal por todo o caminho até o necrotério, verdes, vermelhas e brancas, penduradas nas árvores.

Durante todo o tempo, seus olhos estavam arregalados e incrédulos, como se aquilo não pudesse estar acontecendo.

No necrotério, você esperou no corredor enquanto o diretor do local foi comigo, minha mãe e meu pai até a sala dele e nos fez ouvir uma gravação. Ty tinha ligado para o 911, segundos antes de puxar o gatilho. Demorei uns dias para entender por que ele fizera isso, mas foi uma gentileza, concluí, para que nossa mãe não chegasse em casa e o encontrasse quando abrisse a garagem.

Ouvimos a voz dele e confirmamos que era Ty.

Ele falou: "Tem uma pessoa morta na garagem na casa verde na esquina da Nickols com a Second Street. Ela se matou".

E foi isso. Ele desligou. Foram 12 minutos até a ambulância chegar lá, eles nos disseram, mas ele já tinha morrido.

Ty não parecia assustado, na gravação. Não parecia triste. Estava perfeitamente seguro do que fazia.

Eles nos levaram para uma sala nos fundos, onde o corpo do meu irmão estava em cima de uma mesa de aço com um lençol até o pescoço. Ficamos ali por um minuto em um semicírculo olhando para ele — meu pai com terno e gravata, eu e minha mãe com uniforme — foi a última vez em que fomos uma família, juntos.

Então, minha mãe deu um passo à frente e pousou as mãos trêmulas no peito de Ty, como se pudesse acordá-lo, e quando ele não se mexeu, ela jogou a cabeça para trás e emitiu um som, um som de dor pura — uma mistura de uivo e grito que nem se parecia com sua voz, que não parecia exatamente humano. Tenho certeza de que você ouviu de onde estava.

Meu pai levou a mão à frente da boca, fechou os olhos e se sentou numa cadeira encostada na parede.

O som não parava de sair de minha mãe, e foi insuportável no modo com que tomou meus ouvidos, minha cabeça e solidificou tudo.

Meu irmão estava morto.

Os joelhos de minha mãe cederam. Eu a segurei antes que ela caísse no chão e a arrastei até a cadeira ao lado do meu pai, e ela parou de gritar e passou a chorar sem fôlego.

Não havia lugar para eu me sentar ao lado deles. Só pude ficar de pé olhando para Ty.

Ele parecia feito de cera. Um de seus olhos estava aberto. Ele tinha cílios lindos — grossos, escuros e curvados — e entre os cílios, aparecia um pouco de um cinza pálido, como neve suja. Seus lábios estavam quase pretos. Isso foi antes de você vê-lo, antes da maquiagem, das roupas e das mãos duras e unidas. Havia uma mancha de sangue no pescoço dele, que desapareceu sob o lençol. Fui tomada pela vontade de afastar o lençol e ver o ferimento que o matou, algo que explicasse esse mistério terrível de ele estar vazio se eu o vira doze horas antes, à mesa de café da manhã, bem.

Teria olhado, mas minha mãe e meu pai estavam ali. Eu me afastei, fiquei de pé ao lado de minha mãe, segurando sua mão, e chorei com ela até ficarmos sem lágrimas.

Não consigo mais chorar. Acho que essa parte minha quebrou.

Na hora de ir embora, minha mãe não queria ir. Teria ficado com o Ty a noite toda, o dia todo, até ele ser enterrado. Mas eles fizeram com que ela voltasse à sala de Jane para assinar alguns papéis e falar sobre os próximos passos do processo de perda do filho.

Você ainda estava esperando no corredor. Ficou de pé quando abri a porta. Em seus olhos, estava claro que você acreditava agora.

Foi quando me lembrei da mensagem de texto.

Peguei o telefone do bolso e conferi, e ela ainda estava ali.

Ei, mana, pode conversar?

Um arrepio tomou conta de mim. Pavor. Dormência. Enfiei o telefone no bolso de novo. Olhei para você e pensei: Isso é culpa sua.

Se não tivesse me beijado.

Se não tivesse me distraído.

Se eu não estivesse tão envolvida nas emoções que sentia por você, nas emoções impraticáveis, eu teria respondido à mensagem.

Teria interrompido aquilo.

Não interrompi.

E pensei de novo: Isso é sua culpa.

Pensei que gostaria de poder voltar no tempo. Se eu pudesse fazer uma máquina do tempo, eu voltaria para aquele momento, e teria respondido à mensagem.

Eu o salvaria.

Agora, compreendo que ninguém poderia ter salvado o Ty, além dele mesmo. Não há mais ninguém a culpar. Nem você. Nem eu. Ty tinha as rédeas nas mãos.

Compreendo isso agora, racionalmente.

Meu coração ainda quer a máquina do tempo. Terei que fazer meu coração nos perdoar por aquela noite.

Consigo perdoar você com muito mais facilidade do que consigo perdoar a mim mesma.

E há muitas coisas pelas quais pediria para você me perdoar.

Por ter me afastado.

Por ter parado de falar com você.

Pelo motivo absolutamente ridículo que dei para terminarmos o namoro.

Eu não quis terminar com você por causa do seu esperma. Nem por que as coisas não estavam dando certo, porque estavam. Deu certo.

Você merece a verdade.

Se quiser me perdoar ou não, ainda assim merece saber que eu fui sincera. Naquela noite.

Eu amo você.

Tentei muito não amar. Você não faz ideia de como tentei não amar.

Ou talvez tenha uma certa noção.

Mas eu amo você.

Se você não souber o que fazer com essa informação, tudo bem.

Só queria contar tudo, se quiser ouvir. Se quiser saber.

Vou começar com este relato.

CAPÍTULO 36

Quando saio da casa de Damian, Seth está sentado nos degraus da varanda fumando um cigarro.

"Está tudo bem com o moleque?", pergunta ele.

"Sim, ele vai ficar bem."

"Ótimo", diz ele aliviado de verdade. "Eu estava prestes a entrar para te chamar. Preciso ir. Estou atrasado para o trabalho."

"Você deveria ir", digo a ele.

"Você vai precisar de carona para algum lugar?"

Aperto a mochila contra o peito. "Dou um jeito de voltar. Obrigada, Seth. De verdade, muito obrigada."

"Por nada." Ele dá uma tragada demorada. "Vou ligar para você quando precisar arrombar uma porta. Caramba."

Dou risada, tiro o cigarro da boca dele e piso sobre ele.

"Mas que diabos?"

"Estou tentando impedir todo mundo de se matar hoje", eu explico.

Ele resmunga e sorri, meio irritado. Então, sobe na moto, coloca o capacete e liga a Georgia. Eu aceno quando ele se afasta.

Não acredito que andei naquela coisa.

Pego meu celular. Minha mãe só sai do trabalho em uma hora. Respiro fundo e ligo para outro número.

"Oi, pai". digo quando ele atende. "Pode vir me buscar? Está tudo bem... estou bem, mas preciso de uma carona."

Meu pai para na casa de Steven e deixa o carro em ponto morto. Nós dois espiamos pelo para-brisa por um minuto. A casa dos Blake é um sobrado branco com uma varanda que dá a volta pela casa, como uma versão bem conservada da casa de Damian. Todas as luzes estão acesas. As janelas estão iluminadas, e a casa parece aquecida.

Steven tem sorte de viver naquela casa, com a mãe, o pai e as irmãs, todos sob o mesmo teto.

Eu me esforço para não me ressentir por isso.

Toco a campainha. Sarah atende. Pela cara dela, vejo que ela não sabe bem o que pensar ao me ver ali agora.

"Steven está em casa?", pergunto.

Ela abre a porta e dá um passo para o lado para me deixar entrar.

"Steven!", ela grita ao se afastar. "Visita!"

Meu coração se acelera quando ele aparece no fim do corredor. Por 2,5 segundos, quase perco a coragem.

"Oi", diz ele com calma. "Como está o Damian? Fiquei preocupado o dia todo. Mas imaginei que você teria ligado se..."

"Damian está bem. Alarme falso."

Steven suspira. "Que bom. Nossa, que bom." Ele inclina a cabeça para o lado, confuso, sem saber por que estou aqui, e olha para mim com atenção, antes de parecer decidir uma coisa: "Quer jantar conosco? Acabamos de começar".

"Ah, obrigada, mas não. Meu pai está esperando no carro."

"Seu pai?"

"Só passei para te dar isto."

Entrego o diário a ele.

Ele olha para mim sem entender. "Devo saber o que..."

"Não, é um experimento. Começou como uma tarefa para o meu terapeuta." Percebo que não consigo olhar diretamente para Steven quando ele está segurando o diário. "Quero que leia. Se quiser, claro. Você não tem que ler. Dave, meu terapeuta, disse que eu precisava de um destinatário, alguém para quem escrever. E hoje à noite eu pensei — concluí — que meu destinatário é você. Se quiser ler. Se não quiser, eu entendo, e posso pegar..."

"Vou ler", diz ele, dando um passo para trás como se eu fosse pegar o diário de volta.

Penso Ai, meu Deus, o que foi que eu fiz?

"Legal", digo, e me afasto. "Boa noite."

Meu pai me leva para casa. Não faz perguntas, o que acho bom. Quando chego à porta, minha mãe sai para me encontrar. Parece meio alterada. Ela observa meu pai se afastar sem dizer nada.

"Algo que devo saber?", pergunta ela.

"Não. Tem alguma coisa para comer? Estou morrendo de fome."

Ela encontra uma caixa de macarrão com queijo, que ela prepara e acrescenta algumas salsichas cortadas. Eu me sinto com uns cinco anos enquanto como, mas limpo o prato. Minha mãe me observa até eu terminar.

"Você está bem, Lexie?" Ela estende o braço sobre a mesa e segura minha mão. "Quer conversar? Estou aqui para você, querida. Sei que as coisas estão difíceis, mas estou aqui para você. Sempre estarei aqui com você."

Aperto a mão dela.

"Eu sei. Eu sei que está." Respiro fundo. "Eu estive na casa de Damian hoje à tarde. Ele era um dos amigos de Ty."

"Sim, conheço o Damian", diz ela. "Você sabia que ele fez uma rosa linda de papel para colocar em cima do caixão de seu irmão? Nunca vi nada igual."

Nossa, as coisas que eu não sabia e que podiam ter sido bem úteis.

"Bem, pensei que Damian poderia estar se sentindo como Ty e como Patrick, e que poderia precisar da minha ajuda. Mas, no fim, ele acabou me ajudando."

Ela assente. "É engraçado como as coisas são."

"Sinto muito por como tenho agido."

Ela pisca para mim, assustada. "Como você tem agido? Não tem nada de errado com você. Você tem feito o melhor que consegue."

"Bom, eu sinto muito por como agi no carro quando voltamos de Graceland. Não foi legal."

"Você disse o que eu precisava ouvir", diz ela. "Fico feliz que tenha falado. Aquilo me despertou para o que eu fazia com você, pois eu estava prestando muita atenção em mim mesma."

"Mãe..."

"Eu ficava sentindo a presença do seu irmão", diz ela suspirando, olhando para baixo. "Às vezes, eu sentia o cheiro dele, ou ouvia os passos dele na escada, e tentava beber para esquecer, Lex, e sinto muito por isso. Vou parar com essas coisas."

"Tudo bem."

"Cerca de uma semana atrás, eu estava voltando do trabalho no carro, e senti a presença dele comigo."

Ah, não. Fantasma no carro. Não é bom.

"Eu estava chorando, como faço... às vezes, e então, eu senti com muita força, que havia alguém comigo."

Ela balança a cabeça como se não conseguisse acreditar.

"E depois?", pergunto.

"Então, ouvi a voz."

Olho para ela. "E o que o Ty disse?"

Ela olha para mim, espantada. "Não era o Tyler, querida."

"Não?" Estou confusa.

"Foi outra voz. E ela dizia: 'Vai colocar seu filho em minhas mãos?'"

Engulo em seco. "Mãe..."

"E eu disse sim", diz ela. Ela abaixa a cabeça de novo, mas não está chorando. "Eu disse sim." Ela respira fundo, o tipo de respiração que damos quando um peso é tirado dos nossos ombros. "Não senti Ty desde então."

Seguro a mão dela.

O dia foi maluco.

A campainha toca. Minha mãe e eu nos entreolhamos.

"Eu atendo", digo.

Vou até a porta e abro. Do outro lado está Steven, com o diário na mão. Parece arrasado, com olhos vermelhos, e os cabelos despenteados, como se ele os estivesse puxando.

Steven lê depressa. Eu havia me esquecido disso.

"Oi", digo.

Ele está chorando. Passa pela porta e me abraça, chorando.

"Desculpa, desculpa, desculpa", diz ele, e soluça encostado em meus cabelos.

Algo dentro de mim se desfaz. Quebra.

"Eu também peço desculpas", digo, e estou chorando, finalmente, como se as comportas tivessem se aberto, e estamos abraçados, chorando, enquanto as lágrimas rolam e rolam.

CAPÍTULO 37

No sonho, esse último sonho, estou jogando paciência em um quarto escuro. Parece uma cena de interrogatório de um filme, uma pequena mesa e duas cadeiras, uma luz mais fraca acima de nós. Estou à vontade aqui. Viro as cartas uma a uma sem entendê-las. Às vezes, eu os vejo como pequenos Post-its amarelos. Fico virando as cartas: um rei de copas, um ás de espadas, e então, o bilhete para a minha mãe. *Desculpa, mãe, mas eu estava muito vazio.*

Coloco essa carta na pilha de descarte.

E então, Ty está ali, à beira da luz.

"Como você entrou aqui?", pergunto.

"Não sei. O sonho é seu. Você pode me dizer."

Ele se senta na cadeira à minha frente. Ele não parece um fantasma. Parece real. Parece mais alto, e mais velho, como se tivesse envelhecido durante o tempo em que ficou longe. Não é bem o Ty que eu conhecia.

"Você lembra como se joga combate?", pergunta ele.

Lanço para ele um olhar aborrecido.

"Você sempre roubava", diz ele.

"Não roubava."

"Roubava, sim."

Entrego as cartas a ele. Observo seus dedos compridos embaralhando com facilidade. Ele divide a pilha em duas iguais e me dá uma. Então, começa a dispor as cartas de três em três. Números mais altos batem os mais baixos. Valete de espadas bate o nove de ouros. Cinco de copas bate o dois de espadas. Os ases derrotam todos. O objetivo é levar o monte inteiro.

"O que ganho se vencer?", pergunta ele de repente. Ty acabou de pegar três de minhas cartas.

"O que você quer?"

"Eu acho", diz ele, sem emoção, "que, se eu ganhar, você tem que parar de me ver morrer. É meio mórbido."

Ele pega mais três cartas minhas.

"Então, o que você quer, se ganhar?", pergunta ele.

Olho em seus olhos castanhos. Quero responder àquela mensagem a tempo, penso. Quero salvar você. Mas acima de tudo está: "Quero ter uma chance de dizer adeus. Não consegui. Você não me deu isso".

Ele ri. "Certo. Tudo bem. Se você ganhar, pode dizer adeus."

Parece improvável. Ele está ganhando o jogo. Tem a maior parte do monte. Sei que vai acabar logo, e eu tenho medo de acordar e nunca mais vê-lo, nunca mais poder conversar com ele.

"Ty..."

"As pessoas que amamos nunca se vão realmente", diz ele. "Não aprendeu isso?"

"Ah, não me diga que você acredita no Dave."

Ele olha para mim com firmeza e pega mais cartas.

"Você disse adeus para mim, sim. Não se lembra?"

"O quê?"

"Naquela manhã. Você disse que era para eu ir logo, que eu perderia o ônibus. Eu disse que um amigo me daria carona."

"O que era uma mentira", digo.

"Sim, era", ele admite. "Mas aí, você disse 'Está bem, até mais', e eu disse 'Te amo, mana'. E você disse: 'Também te amo, mano, tchau'."

"Eu disse isso?"

"Você disse."

Eu me lembro. Eu me lembro.

Enquanto estou ali, lembrando desse único momento, sou tomada por outras lembranças de Ty.

Boas lembranças.

Tantas lembranças boas. Eu, construindo meu primeiro boneco de neve com ele, na frente de casa. Nós dois ajudando minha mãe no jardim. Ty tentando comer milho na espiga sem os dois dentes da frente. Juntando folhas com Ty. As aulas de direção. Grudada no braço dele quando alugamos *Jurassic Park* em segredo, quando eu tinha doze anos. A risada engraçada dele. Quando ele tentou cortar os cabelos sozinho. Homem Sageiro. Quando eu tinha quatro anos e vesti minhas roupas velhas nele com uma peruca e andei com ele pelo bairro apresentando-o como minha nova irmã, Vikki. O fato de, todos os anos, sem falta, no primeiro dia de aula, minha mãe nos colocar de pé no mesmo lugar na varanda para tirar uma foto de nós dois juntos, de mãos dadas.

Meu primeiro dia no jardim de infância, quando ele agarrou minha mão e não queria largar quando tentei ir para a escola sem ele.

"Me leva com você", implorou ele.

"Não posso. Você tem que ficar", falei. "Mas prometo que vou voltar. E quando eu voltar, vamos brincar."

"Viu?", diz ele agora.

Digo: "Sinto saudade. Sempre vou sentir".

"Sinto saudade de você também. Muita", diz ele.

Na mesa, coloco um rei de paus, que ele derruba com um ás, e um dez de ouros, que ele bate com seu valete de copas. Só tenho mais uma carta.

"Tchau, Ty", sussurro.

Ele sorri e vira a carta.

DA AUTORA

Meu irmão se matou em 1999. Ele tinha 17 anos e estava no terceiro ano do ensino médio; eu tinha 20 anos e estava no terceiro ano da faculdade. Eu sinto saudade dele todos os dias. Estes são os fatos.

Dito isso, quero deixar claro que este romance é uma obra de ficção. Meus fatos não são os que acontecem nestas páginas. Ty não é meu irmão, e eu não sou a Lex. Não sou um gênio em matemática — isso é óbvio. Minha mãe não reagiu à morte do meu irmão bebendo (o que teria sido um desastre, já que minha mãe é muito fraca para bebida), meu pai não é um contador entediado (e ele nunca entrou num barco, até onde sei), e minha madrasta não é, como Lex diz, um clichê ambulante (minha madrasta é, na verdade, louca por livros, o que nos ajudou ao longo dos anos). Também gostaria de dizer que, diferentemente de alguns dos amigos de Ty no livro, meu irmão tinha amigos incríveis e atenciosos. Sempre fui grata pelo modo com que nossa comunidade de amigos e vizinhos tentou cuidar de nossa família nos dias depois que ele morreu, pelo modo com que eles continuaram demonstrando seu amor e apoio nos anos seguintes.

Então, depois desse aviso, quero agradecer a muitas pessoas por tornarem este livro possível:

Erica Sussman. Obrigada por rir da piadas de Lex e por chorar com as lágrimas de Lex e também por sempre deixar claro o que gostou na história, mesmo quando o caminho de edição deste livro se tornou comprido e difícil. Você é a editora mais brilhante que existe.

A equipe da HarperTeen, sempre encontrando novas maneiras de surpreender: Stephanie Stein, Christina Colangelo, Kara Brammer, Ray Shappell, Melinda Weigel, Alison Donalty e Karen Sherman. Vocês fazem com que eu pareça uma boa escritora quando a maior parte de meu trabalho envolve cabelos despenteados e calça de ioga.

Katherine Fausset. Digo isso em todos os livros, mas continua sendo verdade. Você é a melhor agente que uma escritora possa querer. Eu ficaria perdida num mar de dúvidas sem você. Obrigada.

Meus amigos:

Amy Yowell. Nossa! Tenho muito a agradecer a você, não sei nem por onde começar. Por estar sempre disponível para os assuntos relacionados à matemática. Por seu apoio constante ao livro e por dedicar seu tempo a ler e a opinar com sinceridade, apesar de eu saber que você teve dificuldade para fazer isso. Por ser uma verdadeira amiga. Por me levar para casa naquele dia.

Minhas "meninas primavera": Anna Carey, Veronica Rossi e Tahereh Mafi. Eu não sei se este livro existiria não fosse por uma noite em Miami, quando vocês três leram as primeiras cinquenta páginas dele pelo telefone e começaram a discutir sobre o que ele precisava. Vocês me fizeram pensar e rir. Vocês são demais.

Brodi Ashton. Por estar comigo em um dia chuvoso em Idaho, apesar de eu não te conhecer, e então, num dia chuvoso no Texas treze anos depois, quando te vi, e muitos dias depois disso. Se eu tiver que escolher uma pessoa para estar ao meu lado em uma montanha-russa no escuro, sempre vou escolher você.

Jodi Meadows. Obrigada por ser uma fonte tranquila de incentivo. E por ter feito anotações ótimas quando arrastei você para minha sessão com a srta. Penny. Adoro saber que você é minha amiga.

E finalmente, minha melhor, mais antiga e mais querida amiga, Sarah McFarland. Aquela que me leva ao Jamba Juice no meio de uma crise. Aquela que está do meu lado independentemente do que aconteça, independentemente da distância que nos separe.

Minha família:

Minha mãe, Carol Ware. Obrigada por ter me permitido falar mais sobre essa época da nossa vida com mais frequência este ano, apesar de ter doído. Você é sempre a primeira pessoa com quem quero conversar quando algo maravilhoso ou terrível acontece, e fico feliz por termos isso. Eu te amo. Também quero agradecer a Jack Ware, por ser prova viva de que finais felizes são possíveis, mesmo nas histórias mais tristes.

Meu pai, Rod Hand. Você sempre diz que posso fazer qualquer coisa, e então, você dá um passo atrás para deixar que eu faça. Sou muito grata por isso, e amo você.

John. Você me ajudou a entender que, por mais impossível que parecesse, eu tinha força dentro de mim para escrever este romance.

Maddie. Obrigada por sempre querer que eu cante para você dormir, e por ter aprendido a dizer "Eu também te amo, mamãe" tão depressa. Eu precisava disso.

Will. Meu menininho. Quando você soube que eu tive um irmão que morreu, você fez uma lápide para ele com papelão, no quintal, e colocou flores em cima. Os vizinhos devem ter achado aquilo um pouco mórbido. Eu achei que foi o ato mais meigo de empatia que poderia imaginar, e amo você demais, e meu coração dói quando penso que meu irmão não está aqui para conhecer você.

Cynthia Hand é a autora da trilogia *Sobrenatural*, incluída na lista de best-sellers do *New York Times*. Nascida no sudeste de Idaho, ela é formada em escrita criativa na Boise State University e na Universidade de Nebraska-Lincoln. Nos últimos sete anos, lecionou redação na Pepperdine University no sul da Califórnia. Ela e a família recentemente se mudaram de volta para Idaho, onde estão curtindo o ar fresco. Saiba mais em cynthiahandbooks.com.

Cada dia de vida é uma página
nova no livro do tempo.
DARKSIDEBOOKS.COM